林慶彰 總策畫

民國時期稀見期刊彙編

第一輯

史學科研究年報⑤

臺北帝國大學研究年報

第五冊

史學科研究年報

第五輯

臺北帝國大學文政學部

臺北帝國大學文政學部 史學科研究年報 第五輯

目次

猶太人問題とビスマーク

菅原憲

目次

一　はしがき

國步艱難危急存亡の秋に際し古英雄を追想することは東西揆を一にするところであつて、今も昔も變りはない。百年前の佛蘭西は數次革命政變を經たに拘はらず一向思はしいこともなかつたので、華やかだつた大奈翁時代が追懷され、自ら奈翁黨皇帝黨に氣勢を添へ、其の氣運に乘じたのがナポレオン三世であつた。世界大戰に續いて革命擾亂を重ねた獨逸は四分五裂、帝政以前の舊態に復歸してしまつた。自由主義が完全な形で實現されたといふワイマー憲法も平穩無事の時代ならば知らず、産業地帶を奪はれ植民地を失ひ、所謂天文學的數字の戰債を負はされた獨逸民族は自由主義の讚美歌に陶醉してる餘裕を持たなかつた。擧國一致、全國一黨、其の曉鐘を撞いて人心に投したのがナチスであつた。そして玆に想ひ起される偉人は先つビスマークでなければならぬ。

獨逸の統一、それは古くから詩人學徒に、又は實際政治家に唱道されたところであるけれども、「考へる民族」が「戰ふ民族」になつても十九世紀の中葉まで此の

家範篇之編纂發行，旨在慶賀

東方文化書局國際支持者

艾伯華教授古稀退齡之慶

附刊艾氏在二十五年前所刊小影，見於德國新聞 Deutsche Zeitung 當年五月五日發表「中國家庭之今昔」Die Familie in China - gestern und heute 及小傳。

略傳・影小生先艾

Professor Dr.
WOLFRAM EBERHARD,

am 17. März 1905 in Potsdam geboren, lehrt heute Soziologie an der California-Universität in Berkeley (USA). Er studierte in Berlin Soziologie und — unter anderem bei Otto Franke — Sinologie und arbeitete dann am Berliner Völkerkunde-Museum. 1934 unternahm Eberhard seine erste völkerkundliche Forschungsreise nach China und dozierte dort auch an Pekinger Universitäten. Nach einer Reise in die Vereinigten Staaten und Japan kehrte er 1937 nach China zurück, wo der Ausbruch des chinesisch-japanischen Krieges jedoch bald weitere Forschungsarbeiten unmöglich machte. Von Ende 1937 bis 1948 war Eberhard Professor für Sinologie an der Universität Ankara. In diesen Jahren machte er sich mit der Volkskunde und Soziologie der Türkei vertraut. Die Geschichte Chinas hat Eberhard, der heute als einer ihrer besten Kenner gilt, in vielen Spezialuntersuchungen und im Zusammenhang („Chinas Geschichte", Propyläenweltgeschichte) immer wieder dargestellt. Er war der erste Sinologe, der die Geschichte Chinas und der mit ihm verflochtenen Nachbarvölker mit soziologischen Methoden erforschte und die Kulturkreislehre auf die chinesische Geschichte anwandte.

帝國建設者たるビスマークの場合猶太人問題は獨逸全體の猶太人を對象とする、しかしこゝでは猶太人が如何にして擡頭したか、之に對して如何なる反動が起つたか、之等の情勢がビスマークに如何なる影響を及ぼしたかを知りたいのである。でこの際獨逸全體に亙ることは廣汎に過ぎ、またその必要もないと思ふから單に普魯西の猶太人を中心として考察するにとゞめた。

猶逸に猶太人の最初移住して來た年代及び場所に關しては曾て議論のあつたところであるが、紀元後一世紀か又は二世紀か。兎も角可なり古い時代に西南獨逸、主としてライン沿岸に佛蘭西方面から移住して來たものであらう。(1)メロウィンジアンの頃即ち八世紀の末までは餘り判明てないかカール大帝の猶太人に寛大であつたことは疑ふに及ぶまい。(2)それが九世紀末或は十世紀になるとマグデブルクやメルセブルクにも相當多數の猶太人か住んてゐたといふ。(1)しかし當時の猶太人は伊太利や佛蘭西から移住したのか多いから西方南方獨逸が其の主要住居地域てあつたことはいふまてもない。

それに較べると普魯西(或はブランデンフルク)に猶太人の移住したのは遙に遲れてゐる。現在の獨逸で在住猶太人の數は各地方中普魯西か主位を占め、各都市中伯林か筆頭に立つ、そして反猶運動の中心となつてゐるか猶太人の移住して來た時期は割合に新しいのてある。

十三世紀にはブランテンブルクに猶太人の住んでゐたことが立證される、しかし一三四九年、一四四六年、一五七三年、前後三回反猶運動かあつて其の後彼等猶太人はブランデンブルクから影を隱した。(4) 其の事情はよく解らぬけれども排斥運動の起つたといふ以上猶太人は其頃相當の勢力を得てゐたものであらう。しかしブランデンブルクで猶太人が多少意義ある存在となつたのは大選擧侯フリードリッヒ・ヴィルヘルムの時からと見て間違はない、侯は當年の諸國の君主中猶太人に對して特に寛大であつたとは云ひ難い、最初は彼等の財政的經濟的能力を利用するために彼等を保護するといふにあつたらしい、これは侯か佛蘭西の新教徒(ユグノー)を多數勸誘して移住さしたのと同一理由、同一政策に基くところである、兎も角それまで略〻百年間ブランデンブルクの領内には猶太人か住居し得なかつたのであるが(5)こゝに移住在住の端が開かれたのであつた。

ウェストファーレン和議の結果、ブランデンブルクはハルベルシタットト及び其の附近を領有することとなつた、こゝに十家族程の猶太人が住んでゐた、大選擧侯は彼等に居住の特權を與へたが更にエンメルリノヒ生れのエリア・グンペルツを發見した、これは有能の人物であつて武器火藥等を供給したばかりではなく侯の下に外交方面で働いた。これが機縁となつて侯は墺太利の猶太人を移住させることにした。その移住定住の許可條件は可なり峻酷なものではあつたけれども、當時の新教諸國に比較すればいくらか寛大であつたともいひうる。かくして墺太利から五十家族の猶太人がブランデンブルク領内に隨意に定住し自由に職業を營みうることとなつた(一六七一年)。その五十家族中七家族は伯林に落ち着いた、其のうちにリース、ラザルス、ファイトの名が見えてゐる、(7)これらは孰れも後年獨逸て名を成した家族てある。

隣國ポーランドは十六世紀の末葉以來外戰に苦んだ、從來ポーランドでは猶太人を寛大に取扱つて來た、殊に國王シキスムント一世(一五〇五年—一五四八年)の治世には猶太人が厚遇されたと云うてい〻。(7)そこて古くからポーランドには猶太人が多數住んてゐた、しかし十六世紀の末葉になると漸く猶太人も不利の狀態になり、またイェスイノト教徒が勢力を得るやうになつてから猶太人はいよく抑壓された。(8)加之、戰亂の結果ポーランド其ものの國勢か萎縮するに從つて猶太人の境遇もますく〳〵非境に傾いた。十七世紀の中葉十年間の戰爭(一六四八年―一六五八年)て猶太人の死者をクレ〻ツは二十五萬と推算してゐる。[9]

かやうな非運に陷つたポーランドの猶太人は多數ブランデンブルクに逃げて來た、彼等は無論貧困無智の徒であつたけれとも大選擧侯の庇護をうけてブランデンブルク領內に居住しうることとなつた、此等の猶太人は「保護される猶太人」(Schutz-juden)と「寬容される猶太人」(Geduldete Juden)とに分けられた。後者は領內で單に生活し得るといふにとゞまり何等の權利はない、前者は所謂特權を與へられ保護證を下附されるのであるがその特權とは如何なるものかといふに、大選擧侯の保護證ては、

猶太人は自ら住居又は住宅を借用し購求し築造しうる、商店を開き又は年市で一般の商品を小賣し新古の衣類を販賣しうる。家畜を屠殺し販賣しうる。毛織物香料を販賣しうる、通行稅及びこれに類する課稅は他の人民と同樣、人頭稅は免除される。保護稅は一家族につき八ターレル、結婚稅は一黃金グルデン、其他の諸稅は民事裁判を司る地方官吏の査定による、民事裁判は公正なるを要し他の容喙干涉を許さぬ。猶太人は墓地を所有しうる、但敎會堂(シナゴーグ)

を設けることは出來ぬ、唯個人の住宅て基督教徒の憤激を買はぬかぎり神事を營むことは許される、そして基督教の信者を誹謗し神を冒瀆するやうな言行は嚴罰に處せられる。(10)

とあつた。

其の後三十年、一七〇〇年の伯林には「保護される猶太人」が七十家族、即ち一千人、「寛容される猶太人」が四十七家族あつたといふ、(11) 可なりの増加と云はねばならぬ。

軍人國王フリードリッヒ・ウィルヘルム一世の猶太人を壓迫したことは想像し易いのてあるが次のフリードリッヒ大王時代も猶太人には有難い御時世ではなかつた。大王は卽ち自然神教(アセイズム)の遵奉者てあつて「王座の哲人」、「典型的啓蒙君主」といはれ宗教宗派には寛容、むしろ無關心ともいひうる、加特力教徒に寛大てあつたばかりでなく「若し回教徒が伯林で傳道しようといふならば予は彼等のために會堂(モスク)を建ててやらう」といふのは有名な話てあるけれとも猶太人に對しては甚非寛容であつた。これは宗教上の偏見によるのてはなく猶太人の慣習性癖が氣に入らなかつたものと思はれる。

大王に從へば「猶太人は國家及び基督敎徒に不利である、だから壓迫を加へて彼等の增加を防がなければならぬ、小都市殊に國內中央部の小都市に於ける無用にして有害なる猶太人は機會ある每にまた出來うるかぎり追放すべきてある[12]といふ、猶太人はその習性として都市に住み農村には少い、つまり大王は重商主義の見地から、また戰爭や內政の費用を考慮し大都市に於ける富裕な猶太人を利用することは忘れてゐない、然らざるかぎり猶太人は有害にして無益の存在であつた。大王の猶太人嫌はヒルシ事件以後ますく〵ひどくなつた[13]といはれてゐる、これはヴォルテールと伯林の猶太人て寶石商だつたヒルシとの間に起つた訴訟事件(一七五〇)であつて猶太人側では大王がヴォルテールの策略を看破しえず偏頗な處置を取らしたといつてるが猶太人側の態度にも大王の激怒を買ふものがあつたに相違ない。この年に出た「國內猶太人の特權修正法及び監理法」は可なり苛酷なものであつてそのうち注意を惹く二三の點を擧げるならば(一)、「保護される猶太人」の特權は其の一子にだけ傳へ與へる、(二)、手工業商業はある種類のものに限り許可する、(三)、將來猶太人は自分の家屋を購入することか出來ぬ、[14]などであつて從來の既得權は著しく制限された、更に一七五二年の勅令は各地方に於て住居する猶太人の人數を定め、これを超過する場合には既得保護特權を顧慮することなく放逐すべし(15)とある。

しかし啓蒙（アウフクレールング）の思想並に運動は猶太人にも重大深甚の影響を及ぼした、即ち傳統に對して自發自決の權利を、宗教上社會上の束縛に對して人間の自由を、歴史の權威に對して理性の支配を、信仰に對して知識を强調するといふのであるから從來の迷信偏見、因襲惰性等は徹底的に排除され公正合理明朗の世界が出現すべきであつた、人間としての評價の規準は生國家門、人種民族、宗教宗派等の別によるべきではなく、教養の有無品性の如何によるべきであつた。この場合具體的にいふならば猶太人といへども獨逸人と同一水準の教養を有し尊敬に値する品性を備へるならば政治上社會上獨逸人と同格同列に伍し其間に高下優劣の差はあるべきでない。斯うした時代の傾向に刺戟された彼等猶太人の間にも各種の改革が行はれた、之を大別するならば內部的のものと外部的のものとに分けることが出來る、前者はタルムードを去つてバイブルに歸れといふのが要點をなしてゐる、後者は猶太人の教養を高め周圍との同化を計るものであつて啓蒙運動と同樣、伯林、フレスラウ、ケーニヒスベルクを中心として起つたが伯林が先頭に立つたことはいふまでもない、こゝにレッシングとメンデルスゾーンの功績を忘れることは出來ぬ。

詩人レッシングは暫らく措いてモーゼス・メンデルスゾーン(Moses Mendelssohn 1729—1786)に就ては一言したい。[16] 彼は「啓蒙哲學者」とか「伯林の哲學者」とかいはれるが、生れたのは伯林でなくアンハルト州のデッサウであつて微賤なトーラ書の一筆工を父とし、所謂「寛容される猶太」人として貧困な家庭に育つたのであつた。元デッサウの教師(ラビ)だつたダヴィド・フレンケルを伯林に於ける唯一の知人と頼り笈を負うて上京した時に彼は十四歳(一七四三年)、バイブル、タルムート、マイモニードの外には何の知識もなく、獨逸書を讀んだこともなければ第一正格な獨逸語も話せない、この見すぼらしい猶太少年が他日獨逸の學界に名聲を博しようとは何人も豫想しえなかつたところであらう。レッシングの喜劇「猶太人」の出たのは一七四九年である、其頃東方學者として有名だつたミカエリスは之に批評を加へ「斯様に流麗な獨逸語で義憤の餘り猶太人の性格を辯護するその人物は果して猶太人かどうか疑はしい」とした、之に對してレッシングは「然り、眞に猶太人てある、しかもまだ二十代の青年で語學哲學及び詩學に於て孰れも獨自の境地を有する」

と答へた。(1) これはメンデルスゾーンを意味するものであつて當時の社會は意外の感に打たれたことであらう。更に十數年後(一七六三年)彼が伯林アカデミーの懸賞論文に應募しカントに打勝つて當選の榮を得たことは基督教徒に一大驚異てあつた。

レッシングとメンデルスゾーンの交情は眞に羨むべきもので前者は後者を第二のスピノザと賞揚し、後者は前者の推輓によつて著作をも公にしたのであるがまた上流社會とも相識ることが出來た、そして遂には著名の詩人學者相競うてメンデルスゾーンとの交遊を喜びその交友は當時の一流の名士を網羅するの觀があつた。

メンデルスゾーンは諸般の學に精通した。しかし彼自らいつてるやうに彼は多年希伯來語猶太哲學の研究に専念沒頭した。舊約書殊にモーゼの五書は猶太教の聖典であるけれとも當時一般の猶太人は之を完全正確には理解してゐなかつた、何故ならは猶太人のうちでも純粹の希伯來語を解するものは極めて少く、教師學者の註解書も直截簡明な聖書の眞意を解し得すして晦澁難解のものにしてしまつたからである。彼はこれかために猶太教徒にも基督教徒にも少からざる誤解を生じつゝあるを嘆き、モーゼの五書の獨譯を企て五年(一七七八年—一七八三年)を費して完成した、これは二樣の意味て重大のものといはねばならぬ。一は猶太子弟に獨逸語を習得せしめ進んて獨逸の一般文化に親しましめる機緣をつくり、他は基督教徒にも希伯來語か讀み易くなり、其の結果猶太教及び猶太性(デンノウム)が正解される契機をなしたからてある。

從來多數の猶太人は住所(Ghetto, Judengasse)にも職業にも甚しく制限を加へられ獨逸人との交涉は極めて少い、彼等の言葉は卽ち Jiddisch 或は Jargon てあつて地方的時代的訛言がひどく、また教育と云へは主としてタルムードの章句を暗記せしめるにとゝまり一般文化とは緣の遠いものてあつた、たから彼等猶太人は彼等の接觸する範圍以外のことに就いては見聞も狹く理解も淺かつた、隨つて時代の風潮に刺戟され好學の念に燃ゆる猶太子弟が上述の飜譯を歡迎したことはいふまてもあるまい。

メンデルスゾーンによれば「從來のヤルゴンは猶太人の不良生活に關係が深い、純粹な獨逸語の習得は教育上重要な地位を占めるものてあつて猶太子弟に良き效果をもたらすに相違ない」(18)。そこて彼は教育の改善を說き特に貧困な家庭の子弟の教育機關の必要を唱道した。

一七八一年伯林に無料學校(フライシューレ)が設立された、之はメンデルスゾーンの感化をうけ其の親友にして前掲の飜譯事業では協力者だつたウェッセリーの盡力によると云ふべきであらう、彼の說では「猶太の子弟も新時代の要求に應じて教育されなければならぬ、タルムードに精通することは多數の者に要求されない、多數の者は先づ職業を習はねばならぬ、更に尙初歩の科學、歷史、地理等が必要である。就中獨逸語を話し且書くことを教へなければならぬ」。そこでこゝに出來た伯林の無料學校ではその教授科目中にバイブルやタルムードの外に獨逸語佛蘭西語が加へられてある、この學校は其の後獨逸佛蘭西其の他の諸國に出來た同種學校の範となつてゐる。同時に猶太人の雜誌(Sammler)も發刊された、孰れも猶太人の教養を高めるに役立つたのである。

斯うした新しい試みに對しては所謂正統派といふ頑迷な猶太人側から反對が出た、そして十九世紀中葉の政界に於ける大立物ガブリエル・リーサーの祖父ラファエル・コーンが其の急先鋒だつたことは面白いと思ふ。反對理由は要するにメンデルスゾーンが猶太人の傳統猶太性の本質を破壞するといふにあつた。メンデルスゾーンは以前猶太教に對する彼の見解、態度を明かにしなかつたが偶一七六九年ラファーター事件(19)といふものがあつて此時彼は衷心から猶太教を信奉すること、また各種の學問を研究するのは單に手段であること眞の目的は猶太教の研究にあることを言明した、だから識者の間には彼の眞意は理解されてゐたのである。

メンデルスゾーンを以て獨逸の文學哲學に通し獨逸の文化を正解した最初の人といふのではない、しかし猶太の子弟をして一般的文化の恩惠に浴せしめ彼等の知識教養を高め、そして初めて猶太人を一般社會の有用なる構成分子たらしめ得るとしたところに彼の偉大さがある。また彼は猶太人の間に「賢人モーゼス」「現代のソクラテス」などと呼ばれたのであるが其の當否は別として、これまで侮辱され迫害されて來た猶太人のうちに猶太教を奉じながら基督教徒間にも名聲嘖々たるメンデルスゾーンの風姿こそ多數年少猶太人のひとしく待望した憧憬の的でなければならぬ、彼の辿つた道程、それは假令嶮峻の道てあらうとも荊棘の道であるにせよ、奮勵努力すれば何人も踏破し得るといふ實例が示された。だから猶太の青少年はメンデルスゾーンに希望と慰安と激勵とを見出したのであつた。

猶太人の經濟界に於ける活動も顯著になつて來た、前述の如く大選擧侯以下歷代の君主は重商主義の立場から猶太人を利用した、これは卽ち保護される猶太人てあつて彼等は先づ外國貿易に從事した、無論これも制限があつて最初は金銀細工其他贅澤品を主としたのてあるが其後羊毛、各種の織物家畜肉類などにも及び[21]ポーランドやオーストリア方面との取引が盛てあつた。また製造業も勃興した、一七三〇年、ダヴィド・ヒルシのポツタムに建てた天鵞絨工場は普魯西に於いて最初のものであつた。フリードリ ヒ大王も猶太人を抑壓しながら彼等を搾取することは忘れず種々の名目て多額の租税を賦課した。また七年戰爭の際其の軍事費を調達したのは實に彼等猶太人てあつた、そのうちて有名なのがエフライムとイッチッヒであつて前者は大王の治世中造幣監督てあり後者は伯林の無料學校の創立者として知られてゐる。一七六三年大王は十三年前の規定による權利を第二子にも及ぼすこととしたがその代り國內全部の猶太人に七萬ターラーを獻金さした、更に一七六九年磁器販賣法を公にし猶太人は必ず一定額の磁器を外國に賣り出さねばならぬこととした、但この場合、猶太人は自らその商品を選定することが出來なかつたから外國市場では「猶太磁器」が劣等品を意味し一般に伯林の製作品を不評ならしめた。隨つてこの法律は猶太人の間だけではなく普通獨逸人の間でも評判はよくなかつた。ともかく大王の治世中に製造業が勃興しそして猶太人のうちに企業家の擡頭し來つたことは否定し難い、中にも前述のエフラヒムの家族は其の適例であつて伯林に各種の工場を設け大王の庇護の下に勢力を振つてゐた。

(1) A. Altmann, Fruheste Vorkommnen d. Juden in Deutschl , 6 ff.
(2) Graetz. Volkstuml. Gesch. d. Juden II., 196, 262 ff.
(3) Margolis and Marx, H of Jew. people, 353
(4) E. B. Cohn, Fuhrer durch Jud, Wissen, 35
(5) Graetz Volkstüml. Gesch. d. Juden III , 411
(6) ibid, 412
(7) Meisl, Gesch. d. Juden in Polen u. Russland I, 132 ff.
(8) ibid, 173 u 184f.
(9) Graetz, Volkstüml Gesch. I. Juden III. 345.
(10) Elbogen, Gesch d. Juden in Deutschl. 157f.

(11) ibid, 160
(12) ibid, 163
(13) M. Kayserling, Moses Mendelssohn, 119
(14) Elbogen, Gesch. d. Juden in Deutschland. 163
(15) M Kayserling, Moses, Mendelssohn 120
(16) 拙稿史林第十四卷第一號
(17) Seligmann, Gesch. d. Jüd Reformbewegung, 40
(18) Elbogen, Gesch d Juden in Deutschl., 173
(19) 拙稿史林第十四卷第一號
(20) Margolis and Marx, H. of Jew. People, 597
(21) Elbogen, Gesch d. Juden in Deutschl., 159
(21) ibid, 165f.

(二) 解放運動の前期(十九世紀の初葉)

以上の如く十八世紀の後半になると普魯西に於ける猶太人も漸く勢力を得て過去百年間に面目を一新した、しかしそれと並行して彼等の地位境遇か改善されたのではなかつた、政治上法律上、經濟上社會上あらゆる方面て色々の制限があり壓迫が加へられてゐた。當時の獨逸では普魯西が最寛容の國といはれた、そして啓蒙思想の中心たる伯林に於て最高知識階級から尊敬をうけたメンデルスゾーンでさへ尙侮辱蔑視に甘んじなければならなかつた、彼は普魯西生れではなく「保護される猶太人」でもない、一七五〇年の規定によれば唯〻ある「保護される猶太人」の保護の下に居住が許されるといふに過ぎぬ、即ち彼は絹布工場主ベルンハードの家庭教師、店員を經て支配人になつてゐたのである。(1) 大王の寵遇をうけてポツダムにゐた佛蘭西の貴族ダルジャンはメンデルスゾーンとも親交がある、この規定はまさかメンデルスゾーンに適用される筈はないと信じて大王に訊した時大王は言下に答へて曰く、「然り、彼はベルンハードの下に勤めてゐるから寛容される、若し解雇されて他に『保護される猶太人』を見出しそして使用されることが出來なければ警官は今日のうちにも彼を伯林から放逐するだらう」。ダルジャンはメンデルスゾーンが斯樣な不安の境遇にあることを知つて驚愕し爾來屢〻大王に進言した結果數年の後初めて「保護される猶太人」の特權を與へられた（一七六三年）、しかも其の代償として一千ターラーの保護稅を課せられたがそれは翌年大王の特志により免除された、しかし其の特權は一代限りで子孫に傳は

るものではなかつた。(2)

またメンデルスゾーン自身の記すところによると、

「予は所謂寛容の國に於て實は各方面の非寛容に惱まされてゐる、子供可愛さから晝は終日絹布工場に蟄居してゐる始末だ、夕方は時々妻子と散歩する、其の際『お父さん、彼奴ば何を僕達に言つてるの、何故石を投るんだらう、僕達は何をしたといふの、……彼奴らはいつもついて來る、そして猶太人猶太人といふ、一體猶太人であることは恥かしいことか知ら、それがどうしたといふの……』。予は瞑目し長太息しそして獨語した、人々よ、これはどうすべきものか、いやこの考察はやめよう、唯予を不快ならしめるだけである」。(3)

メンデルスゾーンにして尙且然り、一般の猶太人の境遇は察するに餘りある、それも十七世紀のやうな狀態ならばともかく、富に於て敎養に於て彼等猶太人は決して獨逸人に劣らぬといふ自信を得たのであるからこゝに解放運動或は平等、運動の起ることは當然といふべきであらう。

猶太民族の近世史はメンデルスゾーンに始まるといふ、卽ち彼は猶太人の近世的生活を開拓したのであつて彼の事業は要約すれば猶太人の信仰を純化し境遇を改善するにあつたと云つていゝ、實に猶太人の解放も其の理論的基礎は彼に負ふところ多く、また十八世紀末から興つた其の改革運動も彼の精神氣魄によつて感奮した青年學徒が中心をなしてることを忘れてはならぬ。

獨逸のうちでも其の頃佛領だつたエルサス州、殊にメッツは猶太人迫害の酷いので知られてゐた。一七七〇年代ヘル事件[4]といふものがあり、爾來猶太人はいよ〳〵抑壓に苦んだ。當時は佛蘭西大革命の以前であるから輿論の力の偉大なることを認めた彼等猶太人は輿論を喚起して彼等の境遇の局面打開をしようとしこれをメンデルスゾーンに謀つた。つまりメンデルスゾーンの名聲は外國の官憲をも動かし得ると考へたものであらう。しかし彼は事情あつて自ら其の衝に當ることを避け友人ドームを推薦し一切をドームに依賴した。

ドーム(Chr. W. Dohm 1751—1820)はフリードリッヒ大王の信任篤く軍事顧問といふ名義で實は史籍に通するの故を以て伯林の王立古文書館に勤めてゐた。彼は親猶派の人で曾て猶大民族史の著述を企てたこともあるからメンデルスゾーンの依賴を快諾し執筆公表したのが「猶太人の市民的改善論」(一七八一年)であつて之は直接猶太人を辯護したものではなく反對に基督教徒側で指摘する猶太人の害惡を赤裸々に羅列したといふが當つてゐる、しかし彼の說明によれば「猶太人の斯うした頹廢は數百年來彼等を取扱つて來た法律制度のもたらした自然的必然的結果でなければならぬ、故に國家は猶太人を强壓して惡市民たらしめることなく寬容して良市民たらしむべきてある、先づ彼等に移住植民の自由と職業選擇の自由とを與へ、そして唯手工業や農業に從事するを許すといふだけでなく、古代に於けると同樣彼等が肉體勞働により安心して衣食し得るやう保護してやらねばならぬ、學校ては基督敎徒の兒童から猶太人に對する偏見を取り除くべきである、また猶太人を國家の官職に就かしめることは今卽時にとはいはぬが將來必考慮すべき問題である、猶太人は軍人たるに適しない、安息日には軍務を怠るなどいふことは歷史的事實を忘れた謬見であり猶太人の增加過剩などいふ恐怖も全く根據はない、國家が彼等猶太人の能力才幹を認識し活用するならば國家の幸福これに過ぎたるはない云々」(5)、

この本は「解放の聖書」と呼ばれ基督敎徒側から猶太人を支持し同情した最初の宣言とも見られるか之にはメンデルスゾーンの意思が少からす加はつてゐると(6)もいひ、またメンデルスゾーンならもつと穩な辭句を用ひそして事情に通じな

い猶太教徒以外のものにも解るやうに說明した筈だ[7]ともいふ、とにかくドームは基督教徒間に激烈な反對論の出ることを豫期したものであらう。果して猶太人側からは餘り歡聲が擧らなかつたに反し基督教徒側に影響を與へ是非の議論が沸然として起つた、これはドームの書が宗教的要素よりも政治的要素の濃厚だつたためであらう。[8]

皇帝ヨセッフ二世は一七八二年に有名な寛容令を公布したこれはドームの影響をうけたと思はれる、そして猶太人側からいへば最大の收穫であつた。之によれば猶太人は大學其の他の學校にも自由に入學出來る、農業手工業其の他の職業にも從事しうる、學校を設立することも許され人頭稅は廢止される、といふので卽ち猶太人に取つては一千年來初めて接した福音であつた。しかし皇帝も猶太人に基督教徒と同樣の權利を與へる意志はなかつた、例へば維納でも特殊な猶太人に限り保護稅を納めて初めて入市を許される、また維納には教會堂（シナゴーグ）を建てることが出來なかつた、卽ち完全な人民ではなくして副人民（ネーベンメンシ）であつた。それでもクロノプシトックは人道主義の立場から皇帝に頌詩（オーデ）を獻じた。しかしドームに反對の議論は甚だ多くヘルデルの如きも古代の希伯來人には敬意を捧げながら現代の猶太人には好意なく彼等の増殖及び平等權の賦與は危險であることを力說した。[10]

十八世紀末になると猶太人の文化的社交的狀態は著しく向上し獨逸人に比較して何等遜色なきに到つた、例へばマークス・ヘルツ、ラザルス・ベンダヴィド、サロモン・マイモンはまだカンド哲學の一般に理解されない時にその使徒といはれてゐる。文學、社交の中心をなしたものも多く、シラーの一友人の如き「今伯林で眞に文學を談じ得るものは唯教養ある猶太人だけだ」としてゐる[11]ヘルツ夫人ヘンリエッテの客間（サロン）は當時學者思想家の俱樂部として知られ、シライエルマッヘル、フリードリッヒ・シレーゲル、ウィルヘルム・フォン・フンボルト、フィヒテ、並に伯林滯在中のミラボーが荐りに出入したことは餘りに有名である、またゲーテをして感歎せしめたと云ふ才媛ラヘル・レヴィンも純然たる猶太婦人であつた。

しかし啓蒙の餘弊は猶太人の間でも攻擊の的となつた、つまりメンデルスゾーンは猶太人にとゞまりながら基督教徒と同權たらむことを期したのであるが啓蒙の風潮は無神論的自然神教的になり、また周圍との同化を念ずるに急なるまゝ、猶太教の眞髓を輕視し忘却するものが少くなかつたからである、中には啓蒙的猶太教と啓蒙的基督教と異なるところは儀式だけであるから之を取り除けば異同はないとし(12)或はまた「猶太教」といふ言葉を棄てて「舊約の信者」「モーゼの信者」をこれに代へたがい丶とするものもあつた。(13)だから隨時隨所基督教に改宗するものが多くメンデルスゾーンの次男アブラハムも彼の子弟を宗教なしに教育しその後基督教を奉ぜしめたがい丶と唱へたが彼の姉妹は基督教に改宗した、前述のヘンリエッテも母の死後基督教に歸依した一人である。(14)

かやうな傾向は無論多數猶太人の喜ぶところではなかつた、しかしかうしてまで猶太人が周圍との同化を謀つたにも拘はらず彼等の地位能力を認めるものはある局限された範圍にと丶まり一般民衆の間ては相變らす賤しい異民族であり異教徒であつた。そこで殘されたものは政治的法律的解決でなければならぬ。

佛蘭西大革命はまづ從來の傳統因襲を破壞し棄却した、そして建設的事業の指導原理は實に人權の尊重であつた、國民議會は人權の輕視或は無視が公衆の災禍政治の腐敗の根源であるとし、(15)有名な「人權の宣言」を公表した。之は革命のプログラムであり後世の政治思想に深甚の影響を與へたものであるが謂ふ所の人權は他民族例へば猶太人にも及ぶや否やに就ては可なり議論があつた。國民議會が一切の特權を撤廢し國民の平等を聲明するや佛蘭西在住の猶太人は議會に委員を派遣し法律の明文で彼等にも平等の權利を與へよと懇請した。此の時ミラボーやグレゴアールは猶太人のために熱辯を振つたが反對者多く決定は延期された。人權は地上一切の人間の權利といふのであるから無論猶太人も含まるべきである、結局佛蘭西在住の猶太人は一七九一年の九月下旬完全なる市民權を與へられた。

次いで佛軍が獨逸に侵入しそしてラインの右岸を占領するや(一七九八年)その法律制度も輸入されて猶太人街は開放され、猶太人も佛蘭西市民軍に編入され同時に完全な市民權を與へられた、爾來獨逸の諸邦も漸次猶太人の權利を承認し、人頭稅を廢止しウェストファーレン王國、バーデン大公國、フランクフルト大公國等相次て猶太人に市民權を賦與した(一八〇七年―一八一〇年)、殊にウェストファーレンの新王ジェローム は國內の猶太人に完全なる市民權を與へただけではなく外國の猶太人の滯在に際しては基督敎徒と同等に待遇することとした。(16)

普魯西はイェナ、アウェルステットの敗戰後國力の恢復に全力を注がなければならぬ、之がためには國家總動員を絕對に必要とした、隨つて猶太人の經濟的勢力を無視することは出來ぬ、從來猶太人に對する立法は主として第二子以下に及ぶ權利に關するものが問題になつてゐた、然るに今や猶太人の兵役のことにも及ぶやうになつた。[17] 一八〇八年十月所謂「シタインの法律」が公にされ都市の猶太人は市民權を與へられ都市の自治體の公職にも就き得ることとなつた、そしてダヴィド・フリードレンダーが伯林の市参事會員に擧げられた。但しシタインは猶太人嫌ひでもあるが有名な佛蘭西嫌ひ奈翁嫌ひであるから佛蘭西人、殊にジェロームの例に倣ふ筈はない、むしろこれを苦々しいものと見てゐたのであつた。[18]

しかし爾來國内に於ける全猶太人に完全平等なる市民權を與へるの可否は當面緊急の問題となり之に正面から反對するものはなかつたけれども即時論と漸進論とに分れ容易に決定しがたいものがあつた、後者の理由は「猶太人の誠實性に疑を持つからである、これはアイゼンメンガーの「發見されたる猶太性（ユデンツウム）」（一七〇〇年）に基づくのであつて、猶太人は民族的特質として誠實を缺くといふ、ともかく猶太人にそうした民族的缺陷があるものならばこれを矯正改善した上で市民權を與へたがいゝといふのである、ウィルヘルム・フォン・フンボルトは即時論の代表者であつて國家は法律機關であり教育機關ではない、根據なき偏見を顧慮せずに卽時斷行すべしと論じたのであつた。[19]

シタインに代つたハルデンベルクは「平等の義務と平等の權利」をモットーとした、猶太人の問題に關しては屢〻討論が行はれたけれども一八一二年三月十一日附で「國内の猶太人に關する勅令」が發布された、之によると普魯西王國内に住む猶太人は全家族に市民權が與へられる、但その條件として㈠六箇月以内に一定の家族名を定め之を官廳に屆け出る、㈡商用帳簿、契約文書、法律的意思表示には獨逸語或は他の現代語(卽ち希伯來語を除く)を用ゐ、署名には獨逸文字又は拉典文字を用うることが規定された。そして猶太人は都市農村に住居することが出來、すべての義務(兵役の義務を含む)は他の人民と同樣、卽ち權利も義務も基督教徒と異なるところがない、唯國家の官職に就くことと宗教に關することだけが尙保留された。[20]

この法律は猶太人の久しく待望してゐたところであつて唯、問題となるのは今後基督教徒と同格同列の市民であるから「ラビの法廷」(猶太教徒の法廷)は當然廢止される、隨つて將來國家の權力か猶太の敎律其の他にも及ぶことはないかといふ懸念でなければならぬ、しかし普魯西國内の猶太人はこの勅令を歡呼して迎へたのであつた。

ナポレオン打倒、外國支配の脱却、これは獨逸の民族的精神を極度にまで昂奮さしたものである。この際獨逸の猶太人もこゝに初めて祖國を發見した、從來猶太人は異民族として蔑視されあらゆる社會から除外されて祖國といへばそれは曾て見たこともない單に傳へ聞く往古の鄉國を漫然想ひ浮べるに過ぎなかつた、義務は卽ち權利を伴はぬ、しかも恥づべき唯保護を仰ぐためのものであつた、然るに今や權利は與へられこれに伴ふ義務は祖國に奉仕する尊いものであり、そして他の人民と何の異なるところはない、卽ち平等にして完全なる權利と義務とを享有し物心兩面に亙つて貢獻しうる祖國を見出したのであつた。だから彼等猶太人が進んで戰時獻金に應じたことはいふまでもなく義勇兵として勇躍從軍したものも可なりの數に上つた、これは國王フリードリッヒ・ヴィルヘルム三世が信仰及び階級を超越し「全國民」に呼びかけた告諭(一八一三年二月九日)に感激した結果だといふ[21]。普魯西陸軍省の調査によれば一八一三年—一八一五年の期間に猶太人の從軍者五六一名、とある、當時人口では〇・六パーセントを占めた猶太人が從軍者では〇・三五パーセントに上つてゐる、しかしこの猶太人從軍者には猶太敎徒だけが數へられ改宗したものは除かれてゐる、また一八一二年まで猶太人は全然兵役から除外されてゐたことを考へるならば以上の數字は決して少いものとはいへぬのである。[22]

猶太人の從軍者には戰功者も戰死者もあつた中には後世に傳はる美談逸話もある、鐵十字章の受動者は合計七十二名に及んだ。之等の戰士は一般の獨逸人からどう見られたか、宰相ハルデンベルクは荐りに彼等の功績を賞讃してゐるが大體の評判は惡くなかつたやうである。後年一八四七年に政府は陸軍省の調査に基づいた報告書を議會に提出した、これは自由戰爭時代からの狀況を調査して作製したのであるがその結論に曰く「普魯西軍隊に於ける猶太人は基督敎徒と比較して一般に異なるところなし、戰時に於ては他の普魯西人と同樣、平時に於ても他の部隊に劣ることとなし、而して特に猶太敎は軍務上何等支障あるを見ず」とある。[23]

維納會議に於ける所謂正統主義は卽ち保守主義であり萬事逆轉の觀を呈した、猶太人の問題も同樣であつてウィルヘルム・フォン・フンボルトの原案はハルデンベルクとメッテルニッヒの諒解を得たのであつて猶太敎徒は市民の義務を負ふ限り市民の權利をうるといふにあつた、が遂に採決されなかつた。そして聯邦諸邦はなるべく一致した方法を取ること、なるべく既得權を尊重することといふ要するに生溫いそして猶太人には不利なものになつた。[24]

こゝに注意すべきは普魯西の態度であつた。以上述べて來た通り漸次猶太人に有利と見えてゐた普魯西政府の方針は一變して反動的になり曾て國王が豫約したにも拘はらず猶太人の凱旋戰士は國家の官職に就くことが困難になり、法相キルヒアイゼンの如きは鐵十字章の所有者にも官職を與へることを拒絕した、「元來道德性の薄弱なものは一時的、勇氣昂奮によつて矯正される筈がない」といふのがその理由であつた。[25]

かうした傾向は爾後ますく濃厚になり、「解放は失態だつた、猶太人を幾つかの階級に分ちその第一階級者にのみすべての市民權を與へたがいゝ」といふ議論もあつた、但、基督教に改宗した猶太人に全市民權を與へることは何人も異論がなかつた。

かやうな變化は要するにロマンチークの風潮に基づいた獨逸國粹主義に由るものであつて獨逸の國粹に反する一切のものは排斥される運命にある、だから

「國中一國を成す」猶太人は顯著なる異分子として「特殊國民(ゾンデルナチオン)」として憎惡の的となるべきであつた。またこの氣分には對佛感情も手傳つてゐる、奈翁の法律は其の所領たる獨逸の諸州に於て猶太人の權利を認める、そしてまだ適用されてゐる、これが普魯西領ライン諸州、ウェストファーレン或は普魯西本國にも影響しないとは保證出來ぬ、だからこれまた猶太人憎惡の感情をそゝつたのであつた。(26)

この時代思潮を最露骨に記述したのは新設された伯林大學の史學教授、フリードリッヒ・リュウスの「猶太人の獨逸市民權要求」であつて要約すれば「猶太人を獨逸から追放出來ぬものなら抑壓して發展を防止しなければならぬ、彼等は『寬容される』『階級に滿足すべきで平等なる市民權を要求するのは驕慢である」(27)といふにあつた。この書は民衆に廣く讀まれその類書も無數に出版された、ベルネの所謂乾燥無味な毒草の花束」である。これらに影響されて猶太人迫害の暴動も諸所に勃發した、普魯西だけは官憲の力でこれを防遏しえたが、一八一九年バイエルンから諸方に傳はり北方獨逸を超えて終にはコッペンハーゲンにも及んだといふヘップ・ヘップ」(Hep-Hep-Geschrei)といふのかそれである。

この騷動が治まつて後諸邦では猶太人の權利が重要問題視され其の對策も講

ぜられたが要するに猶太人に有利な解決は望まれぬ、普魯西ては憲法問題も猶太人問題も更に進捗を見ず却て猶太人の既得權は次第に減削されるに到つた。即ち一八二二年には上等兵以上の軍職に、一八二三年には大學の教職に就かれなくなり、この年州議會が設けられたが其の議員は基督教教會に屬するものと決定された、そしてこの議會は一八一二年の勅令を時機に適せすと議決した。

斯樣な現狀維持的又は逆轉的傾向は權利の問題たけてなくあらゆる方面に及び改善進歩は到底期し難い有樣であつた。此頃獨逸の猶太人は猶太教に關する知識も關心も淺薄になり中には希伯來語も死語であつて實際生活に有害だとするものさへもあつた。イスラエル・ヤコフソンは猶太性の本質は教會堂(シナゴーグ)に見出さるとし、其の教會堂が現在蔑視されてるのを歎き其の威信を恢復せんとして伯林で教會堂の改造を企てた、此の時猶太人側の頑迷派から反對があつたにもせよ、一八二三年の閣令により禮拜は從來の傳統的禮拜にかぎる、國內に於て猶太教徒間の宗派的分裂を許さずとされた。(35)

かやうにして猶太人の救はれる道は今や唯一つしかない、即ち基督教に改宗することであつた。たから此頃獨逸の猶太人で洗禮をうけたものが甚だ多い、ハンブルクのネアンダー(教會史學者)カッセルのベナリー(東方學者)トリエルのハインリ、ヒ・マルクス(辯護士、カール・マルクスの父)などが其の中に數へられる。一八二二年には伯林に「猶太人間の基督教奬勵協會」が設けられ國王の保護をうけ洗禮者には褒賞を與へた、また普魯西の國法では結婚式を基督教的にし其の子弟を基督教的に教育するといふ條件で猶太教徒基督教徒間の結婚を許してゐたからある統計によれば當時伯林の猶太人の半數は洗禮をうけ基督教徒と結婚してゐるといふ、これは多少誇張に過ぎると思ふけれども彼等猶太人の心理的動向を察することが出來よう、彼等の改宗は宗教上の信念によるのではなく歐羅巴の文化への「入場券(アントレ・ビレ)」を得んがためであつた、そして抑壓が加はり失望が増すに從ひ逐年改宗者の數は増加した。(29)

「猶太の文化と科學の協會」の一創立者であり且會長たつたガンスが伯林大學の教授たらんがために洗禮をうけたのもこの頃(一八二五年)であり、其の會員の一人たるハイネがガンスは會長の位置にあり協會發展のために奔走すべき任にありながら改宗するとは甚だ不都合であると叱責しながら彼も亦其の後間もなく改宗したのであつた此(30)の協會は一八一九年ツンツが同志と共に創立したもので宗教、哲學、歴史、法律、文學其の他猶太性の特質を研究するを目的としたのであるが要するに猶太子弟の教育を進め知識を博くするにあつた、但所期の目的から逸して結局専門家の専門的研究になつたけれども猶太性(ユデンノウム)を組織的批判的に研究する新しい學風を開拓し其の結果は期せずして猶太人の民族的自覺を促したことは見逭しがたい。

(1) Margolis and Marx, H. of Jew people 594
(2) Kayserling, Moses Mendelssohn 123—126
(3) ibid 267—269
(4) 拙稿 史林第十四卷第1號
(5) Eelbogen, Gesch. d. J, in Deutschl 181
(6) O Henne am Rhyn, Kulturgesch. 431
(7) Graetz, Volkstüml. Gesch. d. Juden III 49
(8) O. Henne am Rhyn, ibid.
(9) Graetz. ibid 492
(10) Elbogen, ibid. 183
(11) ibid. 185
(12) ibid. 188
(13) ibid 186

〔14〕Margolis and Marx, H. of Jew people 622
〔15〕Robinson and Beard, Reading in the mod. H. I 260
〔16〕Graetz. ibid III 556
〔17〕Ludw. Geiger, Deutsch Juden u. Krieg. 15
〔18〕Graetz, ibid III 563
〔19〕Elbogen, ibid 197
〔20〕Elbogen, ibid 199
〔21〕Ludw. Geiger, ibid 22
〔22〕ibid 23f
〔23〕ibid 26
〔24〕Graetz ibid III 565, 567.
〔25〕Elbogen. ibid 204
〔26〕Gratz, ibid III 570
〔27〕ibid III 566 〃
〔28〕Elbogln ibid, 223
〔29〕ibid 225f
〔30〕Margolis and Marx, ibid 638

(三) 解放運動の後期(十九世紀の中葉)

産業革命は歐羅巴の政界に一大轉換を惹き起した、こゝに獨逸の市民階級も覺醒の時運に到達し、權利の確立、憲法政治の樹立を要求し始めた。之は猶太人にとつても有利の風潮と云はねばならぬ、何故ならば權利の平等といふ點で彼此共鳴しうるからである。此の時流に棹して立つたのが一代の風雲兒ガブリエル・リーサー(Gabriel Riesser, 1806—1863)であつた。彼は猶太人としての宿命的辛酸の體驗者であつて父はリュベックに定住しようとしたが追放せられ、彼自身もまた出身校たるハイデルベルク大學で講師、出生地たるハンブルグで辯護士たらんとし、孰れも猶太人なるが故に拒絕された(一八二九年)。爾來彼は猶太人の權利獲得を目指して奮鬪し之がために其の一生を捧げたのであるが、ビスマークの傳記を獨逸統一史と云ひ得るならばリーサーの生涯は獨逸に於ける猶太人の解放史と云ふべきであらう。

一八三一年卽ち七月革命の翌年彼は「獨逸の猶太教徒の地位に就きて各宗派の獨逸人に告ぐ」と題する一書を公にした。(1) 之は彼の信念、態度、目的方法等を明示するものであるが特に注意を惹くことは㈠、猶太人はあらゆる市民的義務を負ふ、故にあらゆる市民的權利を要求し得る、㈡、現在獨逸在住の猶太人は獨逸の出生者であつて外來者ではない、故に獨逸人である、祖國は獨逸以外に無い、㈢、信仰は自由でなければならぬ、新教國に於ける舊教徒同樣猶太教徒も寬容さるべきである等であらう。この年マコウレーの「猶太人の失權論」が出てゐるこれは舊教徒の解放と猶太教徒の解放とを並論したのであるがこの兩書の關係は判然しない。

リーサーはまた猶太人の權利獲得のため同志者の協會の設立を唱道し、其の方針をも規定した、これが後年「猶太教を奉ずる獨逸市民の中央協會」として實現された。

其の後ハイデルベルクの教會顧問パウルスから上述の書に對する反駁論が出た、リーサーは其の辯明論として「パウルス氏に與へて猶太人の同權論を辯護す」と云ふ一書を提出した、以上の二書によりリーサーの面目は明にされる譯であるが其の要點を摘記するならば「吾々猶太人は祖先以來獨逸の國土に住み、獨逸の國語を用ゐ喜んで獨逸の國法を奉ずる、吾々の衷心望んでやまぬことは獨逸の市民として生き且死ぬることとである」。「吾々は外來人でなくこの國に生れたものである、獨逸以外には祖國も鄕國もない、吾々は獨逸人か然らずんば國籍なき浮浪民となる」。「洗禮によつて卑むべき猶太人も國籍を與へられる、然らずんば尊むべき猶太人も國籍を與へられぬ、宗教的儀式慣習は國法的政治的問題ではなくして個人的宗派的問題に過ぎない」。「獨逸の國語の力強き語韻、獨逸の天才の神韻的詩歌は吾々の胸に自由の聖火を點じ、自由の呼吸は睡れる自覺を喚起した、吾らは獨逸を祖國とする吾らは獨逸市民たらむとする、獨逸市民に當然要求すべきは吾々にも要求せよ、吾々は何物をも犠牲にせむ、但、信仰と忠誠と眞理と名譽と、之等を除く、何故ならば獨逸の偉人獨逸の哲人はかゝる犠牲を敢てして尙獨逸人たれとは曾て說かなかつたからである」。云々。(2)

普魯西に於ても七月革命以後漸次自由思想が擡頭した、この傾向は猶太人問題をも順潮に解決するかに思はれた。但フリードリッヒ・ヴィルヘルム四世の登極は大なる期待をかけられたにも拘はらず一般の獨逸人をも猶太人をも失望さした、新王は卽位直後先づ國家を基督教的階級的原則によつて建設する意圖の旨を發表した、之は時代精神に逆行するものであるけれども「王座の浪漫派」としては當然のことであらう、そして猶太人は卽ち猶太的にとゞまり獨逸人とは區別される、その國民性を維持し特殊の集團をなすべきものとして公職からは除外され兵役も免除される、しかし義勇兵たることをうといふのであつた。

そこでマグデブルクの教師(ラビ)フィリップソンは八十四の猶太人組合を代表して國王に哀訴した、それは國家が猶太人を軍隊から除くならば彼等の國家に對する義務觀念の發達を傷ける故に右の告諭を訂正されたいといふので之は謂はゞ祖國愛の現はれとも思はれるから少からず國王を動かしたものと見えこの請願は受理された。次いで政府顧問ストレックフッスの「第二の書」が發表された、これは猶太人に無條件無制限に權利を與へる、卽ち基督教徒と全然同樣の權利を與へよといふ趣旨のものであつた(一八四四年)。(十)

これより嚮きリーサーは一八三二年に雜誌「猶太人」を發刊しバーデン、バイエルン、ザクセン其の他の諸邦に於ける猶太人解放問題に就き論戰これ努めてゐたが彼の特に重要視したのは普魯西であつた、つまり獨逸諸邦中普墺二大强國を比較するならば假令反動的だとはいふものの普魯西を信賴しうると考へたからである。彼はハルデンベルクの立法精神を理想主義の天啓と絕讚し猶太人が自由戰爭で祖國のために力戰奮闘したのは全くその感激に基づくと結論した、但其の後の普魯西の對策に就ては遺憾の點少くないとして屢〻論說を公にしたが就中有名なのは上述のフリードリッヒ・ヴィルヘルム四世の告諭に對するものとストレックフッスに對するものとであつた。前者は國王が猶太人の國民性に關して認識不足なことを指摘してるが後者は更に重大であつた。

ストレックフッスは一八三三年(當時伯林市顧問)「基督教國に於ける猶太人の狀況」と題する一書を公にし反猶運動の有力者でもありまた反猶的法案の提出者でもあつた、それは猶太人を二つの階級に分ち富裕にして教養ある第一階級者にのみ市民權を與へることと一八一二年の勅令を適用するに際し事實上無效ならしめることとを提議したのであつた。リーサーは之に對してストレックフッスと激烈な論爭を重ねたが要するに彼は現在の輿論は猶太人に不利でないと見てストレックフッスは輿論を尊重せず輿論の歸向を知らずとして痛擊を加へたつまり(5)リーサー及び其の一派例へば歷史家のヨスト、東普魯西の民主主義者ヤコビ等は孰れも自由主義者と聯絡を保ち民衆の理解と支持とを得るに努めたのであつた、だから基督教徒側にも同情者は少くなかつた、就中この運動に「解放」といふ言葉を最初に用ゐたといふツェップル、バーデンのラメー、普魯西のベッケラート及びメヴィッセ等有名である、(6)彼等は協力して普魯西國家觀念の道德性、並に普魯西文化の眞價と名譽とに訴へたから自由主義が歡迎されると同時に猶太人の要求も漸く承認されるに到つた。

曾てリーサーは「予が宿願たる猶太人の解放と政治的自由を伴ふ獨逸の統一との間に其の一を選べといふものあらば予は直に後者を取らむ、何故ならば前者は自ら後者のうちに含まれるからである」[7]と云うてゐる、之は彼の僞らざる告白であり、また實行運動の方針だつたに相違ない、かやうにして輿論の支持が明になつた以上今や少くとも法律的に猶太人を抑壓することは困難になつて來た、ストレックフッスが從來の態度を改めて前述の「第二書」を公にしたのは之を立證するものといふべきであらう。

一八四七年の聯合議會では普魯西政府から全王國内の猶太人に基督教徒と同一の義務を課し同一の權利を與へるといふ案を出した、これは多數議員の贊成を得た、また彼等猶太人に國家の官職に就く權利をも與へよといふ説が出たけれど之は實現しなかつた、しかし一般に法律的不平等、職業上の制限、宣誓の際の差別待遇等は廢止された。[8]

二月革命の影響を受けて獨逸でも諸所に暴動を惹き起した、其の先頭に立つたのはバーデンのマンハイムだがこの際猶太人にしてこの運動に參加し犧牲となつたものも少くない、伯林ては卽ち三月革命が起り猶太人の死者は三名と傳はる、其の直後の流言によるとこの革命はポーランド人佛蘭西人及び猶太人の陰謀に基づくといふ、しかし實際上猶太人のうちにも國王のために戰ひ王城守護の任に就いたものも多かつたのである。(9)

パウルス・キルへの議會には一般投票で議員が選出された。猶太人で其の選に當つたのは普魯西からリーサー、ファイト、墺太利からクーランダ、ハートマン等であつた。リーサーは短期間ながらも二度副議長に擧げられた。議會内の空氣は大體猶太人に不利ではなかつたやうである、(10)リーサーは元來自由派の右翼に屬し普魯西の世襲帝制派とはその元首の權力に關して意見を異にしたのであるけれども彼の多年の主張は(11)小獨逸派であつたから終始墺太利の勢力の加重するを防止するに努めた。

一八四九年三月ウェルカーが普魯西國王に世襲帝號を捧げんとする案を出した、リーサーは其の提案の說明を試みたがその一節に曰く「普魯西は人爲的國家であり、獨逸は民族的自然的國家である、自然は人爲より强力であるから獨逸の自然的勢力は普魯西の人爲的勢力に優る、しかし此の優勢は普魯西が獨逸に對し自由にして尊貴なる歸服貢獻を行ふことによつてのみ築かれる、但吾人は普魯西に其の存立を危うする條件を加へることも出來ぬしまた普魯西が其の存亡を賭して吾人と協力することも望まれない、然り、唯予は明言する、獨逸が永久に晏如たり得るまで吾人は獨逸のためにも普魯西のためにも普魯西が毫も其の存在を危殆ならしめることとならむこと」[12]

此の所謂「皇帝演說」は二時間以上續いたといふ、其の反響は著しく內外から歡迎されたとある[13]普魯西では率直にいふならば當時墺太利の勢力を恐れて踟蹰逡巡するものが多かつたのてあるがこの演說は其の一派にも反省と勇氣を與へたのであつた。リーサーはエドアード・シムソンを輔けて特派委員となり普魯西國王に獨逸皇帝の帝冠を捧げた、其の結果如何は問題でない、現在猶太人迫害に全力を注いでゐる普魯西或は伯林を想ふ時リーサーの努力は興味あることと云はねばならぬ。

獨逸民族の權利に關する討論に際し自由派のモールから猶太人に選擧權被選擧權を與ふることには同意するが猶太人の民族的特質を考慮しこれは後日の研

究問題として保留しては如何との動議が出た、リーサーは之に反對し法律に例外を設けることは全體の體系を破滅にまく原因になると論駁した、結局、一切の市民は法律上平等と見做され猶太人も多年要求して來た平等權利を與へられた譯であつた。

一八四八年の秋の頃から起りかけた反動の氣運は翌年になるといよく顯著になり遂にパウルス・キルへの議會も泡沫の如く消散し「フランクフルト帝國」は蜃氣樓か砂上の樓閣か唯世間に嗤笑の話題を提供したにとゞまり自由も統一も一瞬の夢と化し獨逸は依然として群邦割據、反動保守の昔に歸つた。從つて猶太人の問題も同一の運命に陷つたのであつた。尤も中にはフランクフルトの議會が決議した基礎法律を其のまゝ自邦の憲法とした小邦もないではなかつた、しかし一八五一年聯邦議會は之が撤廢を强要した、普魯西でも反動の傾向强く一八五二年上院に、兩院議員高級官吏の就任を基督教徒に限らんとする提案があり政府も原則としてこれを承認し事實上猶太人を除外する方針を取つた、一八五六年代議士ワゲナー(クロイッツァイツング紙の創立者)が下院に右同樣の議案を出した、是に於て猶太人は組合として個人として抗議を申出で、多數の基督教徒も之を支持し下院に殺到したからこの提案は拒絶された　斯うした情勢は全獨逸に共通したといひうる唯二三例外として猶太人が割合好境にあつた地方都市もある例へばハンブルクはリーサーを高等裁判所評定官に任命した。

しかし此頃民間の輿論は必ずしも猶太人に不利ではなかつた、特に都市の商工業者地方の中流農民などには信用があつたやうに思はれる、何故ならば彼等は各種の議員に猶太人を選出したからである。普魯西ではケーニヒスベルクの醫師ヨハン・ヤコビがその例である彼は民主主義者の間に好評を博してゐた。其の外都市や地方に方て有俸無俸の公職に就いてゐたものも夥しい數に上つてゐるといふ。(14)

獨逸統一、それは當時獨逸の全國民を熱狂さした問題であつた、そして猶太人もこれに關心をもたぬものはなかつた、彼等は組合内部のことでは屢〻意見の對立をも見たのであるけれども獨逸統一の問題になると常に一致した。しかも注意すべきは彼等の多數が普魯西を支持したことである。リーサーがフランクフルトの議會て普魯西の爲に奮闘したことは前述の通りである。また帝冠捧呈の特派委員長となつたシムソンも洗禮を受けた猶太人の一人であつて郷里ケーニッヒスベルクの議員としてフランクフルトの議會に列しハインリッヒ・フォン・ガーゲルンの後を承けて議長の任に就いた。彼は其の後も議員生活を續け北獨同盟議會及び獨逸帝國議會の議長たること前後六年(一八六七年—一八七三年)に及んだ。一八七〇年十二月十八日ヴェルサイユに於て北獨同盟議會を代表し普魯西國王ウィルヘルム一世に獨逸皇帝の尊號を奉る「上奏演説」を行ひ皇太子フリードリッヒウィルヘルムをして感激せしめたのも實に彼であつた。(15)

ポーランドの所謂民權派は將軍ミエロスラヴスキに率ゐられ一八四六年頃からポーゼン州で數次叛亂を企て殊に一八四八年の春から秋にかけて其の氣勢を揚げたがこの場合にも多數の猶太人は普魯西政府の爲に活動し生命を失つたものの經濟上非境に陷つたものも少くはなかつた、一八五〇年モリッツ・ラザルスが「獨逸に於ける普魯西の道義的根據」を公にして普魯西のために氣焰を吐いたのも其の一例として擧げることは出來よう。

一八五九年、フランクフルトアム・マインに「獨逸國民協會」が設けられた、これは自由主義統一主義の小獨逸派即ち普魯西擁立派の團體であつてリーサーもその最初の會員の一人である、この會員中からラスカーやバンベルガーのやうな猶太人の政治家が出た、前者は北獨同盟の憲法起草に際しミケルと共に最後の第七十九條に但書の補遺 (Lex Miquel-Lasker) を加へた、これは該同盟と南獨諸邦との聯絡を容易ならしめ、從つて普魯西を益したことはいふまでもない。(16)

一八六四年(丁抹戰爭)及び一八六六年(普墺戰爭)兩度の戰爭は獨逸の統一問題の歸趨を決定するものであるがこの際猶太人の兵卒は他の兵卒と共に從軍し毫も遜色なきを立證した、また戰友の親睦は平和克復後も市民の親睦として維持された。

ビスマークは一八六二年普魯西政府の首班に立つた、普墺戰爭以後彼の非凡の才幹を疑ふものはない、また彼自身も自ら進んで議會との協調を計つたから從來繰返されて來た政府對議會の軋轢もやみ普魯西の政界は差當り無事平穩に見えた、そして今後政局の重點は北獨同盟の議會に在らねばならぬ、そこで彼は該同盟の憲法を制定するに當り社會主義者民主主義者の援助を必要とし猶太人にして社會民主主義者フェルヂナンド・ラッサルの案を容れ普通選擧權を採用したことは有名な事實である。(17)

但此の憲法に於て、猶太人の選擧權を明記してるのではない、しかし移住の自由・職業の自由、市民の身分、外國人の取扱等に關する問題は同盟の權能により處置せらるることとなり一八六七年十一月の「來住移民法」は明かに宗教的差別待遇を廢止した、そして同盟諸邦に於ける之と牴觸する現行法令は撤廢された。要するに當年の立法は一般に抑壓された階級にも猶太人にも有利であつたといひうる。更にウィガース一派の提出にかゝる「最後に殘れる權利の制限の撤廢」は北獨同盟議會(ライヒスターク)でも同盟會議(ブンデスラート)ても壓倒的多數を以て採擇され一八六九年の七月三日次の法律が發布された。「宗教上信條の異同により市民的並に國民的權利の上に加へられ今尙存在する一切の制限を撤廢す、殊に公共團體の議員及び公吏の就職にあつては宗教的信條に關係することなし」[18]。

次いでこの法律は南獨諸邦にも承認せられ更に一八七二年獨逸帝國憲法にも採錄された、卽ち猶太人の解放問題はこゝに解決せられ一九三三年ナチスが「非アーリア人の立法」を發表するまで六十年間獨逸の猶太人は法律上政治上普通の獨逸の市民と同様になつた譯である。ともかく一八六九年の法律が公布されるとポーランド、ロシア、オーストリア・ハンガリア、ルーマニア等から所謂「東方猶太人」が移住して來た、そして自由主義世界同胞主義はあらゆる方面に於て自由を唱へたから獨逸は彼等の樂土となつた。

一八七〇―一八七一年の獨佛戰爭では地方的區別もなければ宗教的差別もない全獨逸國民が一團となり同胞化して祖國のために奮鬪した、一皇帝、一帝國一國民の理想がこゝに實現されたのであつた。

以上は獨逸の猶太人が多年熱望した解放の宿願を達成するに到つた概略であるが政治上法律上同等の待遇をうけることは法文の上の規定であつて彼等猶太人は果して實際生活上獨逸國民たりうるか、これは別個の問題である、猶太人は宗教的民族的に結束し國中一國をなすといふ、事實その通りであつて容易にその特質を失ふものではない。中には所謂同化を志し又は洗禮を受けて周圍の基督教徒との調和を計るものも多いのであるけれども其の特性は中々變りはしない。要するに彼等は獨逸に於ける異分子であり、しかも彼等は各種の方面で着々其の地歩を確立したから恐るべき强力なる異分子である。斯樣な異分子の存在は將來の獨逸民族に福祉をもたらすかどうか、之は重大なる問題と云はねばならぬ、元來風俗習慣を異にし思想感情の違つた異民族を唯自由主義の理論に誘はれて本來の獨逸國民と同一視するといふことは妥當てあらうか、輕卒ではなからうかこゝに反省考慮の必要が起つて來た。

(1) Fritz Friedlauder, Leben Gabriel Riessers 28ff
(2) ibid 42 ff
(3) Elbogen, Gesch. a. Juden in Dentschl. 243
(4) ibid
(5) Fr. Friedländeer ibid, 58
(6) Elbogen, ibid 238 f
(7) Fr. Friedlander, ibid, 88
(8) Elboger, ibid 244
(9) ibid 245
(10) Fr. Fried lander ibid, 105
(11) ibid 114
(12) Meinecke, Weltbürgertum n: Nationalstaat 474
(13) Fr. Fried lander, ibid 117
(14) Elbogen, ibid 292
(15) Jöhlinger, Bismarck u. Jnden 78
(16) Elbogen, ibid, 264
(17) W Orcken, Zeitalter d. Kaiser Wilhelm, II 650 f.

（18） Elbogen, ibid., 267.

（四）反猶主義

反猶運動は基督紀元以前にも諸所に屢〻あつたといふ。[1] 都市羅馬でもシーザー以前既に多數の猶太人が住んでゐて其の東方的な民族性及び思想慣習は西方人に反感を懷かしめた。[2] つまり猶太人は古往今來到る所で所謂「家主民族」から嫌忌され憎惡されて來たと云はねばならぬ。

然らば彼等猶太人は何が故に嫌忌憎惡せられるか、その說明は無論容易でない。所謂感情的反猶主義を除いても基督教的反猶主義、民族的反猶主義、政治的社會的反猶主義などの外に尙科學的反猶主義の名もある、之は十九世紀の中葉以後反猶主義に理論的根據を與へたもので先づラ〻センが其の先頭に立つたといへよう、彼は一八四七年「印度古代學」を著はし諸人種の特質を比較敍述しアーリア人とセム人とを對立せしめそして前者の後者に優る所以を說いた、佛蘭西人ルナンも一八五五年に「セム族の言語の一般史」を公にしラ〻センと略〻同樣の結論に達した、が彼はセム族の特質に關する批判を其の儘現在の猶太人に流用することは出來ぬとした、即ち猶太人は人種としては既に存在しないからといふにあつた、此の頃以後猶太性(ユデンツウム)を科學的に檢討する風潮が起り一八七二年には人種學者、フリードリッヒ・フォン・ヘルワルドがある雜誌に一文「猶太民族の特質」と題するものを載せルナンのセム族に關する敍述を其のまゝ現在の猶太人にあてはめた、これが後に出て來る反猶運動の雄オイゲン・デューリングに論據を與へたのである。(3)

基督教的反猶主義、これは宗教的信條的反撥であつて猶太教徒は基督を、基督教を、或は基督教徒を冷笑嘲罵するとしての反猶主義であり、随つて數百年來常に跡を絶たぬところである。猶太教徒の聖典典籍も十七世紀末になると荐りに研究されたのであるが猶太教徒の反基督教的思想は猶太教の經典に基づくといふ見解をとるものも出て來た、其のうちで有名なのがハイデルベルクの大學教授アイゼンメンガーの「發見されたる猶太性(ユデンツウム)」(一七〇〇年)であつて著者は猶太人に不利な材料を蒐集するに十九年の努力を費したといふ此(4)の書は反猶主義者の金科玉條とするものであつて爾來タルムードは基督教を冒瀆するものと解せられ、また猶太人の悖德不倫不善の行爲はタルムートやシュルハンアルフの感化と見做されその「豫想さるゝ不誠實」が平等權授與に際し常に問題となつたのである。

「宗敎を異にする、隨つて多年養はれて來た習慣風俗、思想感情、人生觀も社會觀も異ならざるをえない、これはどうしても基督敎徒と調和しがたく、いつまでも異分子としてとゞまる、そこで社會的反猶主義も政治的反猶主義も發生する筈である。だから猶太人でも洗禮を受けて基督敎に改宗し基督敎徒と同化し得れば理論上排斥の理由はなくなる、事實の上でも洗禮を受けた猶太人はもはや普通一般の猶太人としては取扱はれぬのが通則であつて[5]以上述べて來た諸法規も對象となるのは猶太人ではなく猶太敎徒であつた。これは十九世紀の末葉、皇帝ウィルヘルム二世卽位の際の勅語にも見られるところであつて「すべての宗敎的宗派に保護を約す」となつてゐる。

之を要するに十九世紀の中葉までの反猶主義は宗敎的要素が其の主流をなしてゐる、民族的反猶主義が唱へられるならばそれは猶太人といふ民族は猶太敎といふ信仰と斷り放すことの出來ぬものだから」であらう、洗禮をうけたハイネやベルネが尙攻擊されるのは彼等が獨逸のシャーナリスムに猶太的要素を輸入し獨逸人の基督敎的信念を傷けるといふ點にあつた。シムソンやンタールが政界學界に濶步し得たのは彼等が洗禮をうけて基督敎化したからてあつて後者は實に基督敎的保守的國家學說の建設者てあつて(6)その信奉者には靑年ビスマークが屬してゐる。

然るに帝國創立後の獨逸では猶太人の經濟界に於ける進出活躍目覺ましくまた彼等は法律上政治上基督敎徒と平等の權利を獲得するや好機到來として多年鬱積してゐた不平不滿を癒さんとしたから一般獨逸人の反感を買ひ、また自由主義民主主義も猶太性と密接不離の關係があつて唯猶太人を利するに過ぎぬものと見做され彼此相俟つて反猶運動は激化するに到つた。

十九世紀の後半に入ると猶太人は諸種の方面で擡頭したが就中著しいのは何といつても經濟界に於ける活動であるといはねばならぬ、ロートシルド一族の獨逸財界に儼然たる存在であつたことはいふまでもあるまい。がここでは伯林に於て銀行家たり、ビスマークの顧問だつたブライヒレーダー、これに次いでは製造業者のエミール・ラテナウ(ワルター・ラテナウの父)武器電氣工業家にして政治家たるハインリッヒ・レーヴェ等の名を指摘するにとゞめておく。

一八七三年獨逸の財界に一大恐慌が發生した、これは戰爭景氣償金景氣に對する反動であつて泡沫會社は相次いで仆れ産を壞ぶるもの職を失ふもの夥しい數に上つた、この時其の責任を猶太人に歸するの聲が高かつた。卽ち之等の會社を設立し又は關係してゐる猶太人が多かつたから猶太人を欺瞞者、詐欺漢として攻擊するのである、かうした非難は以前にも屢〻聞くのであるけれども當時この非難が特にひどかつた、之は猶太人の經濟界に於ける勢力を嫉視する感情が伴ふのであつて同時に利害關係が直接緊密であるから民衆にも廣く且深く影響し反猶運動は經濟的要素を加へてますく尖銳化した。

反猶運動は獨逸にかぎられたものではない、しかしこれが一箇の黨派をなし政黨的運動を構成したことは他に例がない、その後墺太利も獨逸に倣ふけれども爾餘の文化諸國には見られぬところである(7)そしてこの場合運動の中心地伯林に於ける猶太人の人口增加は看過しがたいものであると思ふ。

一八七一年末の統計によると猶太人の數は西班牙六千、伊太利四萬五千、佛蘭西、英吉利孰れも四萬五千。然るに獨逸では五十一萬二千、そして普魯西は三二五五八七人、伯林は三六〇二〇人。しかも獨逸は出産率に於て他の文化諸國に優るのであるが猶太人の增加率は獨逸人よりも遙に高い、之は外國からの移住者が少くないからであつて一八五六年から一八七一年までの十五年間に伯林に移住して來た猶太人は一九〇一二人に及んだ、そして伯林で總人口に對する猶太人の率は一八四〇年に二・〇パーセントだつたのが一八七一年には四・三六パーセントになつてゐる。(8)

斯樣に獨逸ては他の諸國と比較にならぬ多數の猶太人が住み且つ續々移住して來る、また此の移住猶太人は西方諸國ならば主として西班牙系であるが獨逸のはポーランド系である、前者は多年西歐諸國の文化に浴してゐるから後者は質に於て前者に劣ること甚しいのてある。隨つて獨逸の反猶運動は他の諸國のものとは異なるところがなければならぬ。

獨逸の歷史家のうちで反猶主義者といへば何人でもトライチュケとチェンバレンとを擧げる、(9)トライチュケは其の主著「十九世紀の獨逸史」に於て反覆反猶主義を力說してゐるが、(10)特に問題となつたのは「獨逸に於ける猶太性(ユデンノウム)に就て」(Ein Wort über unser Judentum)と題する短論文である。之は一八七九年の「普魯西年報」の十一月評論の最後に加へた五頁に足らぬものだつたが猶太人のみならず獨逸人からも激烈な反對論が續出したのでそれに對して辯駁を試みた四短文を加へ翌年同一の題名にして公にしたのが三十三頁の短編集である。

彼は獨逸に於ける猶太人の質と量とに關する考察を基礎として獨逸では佛蘭西や英吉利と異なる特殊の對策を講じなければならぬ所以を說いたのであるが今ならばさほど矯激な議論とも云へぬやうに思ふ。現に其の當時エリッヒ・レーンハードの如きも「トライチュケの說は猶太人でも獨逸を祖國と感ずる物分りのいゝものなら云ひそうなことである」(ll)といつてゐる。トライチュケは先づ猶太人の獨逸人たらむことを希望するものであつた。「洗禮を受ける受けぬに拘はらず猶太人のうちには古來最善の意味で獨逸人たりし人は多い之等の猶太人に對しては敬意を表しなければならぬ、然るに現在の獨逸の猶太人には全然獨逸人たらむとの意志を缺いてゐるものが少くない、そして其の有害な影響を獨逸の民族生活に及ぼしてゐる、ゲルマン精神を培ひ來つた數千年の時代に獨逸猶太混合の時代が續くことは吾々の堪へ難いところである云々」。そして其の有害な影響を彼はグレッツの猶太民族史やベルネの文章から指摘し、グレッツが基督を侮辱し基督教徒を敵視してゐること、ベルネが外國の自由主義を賞揚し獨逸精神を無視して獨逸のシャーナリズムに祖國輕侮、祖國呪咀の傾向を帶ばしめたことを攻撃し、「要するに猶太人は解放されるや一切の方向に於て文字通りの同權を要求し『家主民族』が獨逸人てあり彼等自身は其の中にゐる少數者たることを忘れ驕慢の言行が少くない……以上を通觀すれば現在の反猶運動は異分子に對する民族精神の反動運動てあり何人も痛感しながら觸れることを避けてゐたのが今や公然暴露したに過ぎぬ……高級教養社會に到るまて國民的或は宗教的に堪へがたきことを斷然排けんとするものは異口同音に曰く『猶太人は吾々の禍てある』(Juden sind unser Unglück)」。

この最後の言葉は現今ナチスの獨逸では一つの流行語になつてゐるが、しかしトライチュケは尙繰り返して今までも先例のある如く猶太人の獨逸人たらむことを切望し、それも困難であるから先づ獨逸人の信仰風習感情を尊重して貰ひたい、が現在の商人的文士的猶太人には望まれぬかも知れない。これが現今の惱みの源であるとし、そして猶太人の解放を撤廢する、又は制限することは徒に民族的對立を促進するものとして排斥してゐる。(12)

チェンバレンはビスマーク以後になる、彼は元來英國人であるけれども多年獨逸、瑞西、墺太利等に於て活動し獨逸の思想界に多大の關係がある。前世紀末の頃從來の人生觀國家觀に變化が現はれたが此の際猶太人の問題は諸種の方面から檢討され、興味あり重大な對象となつた。彼等の存在、彼等の欲求、彼等の行動、すべてが不可解に見え解放以後數十年を經過してゐるに拘はらず、彼等の特異性卽ち異分子的存在が以前よりも際立つて注意を惹く、この特異性は彼等の人種的相異に歸せられた、斯うした觀方の代表者が卽ちチェンバレンであつた。

彼は主著「十九世紀の基礎」に於てゲルマン民族を極力讚美しこれを世界の文化の創造者とした。そして猶太人をこれと對立せしめ「猶太人は甚だ錯綜した雜人種であり本來のイスラエル人とは嚴重に峻別しなければならぬ、猶太人は民族的にあらゆる不善の標本てあつて何等の善き物を見出すことは出來ぬ、聖書に於て承認せらるべきはイスラエル人の所産てあつて猶太人のそれではない、またイエスはその一滴の血も猶太人種に屬するものてはない、だから基督教は猶太要素から離脫し純化されなければならぬ。猶太人は實に人類世界の異分子であり、その有害なる影響を極力排除すべし」[13]といふにあつた。

この所謂民族的反猶主義は佛蘭西のコヒノーの人種學説に基づくのであつて獨逸てこれを繼承したのは哲學者オイケン・テューリンク、と維納の東方學者ワールムンドてあらう、前者は猶太人を選ばれたる利己的民族とし政界財界操觚界から除くことを說き、後者は人類の文化發展をアーリア人とセム人の競爭と見、猶太人は漂浪民てあつてアーリア人の間に寄食し其の文化と幸福を破壞するとした。[14]

チェンバーレンは之等の學說から影響をうけたと思はれるのであるかその科學的根據はともかくとして彼の著書が廣く一般に愛讀され人種學的立場から反猶運動に氣勢を添へたことは疑ひない、彼を人種學的アイセンメンガーと呼ぶ人のあるのは當然であらう。そして彼の所說を利用したのが反猶雜誌「ハンマー」の創立者、フリッチッであり猶太人の害毒を人種的實質にありとして反猶主義を獨猶の混血兒にまて及ぼすナチスの政策も基づくところはこゝにあるとしなければならぬ。

トライチェケの前述のパンフレットに對しては基督教徒側からも多數の反駁書

が出た中に興味あるのは伯林大學の同僚たる歷史家モンゼンの「吾も亦獨逸に於ける猶太性に就て」であつて之は親猶派の駁論の代表的のものと思はれる。これに對しトライチェケは要點を五項に分けて辯駁してゐる。

一、モンゼンは猶太人を以て獨逸の種族性(タンム)を解體せしめる要素といふ予は否定する、ベルセンクリーエ、フランクフルター・ツァイツング等の新聞はザクセン、シワーベン、フランケン間の調和を促すことなく單に鄕國なき世界同胞主義を宣傳するにとゞまる彼等は吾が民族の國民的誇りと祖國愛とを傷ける。

二、モンゼンは宗教的對立を平然看過してゐる。深く純なる信仰を持つ獨逸人は猶太系新聞の基督教に對する誹謗を忽諸に附しうるか、予は彼等を以て吾々の文化の根據を覆し國土の安寧を壞るものと看做す。

三、モンゼンは多數者の少數者に對する挑戰を非難する、此の少數者が實は直接間接に輿論を支配してゐる、現今刊行物に於て猶太人の驕慢を攻擊することは强者の權力を濫用するのではなく、却て一以て百に當るの覺悟を要するのてある。

四、予は既に猶太人の獨逸化したものあるを認める、唯他の多數者が之を欲しないことを憾む、モンゼンは之に答へて「猶太人は吾々同様獨逸人である」、しかし更に「之等の獨逸人中民族的猶太的特殊生活を樂むものがある」といふ、つまり意味は同一であつて言ひ表はし方は予の方が正しいと思ふ。

五、モンゼンは予が猶太人問題に乘り出したことを不都合だといふ、恐らく之が彼の非難の骨子だらう、然らば問はむ、現存する何人も認める社會的災厄を其の儘沈默して存續せしめるのと自由人の態度で公然之を論評するのと孰れが愛國的か、予は直に後者を取る。(15)

このうち第一項は説明が要ると思ふ、モンゼンは其の羅馬史に於て羅馬は多數の民族を包含し各民族の民族性地方色を除却して渾然たる一大帝國を建設した其の政治は世界主義でありその國民性は人間性に外ならぬ、そして猶太人は民族性地方色の溶解劑をつとめたとしてあるそこで獨逸でも各種族の特性を脱し一層大なる獨逸民族たるにはこの溶解劑(Descomposition)たる猶太人の存在が喜ばしくはないが必要であるといふ意味であつた。(16)

次に反猶運動に對し猶太人側の抗議は大體次のやうな理由が擧げられる。

一、國中に一國を成すといふ特異性は多年陋廓(ゲツトウ)生活を餘儀なくさせられた法律制度のためである肉體勞働を忌み唯金利を貪るといふ非難もこれまで職業を制限されて來たからで田舍の行商の如き肉體勞働ではないか、

二、タルムード其の他の經典に非基督教的非道德的の分子があるといふは誤解に過ぎない、時として激越の調がないともかぎらぬがそれは古い宗教書に有り勝のことで珍らしくない。

三、猶太人のうちにもタルムード其の他純粹の經典を解するものは甚だ少ない、殊に自由主義者には猶太精神から隔離し猶太人の傳統を顧みず教會堂との關係を疎にしてるものが多い、この傾向は伯林に於て特に著しい、しかし彼等も世間からは猶太人と見られてゐる。(17)

四、商取引の場合少數の欺瞞者悖德者があるかも知れぬ、しかしそれを猶太人全體の民族的特性とするは誣ひるもまた甚しい。(18)

五、反猶主義は要するに成り上り者に對する反感から來てゐる、特に資本の偉力を巧に利用するものを敵視するがこの場合宗教的人種的特徴がよい目標となる。(19)

六、獨逸人が全世界で嫉視されると同樣、猶太人は獨逸で嫉視される、之は急激に擡頭したものの避けがたき運命である。[19]

七、獨逸殊に普魯西で反猶運動の激しいのは貴族地主等の舊勢力が今尙强いからである、彼等はその勢力の減退を從來權利のなかつた下層社會の擡頭したためと誤認してゐる、そして猶太人は其の代表者と見做される。[21]

之を要するに猶太人側にも言ひ分は種々あるに相違ない、しかし猶太人が「家主民族」の間に於て異分子的存在であり、其の特質を變へて同化するの困難なことは否定しがたい、しかも獨逸では彼等の勢力驚嘆すべきものがあり、彼等も之を遠慮なく誇示するところがあつたから獨逸人の反感を買はぬ譯には行くまい。

メンデルスゾーンは信仰を固持した、しかし同化には努力を吝まなかつた、その結果思ひもよらぬ影響が子女にも及び子孫のうちで改宗したものが二三にとゞまらぬ。リーサーは信仰の自由を高唱した、けれども彼は自ら獨逸人を以て居り獨逸を祖國とし、獨逸の市民として生き且つ死ぬることを念願した。然るに十九世紀も七十年代になると彼等猶太人は進んで同化に努めないばかりではなく獨逸の國民性を蔑視し冷嘲しそして獨逸人と同一の權利を享受せんとするものが增加した、それが今世紀になればますますひどくなる、猶太百科全書の編輯者クラッツキンの如きは其の適例であらう。(22)

十九世紀以後の獨逸に於て反猶的實際運動は前後三回を數へ得る㈠は自由戰爭後數年卽ち一八一九年から二十年代に亙りウルツブルクを發端として諸方に擴かつた所謂ヘップ・ヘップである。㈡は帝國建設後殊に財界の動亂を機とし伯林を中心として起つたものであり㈢は世界大戰以後特に最近數年激烈を極めてゐるナチスの運動である。そして三者孰れも大戰爭の後卽ち民族意識の熾烈な時期に屬することは以上述べたところで容易に解し得ると思ふ。

普佛戰役後の泡沫景氣は軈て恐ろしい反動をもたらし幾多の悲劇を產み、猶太人は其の責任者として民衆の怨府となつたことは前述の通りである。國民自由黨では猶太人の勢力が重きをなしてゐたから帝國議會に於て猶太人中の雄辯家ラスカーをして其の釋明痛說をやらした、彼は泡沫會社事件に多數の王侯貴族高官の參加してゐることを述べこれに痛擊を加へたけれども猶太人の罪を不問に附した。然るに一八七六年グラガウは伯林の會社詐欺相場詐欺に關する調査の結果を公表したがそれによると泡沫會社創立者の九割は猶太人でありまた歐羅巴の大都市に於ける相場界は猶太人の支配下にあつて相場師の九割は猶太人が占め、そして彼等猶太人は上は洗禮をうけた大臣から下はポーランドの猶太乞食にいたるまで緊密な聯絡を取つてゐるといふ。[23] 次いでウィルヘルム・マルは猶太人の特質として肉體勞働を忌み之を獨逸人に營ませ、自ら唯金利を貪ること及び彼等の非猶太人に對する憎惡嫌忌は彼等の經典の敎へるところであると し、そして猶太人を選擧するな、これゲルマニ性の猶太性に打克つ道であると説いた[24]「反猶主義」(Antisemitismus) といふ言葉を最初に用ゐたのも彼であり、「反猶同盟」を結び反猶雜誌」を出版したのも實に彼であつた(一八七九年)。またミュンスターの大學敎授ローリングも一書「タルムード猶太人」を公にし猶太人の道德觀念及び一般に其の思想體系は歐洲人ゲルマン人のそれと相容れぬものであることを力説した。

これらはいづれも反猶運動の火の手に油を注がぬ筈はない。しかし宮廷説敎師のアドルフ・シテ〻カー (Adolf Stöcker 1835—1909) が登場するや此の運動は白熱化した。

シテッカーは最初二つの任務を擔當した、㈠は伯林の市民を純粹確乎たる基督教的生活に導かんとすること、㈡は勞働者を社會民主主義の誘惑から救ひ出すこととであつた。この目的を遂行せんとするに當り彼は猶太人の勢力が各種の方面に普及し殊に大都市の新聞は彼等の掌中にあり、そして基督教主義獨逸主義君主主義に憎惡を懷きしかも之を殆ど明らさまに公言しつゝあるを見、先づ彼等に謙抑の態度をとるやう勸告した。しかし當時猶太人は順境得意の絶頂にあつたから些かも之に耳を藉さぬだけではなく猶太系の新聞は擧つて彼を攻擊し、中には彼を狂人頑迷者として罵倒し、更に彼の私生活や講演の語句などを搜索して彼の宮廷に於ける信任を傷けんとしたから彼は憤然として起ち徹底的反猶主義者となり、一八七八年「基督教社會黨」をつくつて激烈な反猶運動を開始した、之が卽ち「伯林運動」(Berlner Bewegung)であつて中小商工業者學生の參加するもの多く更に地方にも傳播し農民も之に加はり盛に猶太人を迫害した。[24]

此の運動に對しては識者の間に是非の議論を喚び起しトライチュケがパンフレトを出したのも此の時であり、伯林の七十五名士が聲明書を出したのも此の時である。後者は此の運動を難詰し官憲の嚴重取締を要求したものであつて其の中には伯林市長フォーケンベック、歷史家モンゼン及びジーベル電氣技師ジーメンス、國法學者グナイスト等の名が見えてゐる。[26]

次いでフェルスターは二十六萬五千人の署名を得て政府に猶太人排斥の請願書を出した、之は猶太人を國家の官職教職等から除外すること、移入を禁示することなどであつた。斯うした運動に對して政府は差し當り靜觀の態度を取つてゐたけれどもビスマークは所謂高等政策の見地から遂に之を嚴重取締ることとし更に政府は帝國議會に於て四民平等の原則を放棄する意志なきことを宣言し、そして警察及び軍隊の力で以て彈壓することとした。之はポンメルンや西普魯西では殆ど暴動化してゐたからである。

シテッカーは要するに組織的能力が十分でなく、また勞働者の支持を得なかつた[27]之は社會民主黨が勞働者層に牢乎たる勢力を扶植してゐたからだとも云へるがシュテカーの認識不足にもよるものであらう。彼を輔けて「基督教社會黨」の一創立者たるアドルフ・ワグナーの如き「猶太人の問題は單に症狀であつて、病源ではない、まづ病源を探究せよ」[28]と云つてゐる、彼は經濟學者、伯林大學の國法學教授であつて無論猶太人ではない。卽ちシュテカーは當初の目的を達し得ないばかりでなく反猶運動も一時停頓した譯である、しかしこの運動が全然終熄する筈はない、例へば大學には獨逸學生協會が成立し、人種學的理論を楯に取て猶太人の權利を制限せんとした、この場合トライチュケの講演並に名著「獨逸史」更にまたラガードの著書が青年學徒を發奮せしめるに與つて力あつたといふ、ラガードはゲチンゲン大學の教授、有名な東方學者であつて猶太教の一神論、猶太精神の獨自性、猶太教の倫理等に徹底的論理的攻擊を加へそして「異分子は生體に於て不快・疾病、化膿遂には死をもたらす、猶太人は歐洲各國に於て異分子であり、腐朽の原因たる異分子である」と述べてゐる。(29)

一八七八年の總選擧以來勢力を加へた保守黨は次第に反猶的になり政府の方針も實は反猶的に傾いて來た、モンゼンの所謂「行政欺瞞」がそれであつて法律を變更しない範圍で猶太人の權利を制限するに努めたのである。反猶主義を提げて選擧場裡に起つものも現はれた、マールブルクの大學圖書館員オットー・ベッケルは一八八七年最初の反猶派議員として帝國議會に列した。その後この派の議員は次第に增加し一八九三年には十六名を數へた、かやうに反猶主義者が一箇の政黨を成したことは他に例を見ぬところであらう。此の頃獨逸社會黨が成立した、之も猶太人から兵役及び選擧に於ける權利を奪ひ法律家、醫師、技師などの就職にも制限を加へんとした。

皇帝ウィルヘルム一世は勿論猶太人に好意を持たなかつた、しかし謹嚴公正な大帝は常に國法の尊重者てあつた。フリートリ、ヒ三世は反猶主義を以て「世紀の恥辱」とした、かその在位は百日に滿たぬ。反猶主義者は靑年皇帝ウィルヘルム二世に囑望した、新帝は參謀總長ワルテル・セーの感化の下に基督教的事業に多大の關心を持つと傳はつてゐたからである。然るに其の卽位に際しすべての普魯西人を信仰の差別なしに保護する旨を發表したから反猶主義者の期待は裏切られた、そこて彼等は個人的經濟的に猶太人を排斥する方法を取つた、この頃になるとこゝに猶太人全體卽ち洗禮を受けたものも、其のまた子孫をも排斥するといふ團體が諸所に現はれた。

註

（1）Renan, Hrstoire du people d'Israel v 227.
（2）Mommsen, Rom. Gesch III 549 f
（3）Rieger-Braunschwerg, Vierteljahrh. 7

(4) Lamparter, Judentum 116
(5) Fritsch, Handbuch d. Judenfrage 98
(6) ibid
(7) Johlinger, Bismarck u. Jnden 40
(8) Institut zum Studium d. Judenfrage, 1935 Neumann Jud. Masseneinwanderung
(9) Max Simon. Weltkrieg u. Juden, 9
(10) Treitschke, Dentsche Gesch. III 701f. 707, 712, 419—425—
(11) Johlinger, ibid 180
(12) Treitschke, Ein Wort (1880) 2—5
(13) Chamberlain Gruindlage d 19. Jahrh. Kap. v
(14) Elbogen, Gesch d. Juden n Dentschl 285
(15) Treitschne, Ein Wort, 32f
(16) Mommsen, Rom. Gesch. III, 550 f.
(17) Elbogen, ibid 269—272
(18) ibid 286
(19) Theilhaber, Juden u. Weltkrieg, 14
(20) ibid 22 u Wohlgemuth, Weltkrieg im Lichte d. Judentums 106
(21) Max Simon, Weltkrieg u Juden, 10
(22) Jude, 1916 I Jahrgang, 614

(23) Fritsch, ibid, 520

(23) W. Marr, Wählet Keinen Juden!

(25) Fritsch, ibid, 524

(26) Rieger-Braunschweig, ibid, 8

(27) ibid

(28) Elbogen, ibid 285

(29) Fritsch ibid, 520

三　ビスマークの對猶太人観並に其の對策

(一)　第一期及第二期

ビスマークはある意味で日和見政治家だといふ、それは右顧左眄定見がないからてはなく、理論にも通念にも捉はれず、臨機應變其の時の必要に隨ひ事情の要求によつて前說を飜し舊策を放棄するからてある。曾ては封建的階級國家の支持者てあり、後には普通選擧制の採用者となつた。以前極端保守主義の使徒だつた彼は宰相となつて以後保守黨と手を斷つた。一八五〇年までギルド制度の復活を以て國民經濟上重要てあるとしなから後年獨逸の經濟界に最進步的な自由主義を輸入したのも彼てあつた。また一八七六年まて自由貿易論を唱へたに拘はらず、一八七九年には保護貿易政策に轉向してゐる。彼は一八四八年クロイツ・ツァイツングを創立し之を利用したのに一八七六年議會で新聞の攻擊をやり殊にクロイツ・ツァイツンクの虛僞欺瞞を痛烈に嘲罵した。(1)

かやうな例を列擧するならば際限がないのてあつて一八六六年元の文相ベー

トマン・ホルウェーク（後の宰相の祖父）は國王にビスマークの罷免を進言したといふ、其の理由は彼ビスマークの言行は全く矛盾だらけて國家のために危險だからといふにあつた。(2)

ビスマークの猶太人に關する見解、對策も略〻同樣であつて終始一貫とはいひがたい、しかしこゝにまた一種の妙味があると思ふ。單に我意我欲の、又は全然無定見のものは論外として窮屈な定則に拘泥し學說に拘束されるならば墺太利のヨセーフ二世のやうな失態を演ずるか、或は前世紀末に於ける英國の自由黨同樣手も足も出なくなる。ビスマークは常に確乎不拔の目的を持つてゐた、唯〻それが普通一般の學者政客に推察されないだけのことであつた、そして彼は活殺自在、其の機會に順應して猶太人を取扱つたのであるから帝國に於ける其の時々の猶太人の重要性又は危險性をよく窺知しうるからである。

ビスマークの猶太人問題に對する態度政策は、大體次の四期に分けて考察されると思ふ。

一、まだ十分に猶太人問題を理解しなかつた時期、卽ちフランフルトの國民議會議員となるまで、

二、議員時代から普魯西首相時代を經て帝國を建設するまで

三、帝國宰相として猶太人實は自由派を抑壓した時期

四、ザクセンワルドに引退し責任の地位を去つた晩年

第一期卽ち青年時代のビスマークは決して親猶派ではなかつた、地方貴族(ユンカー)出身たる彼の周圍には宗教的にも社會的にも傳統と因襲の空氣が濃厚であつて此の頃彼は猶太人の平等同權論などに耳を傾ける筈はなかつた。一八四七年彼は初めて普魯西の聯合議會に出たのであるが此の時彼は基督教的國家學說を奉じ、其の說くところは敬虔派チエレと見を同うし、また國王フリードリッヒ・ウィルヘルム四世のロマンチックな觀念に類するものがあつたといふ。(3)

此の年七月十四日「猶太人の身分に關する法案」が提出された、これは王國內に住む猶太人に基督教徒と同一の義務同一の權利を認めるものであるが唯、猶太人の上級官任官權を除いたので急進派から反對が出た、翌十五日ビスマークが起つた、この演說は極めて有名であり且重要なもので反猶派も親猶派も常に引用し利用するところである。(4)

ビスマークは先づ自ら、或る一派のいふ所謂中世的頑迷派の一人であり、ま

た所謂有識階級からは輕侮される一群に屬することを明言し、そして「母乳によつて養はれた偏見」を脫し得ざるものであるし曰く、

「予は猶太人の敵ではなく寧ろ味方である、予は彼等に一切の權利を與へることに反對てはないか唯、基督教國に於て彼等異教徒に上級官任官權を與へることたけは承認しがたい、……基督教國の君主か常用する『神の恩寵により』といふことは單に空虛な辭令てはなく基督教國は神の意志により基督教の教義を實現すべきものなることを意味する……この目的は猶太人の助力を得て從來よりも達成し易くなるとは信じられぬ、……一八一二年の勅令は猶太人に一切の權利を與へた、(其の後の新附の領土を除く)唯上級官任官權を缺くだけてある。彼等は今や之をも要求する、後日更に彼等は地方長官、將軍、大臣、或は進んで文部大臣(5)をも要求するであらう。予は上述の如く母乳に養はれた偏見をもつ、予は國王陛下の臣民として猶太人の監督を受けることを想ひ浮べる時、國民の義務を果し得るといふ滿足も情熱も消散し、うたゝ憮然たらざるをえない、……何が故に猶太人は數百年來周圍の同情を得なかつたか、今それを追求するには及ぶまい、予は往古の猶太人、將來の猶太人を云

爲するのではない、現在の猶太人に就いていふ、伯林及び大都市の猶太人には尊敬すべきものが少くない、田舍でも略〻同樣であらう、しかし反對の例もある。予は多數の猶太人の常住するある地方を知つてゐる、そこには所有物といふべき何物をも持たぬ農民が甚だ多い、寢臺から暖爐の灰播にいたるまで全部の動產は猶太人に屬する、農民はそれらに對し每日借料を拂はねばならぬ、家畜も穀物も納屋も猶太人の所有に歸しパン種子飼料は猶太人が彼等に賣りつけてゐる。かやうな高利貸は基督敎徒中未だ曾て聞かないところである、論者或は云はむ、これは多年猶太人を壓迫し職業を制限した結果であると、しかし現在は猶太人抑壓の時代でない、官吏たる能はざるが故に高利貸たらざるべからずといふ理由はあるまい……」

一八四九年十一月普魯西の下院で法律的結婚法に關する討論が行はれ、ビスマークはこれに反對した、その理由は「オランダやスコットランドでは從來それに類した習慣があつて法律的結婚を輸入しても格別目新しくないから差支はなからう、然るに普魯西にはこれまでそうした慣習がない隨つて敎會結婚と正面衝突しなければならぬ」、といふにあり、ビスマークは敎會結婚と普魯西の國民性との關係を力說してゐるか(6)これは國家對教會の問題にも聯關し、また外國模倣殊に佛蘭西模倣に對する反感も加はつてゐるので單純に猶太人問題とはいへぬのであるけれども、この場合ビスマークは基督教徒と猶太人との結婚に際し豫想される幾多の紛糾を念頭においたことは疑ない。

以上の二演說はビスマークを反猶主義者とする時に引用されるのであるがこの頃まで彼が猶太人に好意をもたなかつたことは明白である。然るに彼は一八五一年フランクフルト・アム・マインに同盟議會議員として赴任するやその人生觀政治觀は變化した。これは從來何といつても地方政治家に過ぎなかつた彼は今や獨逸に於ける一流の名士政客と相接する機會が多くなり、また此の時齡正に三十五、身心共に成熟の時期に到達したのであるから眼界が廣くなり大局を通觀することとなつた結果であらう。隨つて彼の猶太人問題に關する見解も變つて來た。

昔から聞えた商業都市、フランクフルトは猶太人の光暗兩面を觀察するのに恰好の土地でなければならぬ、むさ苦しい陋廓(ゲツトー)には哲學者と行商人、大銀行家と小仲買人、隣り合はせて住んでゐる。世界的大取引市場には市内の大金持も小資本の兩換屋も其の他各種の人々が出入する。またビスマークは政府の命令をうけてロートシルド、ベートマン等の富豪とも交渉があり、ともかく猶太人に渕し豫想しなかつた得物があつたに相違ない。但し、彼が普魯西政府に提出した多數の報告中猶太人關係のものは僅に二通しかないやうてある。(7)

一八五三年十二月五日附のでは當時既に彼は從來の態度を改めて可なり猶太人に好意を示してることが解る、此の時同市の墺國派(墺太利加特力派)は與へて間のない市民權を猶太人から剝奪しようとし同盟議會に其の法案を提出した、ビスマークはこれに極力反對し其のために同法案は否決された、報告はこれに對して本國政府の諒解を求めたのであるが之を六年前普魯西聯合議會での議論と比較するならば非常な變化を見るのであつて猶太人に可なり同情を吝まぬものであつた。之は唯彼の對墺政策の一端として論じ去ることは出來ぬと思ふ、何故ならば墺太利の使臣はフランクフルトに根據をもつロートシルド家との關係上、この提案を支持しえないことは明かてあつて墺國派の擡頭を押へるだけが理由とはいへないからである。またフランクフルト所住の猶太人に關する所見はビスマークの多數の私信にあり、彼の對猶太人觀が著しく變化したことは

容易に說明されるのである。(8)

普魯西首相の印綬を帶びてから以後の彼はつとめて猶太人問題殊に反猶問題に觸れることを避けたやうに思はれる。ヒスマークと猶太人との問題を詳細調査したマキシミリアン・ハルテンによれば、爾後數年ビスマークは猶太人問題に關する演說もしなければこれまで知られてゐる書信に反猶的感情の痕跡も認められないといふ。(9)

一八六九年北獨同盟議會《ライヒス・ターク》は猶太人に平等權を與へる法律を發表した。之に先立つて一八六七年同盟議會は同盟宰相(ヒスマーク)に該法律の制定を進言した、この法案は先つ專門委員會て草案しそして同盟諸邦の協贊を經なければならぬのであるがメクレンフルクは他の諸邦と事情を異にするから容易に贊成しそうもない、隨つて幾多の經緯を辿つた後この法案が同盟議會に附議されたのは一八六九年の六月てあつた、果してメクレンフルクの議員から猛烈な反對があり、結局三讀會を經て可決された、しかし尙同盟會議《ブンデス・ラート》にかけなければならぬ、こゝにも反對の氣運が見えたのてあるけれどもヒスマークの意見で普魯西政府の確乎たる態度が解つたから同盟會議も無事に通過した、この法律は同年七月三日公表される、其の後帝國憲法に採擇されて獨逸帝國内の猶太人が完全に解放されたことは前述の通りである。

しかしこの法律は當時の普魯西それ自身ではさ程重大なものではなかつた、何故ならば普魯西は既に一八六〇年卽ちビスマークの組閣以前に猶太人の平等權を承認したからである、がこれは閣議で四對六で決定したといふ、卽ち普魯西の閣員の中にも反對者は可なりあつた譯であつた。それから九年を經過するがメクレンブルク其の他に反對者は決して少くなかつた。之等の反對要素を全部押し切つてこの法案を通過さしたのであるからビスマークは獨逸の猶太人に同權を與へた全責任者でなければならぬ、果して後年の反猶主義者はこの點でビスマークを攻擊しまた彼の在任中この法律の撤回を何回となく要求してゐる。之はビスマークに豫想し得なかつたとは思はれない、要するに彼は猶太人の實際勢力を認識し彼等に同權を與へることか適切妥當であると信じたものであらう、上述の通り當年のビスマークの心境の變化は知る由もないのであるが猶太人の重要性と危險性を考量し功罪相殺して結局重要性を重視したものと察せられる。

先年「法律的結婚法案」は否決された、之はビスマークの反對が與つて力あつたのであるが其の後暫定的に「應急的法律的結婚法」が採用され、或る理由により教會的結婚の出來ぬものは法律的手續を經て其の效力を承認されることとなつた。一八七五年になつて帝國は從來の一切の規定を廢し所謂「義務的法律的結婚法」を實施した。この法案が議會で討論された時保守黨中央黨は勿論反對を試みた。そして其の先頭に立つたのはルートウィック・ファン・ケルラッハであつた、彼は政治家としてもビスマークの先輩であり且つ保守黨及び其の機關紙たるクロイッ・ツァイツング創立者の一人であつて同紙には絶えず評論を掲け堂々の論陣と精悍の氣魄とはビスマークも常に敬重してゐたところである。彼はビスマークの以前の議論の要點を摘出してビスマークに迫つたのであつた。

ビスマークは此の時單に時勢の變遷と見解の相違を以て辯明してゐるが可なり苦しかつたものと見える。曰く「予は變說改論を以て恥づべきこととは思はない、要は國家の利害得失にある、讓歩すべきか固持すべきかは其の時の政情に伴はねばならぬから確乎不動たるわけには行かぬ、予は宰相として閣員を纏めて行かねばならぬ、予は國家の必要に應じ予の個人的確信をも棄てねはならぬ

ものと心得る」。(11)

ビスマークは後日此の時の事情を次のやうに述べてゐる。「國王の意向は可なり反對だつたしかし閣員のうちにも贊成者は多く國王は此の法案を批准するか內閣を改造するかの瀬戸際に立つた、そこで自分は前策を進言した、それは當時自分の健康狀態が意見の對立を豫想される新閣員を率ゐて此の問題のために奮闘することを許さなかつたからである」。(12)

此の法令は無論猶太人だけを目的としたものではない、所謂文化闘爭を辛うじて切り抜けた時であるから閣員中に確執を見たのもむしろ中央黨即ち羅馬派との問題に關してであらうが猶太人にとつては重大問題であるからビスマークが之を忘れてゐた筈はない。

反猶派の一人モリッツ・フッシュは其の日記にビスマークとの會話を記してゐる、一八七〇年九月の條にビスマークの言葉として「彼等猶太人は元來鄕國はない、普通歐羅巴的、世界同胞的(コスモポリチッシュ)性情で要するに漂浪民である、彼等の祖國はチオン(パレスチナ)か然らずんば彼等は世界に屬し世界を通して彼等は聯絡を保つ、唯少數のものだけが鄕國感ともいふべきものを持つてゐる、其のうちに善良な人達が見出される」[13] また一八七一年一月の條に「猶太人は雜婚によつて無害にされなければならぬ……獨逸的訓練をうけた基督教的牡馬と猶太的牝馬との結合によつて決して惡い劣等な人種は出來上らぬ。」[14] 之は人種の純化を叫ぶ一派の人々からよく非難されるところであるが、以前法律的結婚法に反對した時代と比較するならばビスマークの猶太人觀が著しく變化してゐることは否定しがたい。

ビスマークのハイネに就ての見解も面白い、これは一八七〇年頃のことと思はれる、ローレライの詩人の記念碑をその郷里デュッセルドルフに建立しようといふ計畫があつてハイネ崇拜家たる墺太利の皇后からもその斡旋をビスマークに依頼して來た。しかし當時普魯西ではハイネの「ホーヘンツォルレルンの鷹は播き集め過ぎたから其の爪を斬らねばならぬ」といふ文句が問題になつてハイネ攻撃が激烈だつた。此の時ビスマークが祕書官ロ〻テンブルクに云うた言葉として傳はるのは、

「一體ハイネはそれ程不都合か、フリードリッヒ大王のシレジエンに對する要求は正當といひうるか、また世間ではハイネのチポレオン禮讚を非難する、し

かし予若しハイネの地位にあらば違つた態度に出られるか、猶太人の町は夜八時には閉鎖される、一般に重苦しい特別法て縛られる、予若しハイネ同様猶太人として生まれたならば之等の制度に滿足して居られるか、佛蘭西法を愉人し特別法を撤廢したナポレオンを救世主として讃美するハイネはむしろ當然ではあるまいか、……」(14)

但し、ビスマークは東方猶太人卽ちポーランド方面からの猶太人の集團的移仕及び所謂自由派の言動に對しては毫も假借せず强硬な態度を取つた。前者は猶太人といつても多年獨逸に住み馴れた「獨逸猶太人」とは精神的にも肉體的にも緣の遠いものであり、實は「獨逸猶太人」からも嫌かられてゐたのである。後者はこの派のうちに猶太人か多いから俎上に上つたのは多數猶太人てあるけれども人種的にも思想的にも猶太要素の凝集體てはない。兩者共にビスマークの反猶政策のうちに數へられるか寧ろ地方經濟的政治思想的問題てあつた。

シテノカー一派の運動に於て普魯西政府の態度は寬に過ぎたともいひ嚴酷を極めたともいふ、それ〴〵の立場からいづれとも見られるのであるが一八八〇年二十六萬餘人の署名ある請願書に對してビスマークは何の應答もしなかつた、其の秋、下院に質問の出た時、政府は「信條の相違により人民の權利に差別を附する意志なし」と答へた、其の後も數回同樣の聲明を出してゐるが事實上伯林官憲の行動はシテ〻カー一派に好意あるものの如く思はれた、謂はゞある程度まで默認の形であつた、それは內務大臣プ〻トカマーが保守黨の錚々でありシテ〻カー一派とは政治的にも個人的にも深い關係があつたからだともいひ、また警視總監マダイが公正なるべき職責を忘れて黨派的偏見に充ちた報告をしてゐるから彼が徹底的取締りをしなかつたものだらうともいふ[16]しかしこれ程の重大問題に對しその對策を講ずるに當りヒスマークの意志の加はらぬとは思はれない、やはりビスマークの諒解をえたものと解するのが妥當てはあるまいか、ともかくこの運動は軈て四方に傳播し治安を誇る普魯西としては珍らしい事件であつた。

一八八一年初夏の頃ステッチン其の他で此の派の影響をうけた騷擾が勃發した其皇太子フリードリッヒ・ウィルヘルムが英吉利からこの事件以後外國に現はれた其の反響を報告したのは此の時であつた、當時ビスマークは英獨同盟を計畫してゐた、之は後日の研究で明かにされ今では何人も疑はぬところである。[17] だから彼は英吉利の輿論を看過し去ることは出來ぬ、八月二十五日皇帝は內閣顧問ウィルモウスキを通して内相プットカマーに警告を與へ、シテッカー一派の運動を嚴重取り締るやう命令してゐるが數日前ビスマークは皇帝に謁見してゐるからこの警告もビスマークの進言によるものと見てよからう。

ブッシュは當時のことを記して曰く、「猶太人問題はまた日常の話題となつた、そして彼等の既得權を回收せよとの聲が高い、宰相は公開の席上でこの運動なりその理由目的なりに就ては何等の意見も批判も述べてゐない、しかし察するに之は思ひも寄らぬことだといふのではなく、現在は其の時機でない、隨つて望ましくないといふにあるらしい、自分は斯うした推測を敢てする理由を持つものである云々」。[18]

此の觀察は恐らく間違ないものと思はれる。つまりビスマークは反猶運動を全然是認するのではないかある種の猶太人の跋扈跳梁をば寛假しがたいとしたものであらう。但、其の彈壓の時機なり方法なりに就ては彼一流の工夫がなければならぬ。卽ちビスマークの對猶政策は第三期に入つたと考へていゝ。

(一) H Kohl, polit. Reden d. Fursten Bismarck, VI 351 f

(2) Jöhlinger, Bismarck u. Juden, 19

(3) Lenz, Gesch. Bismarcks, 38

(4) H Kohl, ibid I, 22—27

(5) Kultusminister は教育及り宗教に關する行政を管掌す

(6) H. Kohl. ibidI, 155—157

(7) Johlinger, ibid 10

(8) ibid. 18

(9) ibid. 19

(10) H. Kohl ibid VI 124 ff.

(11) ibid, 128 f

(12) Bismarck, Gedanken u. Erinnerungen (1905), II, 167 f

(13) Busch, Tagebücher, I, 237

(14) ibid,I, 153

(15) Jöhlinger, ibid, 31 f.

(16) ibid, 45f.

(17) H v Poschinger, Bismarck. portefeuille IV 93

(18) Busch, ibid I 153

(二)　第三期及第四期

普魯西の政黨は一八四八年以後の所産であるが中央黨を除いて著名な政黨の創立者の猶太人であることは一奇といはねばならぬ、卽ち保守黨のシタール、國民自由黨のラスカー、自由黨のバンベルガー、社會民主黨のマルクス、及びラツサルは孰れもそれぐ〵の政黨の創立者の一人であり、また有力者であつた。そして政府反對者卽ちビスマーク反對者のうちに猶太人の多かつたことも注目に値する。之は猶太人の解放と自由主義の運動とは密接不離の關係があり、そしてビスマークは反動的政治家の典型と看做されてゐたから猶太人側に好評を博する筈はない。ビスマークは保守黨とも爭ひ、中央黨とも戰ひ、殊に社會民主黨と鎬を削つたことは有名であるがしかしこれらの政黨とは妥協も讓歩もしたのであつた。然るに彼の常住不斷の敵ともいふべきは實に自由黨であつた。

自由黨(Freisinnige)が政黨として成立したのは進歩黨及び國民自由黨の一部が合體し(一八八四年)た時であるけれども其の所屬議員は以前からビスマーク反對の立場を取てゐた。そして其の有力者中にバンベルガー、ラスカー等の猶太人が見えてゐるのである。また爾餘の政黨にも猶太人にしてビスマーク反對者が少くなかつた、彼等は順潮に棹し好機到來とはかりに英佛流の自由主義を提げてビスマークの政策に反對したからビスマークとしてはこれに對抗しなければならぬ、これが彼の反猶政策と云はれるのであるけれども實は政見政策に關する問題であつて純粹な意味での猶太人問題ではない、ビスマークは彼等の說の採るべきは採り、才能あるものをば顯要の官職にも擧用した、しかし實際政策の上で所見を異にし互讓調和がむつかしいと見るや斷然これを排除した。今その二三例を擧げて見る。

フェルヂナンド・ラッサルはいづれの點から見てもビスマークとは對蹠的な存在であらう、唯普魯西が獨逸統一の使命を有するといふ確信と、市民階級の自由主義を排斥する點て兩者は共鳴した。ラッサルは所謂自由派ではなく勞働者の利益を目標とする、彼は其の目的の達成上市民階級の自由主義をむしろ邪魔であるとした。ビスマークは彼の說を容れて普通選擧制を採用したことは有名であるけれども二人は結局兩立しがたい立場にあつた、彼等の離反には一八六三年の新聞條令が直接の原因となつてゐるけれどもこれは政見の上で早晚避けがたかつたことと思はれる。

ルトウィック・バンベルガーは「國民自由黨」及び「自由黨」の有力者であり徹頭徹尾所謂「自由派」の代表者でなければならぬ、隨つてラッサルとは反對にマンチェスター主義の信奉者であるが、しかし彼は南方獨逸で成長し、英佛の感化をうけること濃厚であつたにも拘はらず普魯西に獨逸統一の使命ありとした點ではラッサルと一致する。彼が帝國建設の事業、憲法制定の事業に參畫したことは前にも觸れておいた、それればかりではなく彼は倫敦、巴里及びロッテルダムで銀行業に從事し金融經濟の方面に知識と經驗とがあつたから斯うした部門でもビスマークを輔けたのであつた。

ビスマークは社會民主黨に對抗せんがため所謂「社會政策立法」を計畫した、之は是非の議論が喧しく一時停頓の姿であつたけれども一八八四年以後實施されたた。バンヘルガーは社會民主黨を敵視したのであるけれども此の法案には反對し實施後も屢〻率直忌憚なき批判を加へ、それが原因となつてビスマークと別れたのみならずビスマークの在職中常に彼の政策を非難し、しかも其の論調は年を逐うて激烈を加へた。

當時の自由派は卽ちアダム・スミスの學說を奉ずるものであつて英吉利の國家生活を現想とする、これは獨逸帝國の經濟狀應に適合する筈はない、隨つて「事實の重壓」(ウーフト・テア・タートザーヘン)て叩き上げたビスマークの經濟觀念と調和しがたいものであつたことは當然といはねばならぬ。しかし猶太人中ビスマークに親炙し得た一人たるバンベルガーはビスマークの歿後次のやうに記してゐる。

「佛蘭西人は感じの上てビスマークを敵視する、同樣に猶太人も彼を反猶主義者と看做してゐる、しかしこれは謬想てある。……ビスマークはシノテカーやトライチュケの反猶運動に關係してゐない、かそれは彼一流の手、特別製の武器であつて、いざとなれば敵を威嚇し、又は敵を畏怖せしめるために先づ差し當り武器庫に收藏しておくものてる」。(1)

エドアード・ラスカーは一八六五年普魯西の議會に入り進步黨の一人として軍備擴張案には反對した、しかし普墺戰爭の結果によりビスマークの深謀遠慮が解ると彼は進步黨を脫し同志と共に國民自由黨を創立しビスマークを支持するに到つた。北獨同盟議會に於て「帝號に關する請願書奉呈案」を出したのも彼であり、帝國建設の準備工作として北獨南獨間の調停に奔走し人知れぬ苦心を重ねたのも彼とバンベルガーであつた。

ビスマークとラスカーの協力は一八七三年頃まで續く、其の後二人の間には間隙を生じた。財界の變動が議會の問題となり、ラスカーがビスマークをして「舌の鞭」と驚嘆せしめた雄辯を振つたのはこの時であつた。同時にこの演説は財界の動搖を一層深刻化せしめ次いで王侯貴族高官名士の財的醜體を暴露し畢竟間接には時の政府、卽ちビスマークの責任を問ふといふことにもなつたのである。其の結果と思はれる、ビスマークはラスカーから國民自由黨の右翼分子を分離させようとした。ビスマークはラスカーを「自由に過ぎる」といふ、またラスカーは同志から新聞紙條令で以て「民衆の自由は失はれた」との非難をうけた。

かやうにしてビスマーク、ラスカー二人の關係は芳ばしくなくなつたのであるが之を更に尖鋭化したのは「釀酒專賣法案」と「社會政策法案」とであつた。遂にラスカーは一八八〇年國民自由黨を脫黨し一八八四年一月紐育で客死した。華盛頓の下院はラスカー哀悼文を決議し之を獨逸政府に送達したのであるがビスマークは帝國議會に通達することを拒絕し、そして三月十三日議會て其の理由を說明し更にラスカー及び自由派の政見政策を痛烈に攻擊してゐる。(2)

それは右の哀悼文中「彼の自由主義的思想は獨逸國民の政治的狀態を進步せしめ……」とあるに對しラスカーの談として新聞紙上に「皇帝及び宰相は獨逸の政治的發展を阻止し……」とあるのがビスマークの激怒に觸れたものと思はれる。(3) ともかくビスマークは其の可なり長い演説に於てラスカーを猛烈に非難してゐるのである。

以上は前にビスマークの信賴をうけながら後には排撃された著名の政治家であるが彼等は政策上ビスマークと相容れぬものがあつたからビスマークとしてはやむをえぬところであつたらう。同樣の理由でビスマークの彈壓を被つた猶太人は可なりの數に上る、これを猶太人側ではビスマークの反猶思想に歸するけれどもそれは妥當と云へぬ。ビスマークは曾て「予は猶太人を區別する、富裕になつたものはバリカードにも行かぬし、稅金も几帳面に納める、危險でない。危險なのはまだ何物をもたぬ、そして新聞に影響せられる野心家連である。但、これも其の最惡のものは猶太人でなくして基督教徒中にあるかも知れぬ。(4) これは彼の僞らぬ心情であらう。

ビスマークは洗禮をうけても猶太人は猶太人にとゞまる、人種的特質に變化はないと見てゐる、隨つて取捨選擇の目標は猶太人でも基督教徒でも常に危險か否かにあつた。(5) だから彼の周圍には猶大人も相當多い、カイザー(ビスマーク家の家庭教師、後の植民局長)、フリードヘルク兄弟(兄は法相、弟は法律學者、所謂文化闘爭法案を起草した一人)、モーゼル(內閣參事官、顧問)等は其の適例であつてまた久しく帝國議會議長の任にあり、ヒスマークと親交を重ねたシムソンは夙に洗禮を受けたとはいひながら父系も母系も純然たる猶太人である。

しかしビスマークが猶太人を信用し過きて其のために非常な非難をうけたのはブライヒレーター事件てあらう。ブライヒレーダーは伯林の銀行家で普佛戰爭の際其の軍事費を調達したはかりてはなく佛蘭西からの償金額を決定し且つその處置に於ても功勞があつた、しかし實業界に强大な勢力を振ひ所謂財界恐慌時代には民衆の怨府となつたのてある。彼は英佛の經濟界殊に巴里のロートシルド家とは關係か深かつたからビスマークは之を利用したのてあるが彼は實に帝國財政の顧問てありヒスマークの私財の顧問てもあつた、そしてビスマークは私有株券の管理を委任しておいたのて彼は之を任意に運用しその結果ビスマークは豫想もせす期待もしなかつた利益を得たといふ。(6) 同時にブライヒレーダーは外交にも立法にも參與する、いや單に助言者といふだけでなく積極的に容喙干渉するなどの風說があつてビスマーク攻擊が開始された。其の火蓋を切つたのは保守黨の一人チーフフト・ダーバーであつてこれは其の後訴訟沙汰にまで發展した、次いでクロイノ・ツァイツンク、ライヒスグロッケ等の新聞雜誌は協同筆陣を張つてビスマークを非難攻擊した。

「ビスマークの罪は私財を一銀行家に管理運用さしたといふのではなく、その銀行家が猶太人だといふ點にある」(チース・ダーバー)[8]、「ビスマークが全能的偶像にとゞまるかぎり國民は帝國に、帝國は宰相に、宰相は猶太人及び詐欺會社に從屬する、吾人の進路は唯一つあるのみ、先づビスマークを仆せ」(ルドルフ・マイヤー)[9]といつた調子で要するにビスマーク反對運動でありまた猶太人反對運動であつた。之等の記事は皇帝や皇后にも讀まれたとある[10]、しかしビスマークに對する皇帝の信任は毫も動搖しなかつた。

ビスマークの周圍には猶太人も多かつたが同時に反猶主義者も少くはなかつた、だから彼は猶太人問題に無關心であつたとは思はれない、十分な透察と理解があつたものと察せられる、しかし彼が兩派に深い關係のあつたといふこととが反猶派からも猶太人からも其の味方にされずして寧ろ敵視された原因であらう。一方では「ビスマークと面談を望む場合普通の人なら終日待たねばならぬのにブライヒレーダーは殆ど毎日豫告なしに面會出來る」(11)といふ、他方ではまたシテッカーが絶えずビスマーク邸に出入し、彼はビスマークの信任厚くいつも優遇されてゐる(12)といふ。しかしシテッカー自身の記述がその反證を提供する、曰く「吾々(ビスマークとシッテカー)は何の關係もない、予は曾て彼と會談したことも手紙を交換したこともない、また彼及び彼の下僚から何の依賴をうけたこともない唯予は議員としての會合の際彼と同席したことは數回ある、しかし特に寛待されたことはない、隨つて予は『伯林運動』でも猶太人問題でも決して彼の傀儡てなかつたことが解るだらう」(13)そして彼はビスマークが基督教的社會黨に同情してゐるといふことを否定し更に「ビスマークはアドルフ・ワクナーと少くも一度は面談し彼の說に耳を傾けたらしい、然るに予自身には其の機會をも與へない」といつてるがこゝにビスマークの片鱗が見られるのであつて同じ「基督教社會黨」の創立者でもシテッカーとワグナーとの間には彼一流の鑑別法があつたものと思はれる。若しビスマークかシテッカーに好意を示したといふならばそれはシッテカーのまだ社會民主黨攻撃だけに從事してゐた時て直接猶太人問題には觸れなかつた頃であらう、伯林運動に同意しかたいといふことはビスマークが屢〻言明してゐるところてある。

猶太人側てはトライチュケがシテノカーの運動に直接關係し、そしてビスマークは之に特別な好意を寄せてゐたといふ。(14) トライチュケがビスマークの信任をえてゐたことはいふまでもない、しかしシテノカーとトライチュケとの關係はそうした親密なものであつたかとうかこれは疑はしい、殊にビスマークかこの運動に好意を示したといふことは恐らくあるまいと思ふ。シテノカーとトライチュケでは性格も違へば境遇も違ふ、今こゝにそれを說明する暇はないのてあるが「伯林運動」に便宜を與へたと云はれる內相プノトカマーが兩人を招待した時にトライチュケは相識の間てないといふことを理由にして斷つたといふ。(15) 二人は少くとも親密な間柄でなかつたことは推論して差支ない。

唯彼等二人が公然猶太人問題に乘り出したのも略〻同時期てあり、之にビスマークを加へて三人共に宮廷の信任厚からず失脚のやむなきに到つたのも略〻同時期(一八九〇年頃)である、そこで三人を繞る風評がいつしか上述の想像說を產んだものではなからうか、しかし新帝ウィルヘルム二世の忌諱に觸れたのは三人それぐ異なる事情に由るのであつて其の間に相互關係はない、無論猶太人問題とは全然交渉はないことである。

引退後のビスマーク、サクセンワルドに於けるビスマークの對猶太人觀は訪客との會話や新聞雜誌所載の記事論説に見えてるけれどもそれは僞作も捏造もあらうと思ふ、又其の出所確實としてもそれが全部ビスマークの所信とはかぎるまい、中には一時的な放言漫語もあるに相違ない。しかし責任の地位を離れたのでさほど右顧左眄する必要はないのであるから忌憚なく隔意なく思ふまゝに述べたといふ點も認めなければならぬ。ビスマークは捏造記事に對しては割合敏感だつた、隨つて彼の在世中に出たものならまだしもといへる、死後のものでは餘り信憑することは出來ないと思ふ。

イェーリンカーは其の著書「ビスマークと猶太人」に於て彼の引退後の對猶太人觀に關する材料を可なり多數に擧げてゐる、其のうちでヘルマン・ホフマンとビスマークとの會話、及び一八九二年七月二十二日の「ハンブルガー・ナハリヒテン」にビスマークが掲載さした論文は信用出來るものであらう。(16) ホフマンはビスマークに信頼され其の關係は丁度エノケルマンのケーテに於ける如きものたといふ、また右の新聞記事はビスマークが其の後他の機會でも再三繰り返し云うてゐるしホフマノもこれは猶太人問題反猶問題に關するビスマークの不斷の所懷たと裏書してゐる。

以上の兩文書から要點を摘記すると次のやうになる。(17)

「猶太人は營利事業に於て他の民族の及ひかたい才能を有する、この點で彼等と競爭はむつかしい。彼等の才能及び其の成果を減殺することは「バルトロメウス事件」か「フェスペル事件」(15)でも再演しなければ出來ることでない、斯やうな暴行沙汰は激情的な反猶主義者でも斷行する氣にはなれまい。また國家及び人民のために或る特殊法を或る人民層に施行する、と猶太人よりも一層有害なものが現はれて來る、社會民主黨の國家及び社會を脅かす危險はその例である、此の危險たるや營利生活上營業道德上猶太人の特質がもたらすといふ災厄よりも遙に重大である、成程反猶主義者は共同生活に及ぼす猶太人の特質の害毒を論難攻擊する、しかし彼等は其の害毒を芟除する有效な實行方法を示しはしない、從來彼等の提案は政府が眞面目に災厄除去の對策を講ずる時でも一顧の値なきものであつた。例へば有識階級の猶太人を法曹界から驅除する、彼等はどうなる、彼等は貿易其の他の職業に轉じ一層有害視される經濟界に於ける猶太人の勢力を倍加するものではないか」。

ビスマークは反猶主義を宗教的若しくは民族的理由からではなく經濟的原因によるものとしてゐる、この點では歷史家ランケと其の見を一にするものである。

「猶太人憎惡排斥の主因は要するに彼等の營利能力にある、これは民族的特質に由るのであるから如何ともしがたい、此の點で彼等は基督敎徒よりも確に上だ。彼等はまだ產を成さぬ間基督敎徒の同僚よりも勤勉であり儉約である、目的を達し富を積でも中々滿足せず依然として勤儉を續ける、若い有產猶太人は同地位同年輩の基督敎徒と餘程違ふ、放蕩、賭博、飮酒で產を破り身を滅ぼす猶太靑年は極めて少い。彼等が營利事業に適するといふのは冒險心も與つて力あると思ふ、硝煙彈雨の中では基督敎徒よりも豪勇とはいひがたい、しかし金儲となれば彼等は勇敢になり冒險的だ、手段方法の選擇に於ても彼等は躊躇しない、その事業に有用と見れば卽時斷行する、之らが相集まつて彼等の營利能力を構成するものであらう。現代はあらゆる事業に道が開かれてゐる、彼等が奮勵努力、其の才能を十分に發揮するから彼等の業蹟が甚だ著しく目立つのは當然といはねばならぬ……また猶太人の善い他の方面をも看過すへきてない、彼等には吾々のもたぬ長所がある、例へば商業上の熱心さ敏活さだ、之は猶太人なかりせば現在のやうに巧く行かなかつたかも知れぬ。彼等は一種の醱酵素だ、これは輕視することが出來ぬ。予若し尚大臣の任にとゞまるならば猶太人に關しては次の原則をお奬めしたい『信條の詮索は無用』。但猶太人をして增長せしめぬこと、財政上彼等の捕虜とならぬことが肝要である、これは不幸にして諸外國にその例が多い。予は大臣として帝國の財政に關する場合猶太人に對しては常にこの態度を忘れなかつた、だから予は曾て彼等に果さねばならぬ義務を負うたことはない」。

反猶主義者の直接運動に關しては、

「正義人道の議論は暫く措く、國家社會に害毒を及ぼすことなくして彼等反猶主義者の目的を達しうる方法はないと思ふ、予は多數の反猶主義者とも面談してゐる、彼等は社會民主主義者と同樣、現在の弊害を指摘し排擊する、し

かしこれを如何にして取り除くべきかの提案はない、あつてもそれは全く實行不可能のものである。(19)

シュテカーのことは一八九八年の「バイエリッシェ・ランデスツァイツングに出てゐる主筆アントン・メミンカーはキッシンゲンの溫泉で屢〻ビスマークと會見してゐるその會談の一節。

「最重要なそして功果的な反猶主義者は無論シテッカーである、彼は教養もあり資產もありまた教會に於ける勢力から見ても猶太人の銀行家及び其の派の自由主義者と對抗し得ると思ふ。たが予はシテッカーにどうしても同情する氣にはなれない、何故ならば法衣を肩けた政治運動家は新教にまれ舊教にまれ皆同樣て程度の差はあつても常に見え透いた意圖をもつ、それは政治上の問題をも僧侶式に解釋し僧侶式有難さを並べたがる、そして政府を教會權力の下に屈せしめようとする、僧侶の出馬は全く或は餘り有用なものてはない。シテッカー及び其の一派は屢〻予に喧嘩を賣らうとし、予とフライヒレーダーの關係を非難した、予はフライヒレーター父子の人となりをよく知つてゐる、全部を知るか全部を是認するものてはない、彼は予の銀行家てあり、予の財產利を管理した、しかし予が彼に政治問題に關する報告を與へて予及び彼の私利を謀つたといふのは誣ひるもまた甚たしい、唯彼が一八六六年軍事費調達に奔走してくれたことは事實てある、之は何人も引受手がなかつたのてある、この點て予は彼に感謝する。予は彼を利用した、そして其の功績に報いることがなかつたと後指をさゝれるのは假令相手が猶太人てあるにしても予の屑しとするところてはない」(20)。

匈牙利の辯護士ユリウス・ケペスとビスマークとの會談といふものがある、之は出所が判然しないのてあつて唯ビスマークから信任された歴史家ポシンガーと親交のあるコフートが主筆をした月刊誌に出た記事てしかもビスマークの死後(一九一一年)公にされたものてあるといふ。

一八九二年の夏キッシンゲンの温泉てビスマークはケペスを厚遇し食事をも共にした、そこてケペスは打解けた寛ろいだ氣持になり勇を鼓して突込んだ質問を試みた。

「自分は過分の御款待を忝うするが閣下は自分の猶太人てあることをお聽きになつてお氣を惡くされるやうなことはなからうか、また閣下は其のことを全然御承知なかつたのであらうか」

「貴下は何故そのやうな質問をされる」

「世間では閣下を反猶主義者だといふ、そしてそれを確實詳細に知りたがつてゐる、自分は當地に來て閣下が猶太教教師と數時間に亙る會談をされたと聞き、閣下の反猶主義者でないことを確信するに到つた」

「貴下が今讀まれた獨逸新聞の記事から予がもはや善良なる獨逸人でないといふ結論を得られるか、常識あるものなら之を『出鱈目』といふ、予の反猶主義物語もその類に屬する。……貴下がイスラエル教徒であることは前以て解つてゐた、それは予の氣持に何等影響しない……」[21]

ビスマークに對しては其の存命中既に毀譽褒貶が區々であつた、猶太人問題でも反猶か親猶か見る人の立場で異なつてゐた、そこで彼自身の口からそれを聽きたいといふのが一般の希望であつたらう。此の記事が信憑しうるものならばビスマークは少くとも反猶主義者でなかつたといふべきであらう。

ビスマークは猶太人が何故に彼と反猶主義者視するか寧ろ奇怪に思つてゐたやうである。ヘルマン・ホフマンの記すところでは、一八九二年七月の條に

「予は猶太人から忘恩を以て報いられた、猶太人の解」放に就いて予以上に努力した政治家が外にあらうか、[22] 然るに大體猶太人の掌中にあると思はれる民主主義急進主義の諸新聞はいつれも予を敵視し攻撃する、しかし予は之を悲劇的には考へない、之等新聞の所有者は政見の上で予に反對の立場にある、だから予に感謝すべきことを追想しては其の態度に惡い影響が及ぶと思ふのであらう」。[23]

以上でビスマークの生涯を通じた猶太人問題に關する彼の見解、態度及び對策を概觀した積りであるが彼を親猶派として非難するものは一八六九年の法律制定及び多數の猶太人を要路に任用したことを力說する。例へばフリッチュの如き其の著書「猶太人問題手本」の一章「ビスマーク時代」に於てビスマークの遠謀偉業を讚へながら彼の在職中親猶政策を續けた結果、猶太人の擡頭を促がしたとし、そして之を一個の悲劇と見、猶太人を庇護して來た彼が一九一八年世界大戰の終幕に際し突如彼は猶太人に絞殺されたかの觀かあると述べてゐる。[24]

然るにビスマークを反猶派として攻擊するものは彼の自由黨及び社會民主黨

の彈壓を例示するのが常である、そして自由主義排除のために反猶主義を地主中小商工業者官吏の社會に扶植したといふ。[25] 殊に猶太系の新聞が擧つてビスマークの排擊に努めたことは前掲の會話でも知らるゝのであるが就中ベルリーナー・ツァイツングは其の適例であらう。此の新聞の創立者レオポルド・ウルシタインは爾後フォッシッシェ・ツァイツング其の他を經營し直系の新聞雜誌は甚だ多い(一九三三年には伯林だけで二十一種)、また此の派の報道機關は巴里倫敦紐育、ワルシャウ、モスカウ、ウィーン、プラーハ等にも支部を設けてゐたからビスマーク攻擊の功果は實に世界的であつた。フランクフルター・ツァインツングの如きもビスマーク引退の報に接するや大願成就として「一度去つて復歸らずといふことは此處(ビスマークの政治體系)にも當て篏まるを望む、さすれば國民は一八九〇年三月十八日(ビスマーク引退の日)を喜んで追想する日のうちに數へるであらう云々」[26] と記してゐるがこれらは孰れもヒスマークの所謂忘恩を以て報いたものであらう。

しかし公平に觀察するならばビスマークは特に親猶派でもなく、特に反猶派でもなかつたといふべきではあるまいか、ビスマークは此の問題を宗教的又は人種的に考察せす單に政治的經濟的問題として取扱つたやうである。時勢の潮流に乘して猶太人が擡頭した、一八八〇年代になると彼等は政治上經濟上社會上輕視しかたい重大性を帶ひて來た。しかしヒスマークは猶太人か特殊の人種てあるが故に、特殊の宗教觀念、從つて之に基つく特殊の人生觀、社會觀、政治觀の保持者てあるか故に警戒すべしとは考へなかつたのてあらう、例へば自由派のうちの猶太人と獨逸人とを比較して猶太人は特殊な存在てあるから特に危險だとは思惟しなかつたやうてある。但、ヒスマークが反猶派てなかつたとしても猶太人問題に無關心てあつたといふのてはない、彼はよく猶太人の特殊性實勢力を知つてゐた、しかし彼はまた獨逸性(トイノチエノウム)の確固性強靱性を信ずるものてあるから人口の上てホンの二パーセントにも足らぬ猶太人が獨逸民族の存立を危うするものとは夢想もしなかつたのてあらう。[27]

註

（1）Bamberger, Bismarck posthumus 35

（2）H Kohl, pol. Reden d. Fursten Bismarck X 10—30

（3）ibid. 17.

(4) Johlinger, Bismarck u. Juden, 25

(5) ibid 74

(6) ibid, 101

(7) Hohenlohe, Denkwurdrgkeit, 221 ff

(8) Johlinger, Bismarck u. Juden 97

(9) ibid 105

(10) Bismarck, Gedanken u Erinnerungen II 188f

(11) Jöhlinger, ibid 97

(12) ibid, 134

(13) Stöcker, 13 Jahre Hofprediger u. politiker 286

(14) Johlinger 178

(15) H v. Petersdorff, Allg. Dentsche Biographie, Band 55, S. 12

(16) Johlinger ibid, 182

(17) ibid.

(18) 一五七二年八月巴里で行はれた虐殺と一二八二年三月パレルモを中心としシヽリーの諸市に起つた暴動

(19) Johlinger ibid. 184

(20) ibid. 188

(21) ibid, 190

(22) 一八六九年の法律の制定を意味す

(23) Johlinger, ibid. 164

(24) Fritsch, Handbush d. Judenfrage 1935, 99

(25) Rieger-Braunschweig, Vierteljhrh , 7

(26) Fritsch, ibid, 288

(27) ibid, 280

モルッカ諸島移住日本人の活動

岩生成一

目次

圖版目次

一　緒　言

モルッカ諸島(Moluccas, Molukken)とは、一つに香料諸島とも云ひ、其の境域は餘り明瞭でないが、現今大體に於いて蘭領東印度中、セレベス島(Celebes)の東邊とニュウ・ギニヤ島(New Guinea)の西側との中間の海洋に點在する島嶼を指してゐる樣である。併し元來はジロロ島(Gilolo, Djalolo)卽ちハルマヘラ島(Halmahera)の西側に沿ひ、赤道の兩側を北より南に並列する五小島を指してゐた。卽ちテルナテ(Ternate)、チドール(Tidore)、モチール(Motir)、マキヤン(Makjan, Machiyan)、及びバチャン(Batjan, Bachian)の五小諸島であつたが、十八世紀の始頃から、其の範圍が南方に擴大して、前述の樣に、北はハルマヘラ諸島より、スラ(Xulla, Soela)、セラム(Ceram)、ブル(Buru, Boeroe)、アンボイナ(Amboina, Ambon)及び南方バンダ(Banda)等の諸島群を包括する總稱の方が寧ろ一般的となつた。

本稿は、呂宋、交趾、柬埔寨、暹羅などの南洋各地に移住した日本人の活動を主題として、本學史學科研究年報第二輯より第四輯に亘つて連載した拙稿『南洋日本町の盛衰』と關聯する所尠からされども、特に史學雜誌(四六の十二)に曾て發表した舊稿『バタビヤ移住日本人の活動』とは全く不可分の關係に立つものである。而して本稿に於いては、モルッカ諸島移住日本人の活動に重點を置いて論述したが、自然、亦之と關係淺からざるバタビヤ以外の他の蘭領東印度各地に移住せし日本人の活動にも觸れ、所謂今日の外領(Buiten-bezittingen)全般に移住した同胞の活動に論及することゝなつた。されば前掲史學雜誌の論文と本稿と相俟つて、茲に筆者は、蘭領東印度全地域に移住した日本人の活動に關する研究を、一應完結し得たと思ふ。

論題に掲げたモルッカ諸島とは、同胞の活動地域を成可く一の命題の下に廣範圍に亙つて包括する爲めに、前述の如き現今の廣義の命名を借りたが、彼等活動の時代は、十七世紀の前半にかゝり、未だ廣義の用例も一般的ならざる以前なれば、稿中に屢ゝ言及するモルッカ諸島なる用語は、主としてアンボイナ、バンダ諸島とは、明かに區別せらる可き狹義の用例に從ふ場合多きことを附言す。

二　モルッカ諸島に於ける日本人の活動

イ　歐洲人のモルッカ諸島經略と日本船の渡航

一五一一年ダルフケルケ(Alfonso 'd Albuquerque)のマラッカ占領後、東方に派遣されたアントニオ・ダブレウ(Antonio d'Abreu)は、香料の主産地を探査しつゝ、ジャバ島の北岸より北上して、バンダ、アンボイナ諸島を經て、モルッカ諸島に達し、同方面に於けるポルトガル人發展の端を開いたか、一五二二年に彼等はテルナテ島に一城塞を築いて、茲に軍事的活動の據點を得て、同方面に於ける香料の獨占的取引に成功した。此の頃イスパニヤ人も同島に到着せしも、未ださしたる活動を爲さずして撤退し、此の世紀の終頃まで、ポルトガル人のみ、獨り自由に活躍することが出來たが、漸く其の搾取と暴壓に堪えかねた土酋や土民は、其の後屢〻叛亂を繰返した。偶〻一五九九年より翌年に亙つて、ワルワイク(Wijbrand van Waerwijck)へームスケルク(Jacob van Heemskerck)やハーヘン(Steven van der Haghen,等のオランダ船隊が始めて同方面に來航して、相次いで碇泊交易の地を求めんとするや、彼等は新來の歐洲人の援助協力を得て、ポルトガル人勢力の驅逐に成功し、茲にオランダ人勢力が同方面にも伸張する様になつた。

當時アジヤ各地到る所に於いて、斯くの如き新舊勢力の更替あり、同地も亦此の情勢の一大轉換期に入つたのであるが、其の後幾許もなくして、イギリス人が此の間に割込みを策し、イスパニヤ人も亦漸くフィリッピン諸島の經略を遂げて、再び南下して同方面に觸手を伸し、茲に香料の主産地なるモルッカ、バンダ、アンボイナ等の諸島は、俄かに彼等諸國民爭奪の中心となつた。恰も此の頃、南洋に發展した日本人は、斯かる國際紛爭の渦中に投ずることゝなつた。

一六〇四年(慶長九年)イスパニヤのバリャドリイ(Valladolid)にて出版されたドミニコ派の僧ガブリエル・デ・サン・アントニオ(Fr. Gabriel Quiroga de San Antonio)の柬埔寨國情實記には、

チドール島には、沈香購入の爲めに、日本人、支那人、交趾支那人、暹羅人、柬埔寨人、マレイ人、ホルネオ人、シャバ人、バンタ人、ペルシヤ人、アラビヤ人、トルコ人、ギリシャ人、ポルトガル人か來航し、最近にはオランダ、ゼーランド及びイギリス人も來航す(註一)。

とある。著者は一五九五年より八年までフィリッピン諸島に滯在して、親しく傳聞せる所に基き、同島の香料買付けに諸國船の輻湊せる盛況を記したものと思はれるか、必しも日本船來航の事實を目睹した正確なる記述ではあるまい。併し北方呂宋島には、一五八六年(天正十四年)頃より、日本の商船は殆ど連年來航し(註2)、又中には西方ボルネオ島にも航するものあり(註3)、彼等の中に、兩地に近き赤道直下の此の方面に進出渡航する船が絶無なりとも斷じ得ない。殊に一六一五年十一月三十日(元和元年)に、アムステルダムの東印度會社からジャバの政廳に送つた指令中には、

特に我等は東印度總督及び參議會に再び下命し、且つ貴下にも(出來る限り全力を盡して)モルッカ諸島に於ける諸國民、支那人、マレイ人、クリンガ人(Clingen)、日本人及び其の他の諸國民、就中イキリス人と其のフランス人の名義及び船にて來航する者は、一切貿易を阻止すべき前記の決議の實行されんことを嚴に强制す(註4)。

とあり、モルッカ諸島に於ける諸國船の貿易阻止の指令中、明白に日本船をも列記せる點より見れば、我が南洋渡航船中、既に此の方面に遙々貿易に赴くもの

もあつたと解せらるべく、現に異國渡海御朱印帳には、

十九　摩陸國　是へハ始而被遣也

一自日本到摩陸國舟也　　高木作右衛門ニ被下候也。長谷川左兵衛狀有、

　　右　　いゝいゝいゝまろくとかなにて書來。

元和二年丙辰九月九日。　御城にて直談に道春なとゝ文字を談合して書也。

功來。

元和二年辰三月八日、駿府にて書之。(註5)

と記され、實に前の指令の翌年のことにして、長崎の町長老の一人高木作右衛門が摩陸(まろく)へ渡航御朱印狀を得てゐるが、此の摩陸は、既に川島元次郎氏の考證ある如く(註6)、同時に御朱印帳に記入された摩利伽(Malacca)と區別せらるべきモルッカ諸島にして、此の年日本船は始めて幕府より正式渡航御朱印狀を得たのである。併し御朱印帳には、「是へは、始而被遣也」とあり、而も此一回限りで終つてゐるが、是は恐らくモルッカ諸島が、日本南洋交通の幹線より遙かに隔絕せる僻陬の地なることや、日本船の南洋貿易の主要なる對象が、歐洲人の香料に對する熱狂的な慾求と異り、砂糖、獸皮や支那産の絹布、絹絲に在りて、地理上

同地は之が購入の便乏しく、且つ未だ日本人の移住稀にして、其の買付仲繼の便無かりしことなどに基因するに相違ない。斯くて日本人のモルッカ諸島への進出は、斯かる日本船に依る自發的な渡航に非して、全く歐洲人の招致誘導に依るものゝ樣である。

註1 Gabriel de S. Antonio. Breve y Verdadera relacion de los Successos del Reyno de Camboxa Nouvelle Edition par Antonio Cabaton. Paris. 1934. 13, 107.

2 拙稿 南洋日本町の盛衰、三(臺北帝國大學史學科研究年報第四輯)二二八——二四〇、二九九。

3 Ijzerman, J. W De Reis om de Wereld door Oliver van Noort 1598—1601. 1 ste Deel. 's-Gravenhage. 1926 p. 129. 異國渡海御朱印帳、十三 交萊。

4 Colenbrander,, H T. Jan Pietersz. Coen, Bescheiden omtrent zijn Bedrijf in Indie, IV Deel. 's-Gravenhage 1922 p 319

5 異國渡海御朱印帳、一九、

6 川島元次郎氏、朱印船貿易史。一三六——一三七頁。

ロ　モルッカ諸島移住日本人の活動

オランダ人は、南洋に於ける植民地の開拓に當り、兵力と勞力の不足を補ふ便船ために、日本との交通開始以來、之が補充を日本にも仰がんと計畫して、便船毎に日本人兵員や勞働者を招致した(註1)。而して最初の集團的契約移民は、平戸商館開設後幾許もなき一六一三年二月末日(慶長十七年)に、蘭船ローデ・レーウ・メット・パイレン(Roode Leeuw met Pijlen)にて平戸よりバタビヤに向つたが(註2)、同年の初め再び本國より着任した艦隊司令官ヤン・ピーテルスゾーン・クーン(Jan Pietersz. Coen)が、七月初旬十三隻の艦隊と兵員六九〇名を率ゐてチドール島遠征を決行した時、既に日本人四〇名の一隊か從軍した(註3)。彼等は恐らく前述の最初の契約移民が、直に此のモルッカ遠征に參加出動せしめられた者に相違ない。九月九日イスパニヤ人の據れるチドール島の舊ポルトガル城塞攻略に當つて、日本人は奮戰して勇名を轟かせたが、翌年一月一日附司令官クーンの戰況報告によれば、

日本人兵は、常に我か兵と等しく勇戰し、彼等の隊旗は常に先頭に立つて城壁に迫つた。そして又彼等は餘り大膽で剽悍なために多數の戰傷者を出した(註4)。

と記して、日本兵の武勇を認識賞讃してゐる。

第一圖　モルッカ諸島圖

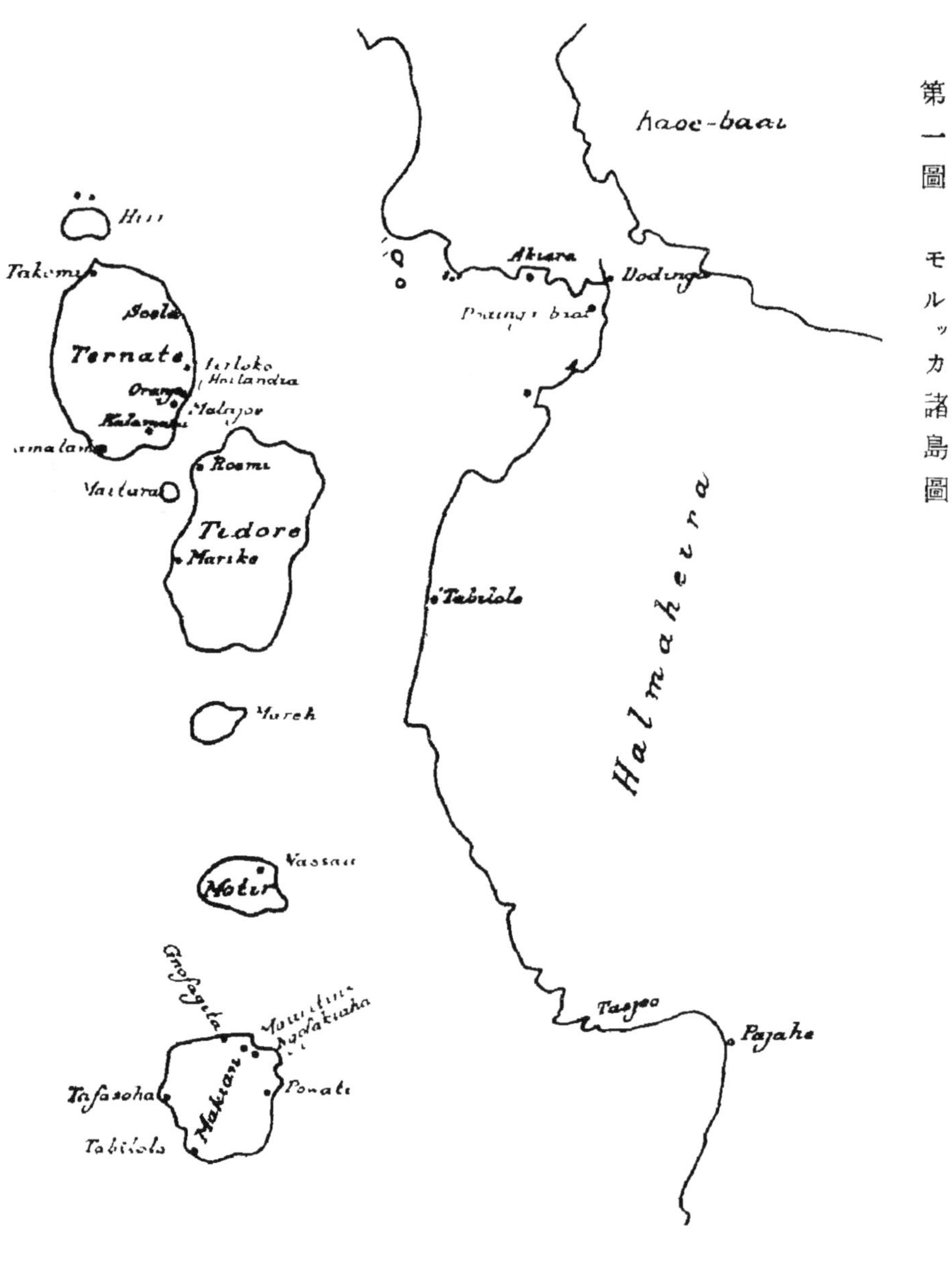

Kaoe-baai
Halmahera
Akiara
Dodinga
Tabilolo
Tasjeo
Pajahe
Hiri
Takome
Ternate
Oranje
Malajoe
Kalamata
Roemi
Tidore
Marike
Moreh
Vassau
Moti
Tafasoha
Makian
Ponati
Tabilolo

オランダ軍の出動に對抗して、一九一五年の末フィリッピン總督ドン・フワン・デ・シルバ(Don Juan de Silva)か、大小十五隻より成る艦隊を率ゐて、モルッカ遠征に南下した時、マニラ在住日本人五百名の多數は募に應じて從軍した(註5)。但し艦隊が轉戰してマラッカ近海に赴いた時、イスパニヤ人は豫てより彼等の制御に手を燒いて、遂にシンガポール海峡にて之を解雇して陸上に追放した(註6)。

斯くの如く、南洋に移住せし日本人中には、モルッカ諸島の攻防に當り、諸國の軍隊に參加轉戰する者もあつたが、其の後オランダ人のモルッカ諸島經略進捗するに連れ、彼等は同地の防備强化の爲め、多數の日本人送致を計畫せしものの如く、一六二〇年一月二十二日(元和五年十二月)總督クーンがバタビヤより本社に送つた一般行政報告中に、

全守備隊强化の爲めに、多數の日本人を招致した。既にバンタン(Bantam)とハリヤッセ(Galliasse)の兩船にて、九十名當地に來着したが、亦多數モルッカ諸島に差向けんとし、更に本年中三四百名迄送致するであらう(註7)。

と記し、翌年三月八日バタビヤより本社に宛てたピーテル・デ・カルペンチール(Pieter de Carpentier)等の報告にも、

前年シナ(China)と稱する一ジャンク船は、日本よりモルッカ諸島に向け、會社の計算にて約二九・〇〇〇グルデンに上る武器及び其の他の必需品を積載して、平戸港を出帆して坐礁し、乘組みの日本人約百名並に積荷全部沈沒した(註8)。とあり、前年のクーンの計畫に基き、直ちに實行に着手した日本人送致は、不幸なる災害の爲め一先づ失敗に歸したが、茲に計らずも、同年九月十三日(元和七年七月二十七日)に、幕府が、今後外人の戰爭の爲めに日本人を海外に招致することを嚴禁せしかば(註9)、バタビヤ政廳のモルッカ諸島に向け日本人兵員を送致する計畫は、固より全然放棄するの已むなきに到つた。

併し當時オランダ船の日本よりモルッカ諸島方面に直航して、軍器、必需品を供給するものあり、例へば一六一五年六月十日(元和元年)に、クーンが平戸の商館長ヤックス・スペックス(Jacqes Specx)に送つた指令中にも、米穀其の他の必需品をモルッカ諸島に輸送すべき日本にて購入せしジャンク船の艤裝に關して、貴下は、日本人を其のジャンク船に適宜に乘組ませられ度く、且又商館會議にて適當と認めし手銃、軍需品、及び他のオランダ人必要品を積まれ度し(註10)。と記して、同船に船員として日本人を採用することを命してゐる。されば前述の如く一六二一年の夏以後に於ける日本人の集團的大量輸送の方途を失つても、此より先日蘭交通開始後此の年に及ぶ數年間に、既に此等の直航船にて隨時送致されし者皆無とも思はれす、又此の間バタビヤ等の日本人の移住先より轉送された者もあつた。現に此より先一六一七年八月十二日(元和三年)テルナテ島のマライヤ(Malaya)に於けるオランダ駐在員の決議錄によれば、

一六一七年八月十二日。　土曜日。

今回エーンドラハト(Eendracht)に便乘して當地に來着した日本人等の上に、一人の頭領、卽ち甲必丹(een hooft offte Cap.)を置き、之を彼等の間より互選せしめることこそ適當なりと思惟す(註11)。

とある。此は同地に來住せる日本人の統制の爲め、特に彼等自國民中より其の首領を選出せしめんとしたので、既に同地に日本人若干名在住せしことは明かである。

因みに、オランダ政廳では、バタビヤ等各地の新植民地に於いて、支那人、日本人やアラビヤ人等の外來移民の統制には、一般に夫々彼等自國民出身の頭領を通じて間接に取締を行ひ、彼等に幾分の自治的な生活を許したが、今亦此

の方針をテルナテ島在住の日本人にも適用したのである。而して此の時在住せし日本人の員數は、全然明かでないが、一六二〇年度モルッカ諸島各地在勤東印度會社雇傭員名簿によれば、

オランダ人	四四〇名
イスパニヤ人	・五名
マラディケル	一八八名
日本人	二〇名
支那人	三三名

(註12)

か列擧され、明かに日本人傭員の在住を傳へてゐる。

當時オランダ人とイスパニヤ人とは依然として同島の爭奪戰を繰返へし、翌一六二一年フレデリック・デ・ハウトマン(Frederick de Houtman)が新にモルッカ諸島知事に任命されて、六月三十日に手兵率ゐてテルナテ島に着任し、一年有半に亙り同島東南岸のカラマタ(Kalamata)の城塞に籠つてイスパニヤ人の來襲を頑強に防禦したが、此の時彼の配下には、蘭人四十名、マラディケル二十五名、日本人十名あつた(註13)。此等の日本人とは、前年の在勤雇傭員名簿中に記された日本人

二十名中の一半か、或はハウトマンが新に引率せし者なるや明かならざれども、何れにしても、彼等は同島に在りて、オランタ人の軍務に服役してゐたのである。十月二十九日のイスパニヤ人との戰鬪に當つて、イスパニヤ人側には戰死十一名、戰傷三四十名なりしに對し、オランタ側にては、オランタ人七名、日本人三名、テルナテ人一名戰歿し、二十名負傷してゐる(註14)。

翌々一六二三年七月十六日(元和九年)現在オランタ守備隊員及び自由民名簿によれば、

タファソー (Taffasoho)		
以下日本人兵		
五郎作? (Gordt Sack)	月俸	五レアル
浪?蔵 (Naniso)	〃 〃	五 〃
仁?吉 (Zinckits)	〃 〃	五 〃
左?市 (Zijts)	〃 〃	五 〃
クワンガン (Quangam)	〃、〃	五 〃
以下自由日本人		

アントニイ(Anthonij)｝未婚
ヤバ(Java)｝

……………………

ノフィキヤ(Gnofficquia)
以下解雇して帆船アムステルダムに便乗を許可せし者、
ヨースト・平右衛門(Joost Heymon)　七グルテン半
自由民
日本人パイ(Pay Japon)　既婚。

……………………

マライエン(Maleyen)
日本人切支丹　一名

……………………

カラマノテ(Calamatte)
以下日本人
アンドレア(Andrea)　三レアル

トメ (Thome) 三〃
十兵衛 (Jubee) 三〃
治右衛門 (Jemon) 三〃 （註15）

とあるが、タファソーとはマキアン島西岸のタファソア(Tafasoha)、ノフィクィヤとは同島東北岸のノファキアー(Ngofakiaha)なる可く、又カラマ、テはテルナテ島東南岸のカラマタ(Kalamata)、マライエンは等しく同島東南岸に在りてカラマタの西北に近きマラユー(Malajoe)に當る様てある。彼等を在住地別、身分別に表計すれば、

		雇傭員	自由民	計	
マキヤン島	タファソー	五人	二人	七	九人
	ノフィキヤ	一〃	一〃	二	
テルナテ島	マライエン	一〃		一	五人
	カラマ、テ	四〃		四	
合計		一一人	三人	一四人	

即ち當時モルッカ諸島在住日本人全員十四名中、マキヤン島在住者は九名、テルナテ島在住者は五名あり、而して會社雇傭員は十一名にして、自由民は三名であつた。其の中數人は獨身なるも、中には妻帶者もあつた。又兵卒等の會社

雇傭員たる日本人は、固よりオランダ人の要請に應じて、バタビヤ等より送致されし者なれども、自由民も亦自發的渡航者に非して、曾て雇傭員たりし者が、雇傭期間滿了後、殘住して何等かの生業に從事せる者と推せられる。

前表には、當時マライエン在住日本人は、僅に一名擧げてあるに過ぎないが、此より先前年五月二十八日に、同地イギリス駐在員ウイリアム・ニコルス(William Nicolls)が提出した抗議に對する知事ハウトマンの答辯書中に、彼の配下と覺しき一日本人吉右衞門(Quitchiemon)と英人との喧嘩に、他の日本人等が應援したことが記してあり(註16)、日本人數名の滯在が判明するから、前記の名簿調製の頃までに、此等の日本人は他に移動したものと思はれる。而して一六三一年(寛永八年)度マライエン在勤オランダ東印度會社員決議錄中に、

當地にて解雇し、近く出帆すべきス・フラーベンハーフ('s-Graven haag)とゼーブルフ(Zeeburg)の兩船にて、バタビヤに赴くことを許可したる兵卒並に住民表

一六三一年四月四日、テルナテ島マライエンにて、

ジュアン・ロピス　Jan Lopis)　日本兵。

下記も亦願出に依り、バタヒヤに出發することを許可す。

日本人ジュアン・ロピスの妻子。（註17）

とあるから、前掲人名簿中マライエン在住唯一の日本人切支丹とは、此の兵卒ジュアン・ロピスなる可く、彼は少くとも九年間同地に在勤して、妻子を抱へて此度バタビヤに歸還したのである。

又タファソー在住日本兵の一人五郎作（Goidt Sack）とは、其の後一六三〇年九月一日現在アンボイナ島在勤會社員名簿中に見ゆる。『日本の五郎作（Gortsack）兵卒』（註18）と同一人なる可く、彼は此の頃迄に同地よりアンボイナ島に轉勤したのであらう。尙翌一六三一年八月三十一日現在テルナテ島のタル〆ケン（Talucquen）在住民名簿によりば、知事以下會社雇傭員三四八名に對し、自由市民は、白人十一名、マラディケル三十二名、自由日本人二名、支那人四十一名あり（註19）、又マキアン島のタファソー在住外人名簿によれば、會社員一九五名の外に、自由オランダ人四名、マラティケル七名、自由日本人二名、支那人一名、奴隷三名（中二名は捕虜イスパニヤ人）が揭げてある（註20）。而して翌々一六三三年（寬永十年）モル〆カ諸島各地在住會社員住民簿中にも、未たタファソー在住日本人自由市民二名揭げてあるから（註21）、此の兩名とは、一六二三年の名簿に記されたるアントニイとヤスの二人が、引續いて同地に在住せしに違ひない。

註 1 拙稿、バタビヤ移住日本人の活動(史學雜誌、四八ノ一二)三—一〇頁參照。
Nachod, Oskar. Die Beziehungen der Niederlandischen Ostindischen Kompagnie zu Japan im siebzehnten Jahrhundert. Leipzig 1897 Beilage 12 p. XL.

2 Colenbrander Coen Bescheiden. Vol I. p. 32.

3 *ibid* pp. 16, 17

4 *ibid*. p. 17

5 Blair, Emma & Robertson, James Alexander, The Philippine Islands. 1493—1803 Cleveland 1903—1909 Vol XVII. Portuguese and Spanish expedition against the Dutch. 1615. Juan de Rivera and Valeris de Ledesma, S J (1616) pp. 256—261, 272—79.
Colenbrander. Coen Bescheiden Vol I p 180

6 Bocarro, Antonio. Decada 13 de Historia de India Lisboa 1886. Parte II pp. 426, 427.

7 *ibid* p 519

8 Originele Missive van Pieter de Carpentier ende Jacob Dedel uijt Jaccatra aen de Camer Amsterdam in dato 8 Maert 1621 [Kol Archief 981]

9 バタビヤ移住日本人の活動。一〇—一四頁

10 Colenbrander Coen, Bescheiden. Vol. II pp 1, 6 他に白旗船ありしことは Vol I. pp. 294, 345, 371—72, 519, 562 にも散見す。

11 Copie Resolutien genomen bij Laurens Reael ende sijnen Raedt 't sedert 28 Junij tot 11 Dec 1617 [Kol. Archief 978]

12 Mac Leod, N., De Oost-Indische Compagnie als Zeemogendheid in Azie. Rijswijk. 1927. Vol. I. p. 301.

13 *ibid.* p. 301

14 *ibid.* p. 302.

15 Monsterrolle van de personen indienst van de Comp ie. in de Molucques op 29 Aug. 1623, alsmede notitie van de Amonitie van oorlog [Kol Archief 992]

16 1622 May 18/28 Moluccas Malayo. Reply of the Dutch Governor Houtman to the protest of Agent W. Nicolls. Answer of Six Articles to another protest. [Factory Records. O. C. N. 1050]

17 Lijste van de Soldaten in Malleyen verlost. [Kol. Archief 1015]

18 Rolle der Soldaten ende Officieren, Guarnisoen houdende in't Casteel Amboijna ende omleggende quartier, adi p° Septemb. A° 1630. [Kol. Archief 1014]

19 Monster Rolle van alle d'officieren ende Soldaten Tegenwoordich alhier ende op Tolucquen in garnissoen, tegens Ulmo Augustij 1631. [Kol. Archief 1012]

20 Rolle vant Garnisoen op Taffasoh. [Kol. Archief 1012]

三　アンボイナ島に於ける日本人の活動

イ　日本人のアンボイナ島移住

アンボイナ島はモルッカ諸島中の大島セラム(Ceram)東南に近接せる一小島にして、同島も亦一五一二年アントニオ・ダフレウの發見以來十六世紀末までポルトガル人の領有する所てあつたが、同世紀末オランタ船隊が來航して土民と結びて彼等を驅逐し、同島の支配權獲得の端緒を開き、次いて一六〇五年二月にはアンボイナ灣の南岸にある現今の地方廳の所在地アンボイナの地に城塞を構築してニュウ・ビクトリヤ(Nieuw Victoria)と命名し、茲にオランダ人統治の基礎を定めた(註1)。後れて此の方面に進出したイキリス人は、一時彼等と激烈に抗争せしが、一六一九年防禦同盟成立後は互讓して、同島を中心として五ケ所に商館を經營し、前記アンホイナの町に設立した商館か其の首位に立つて、他の四館を統轄することゝなつたか(註2)、兩國民の間は必しも常に融和したものでも無かつた。

第二圖　アンボイナ島圖

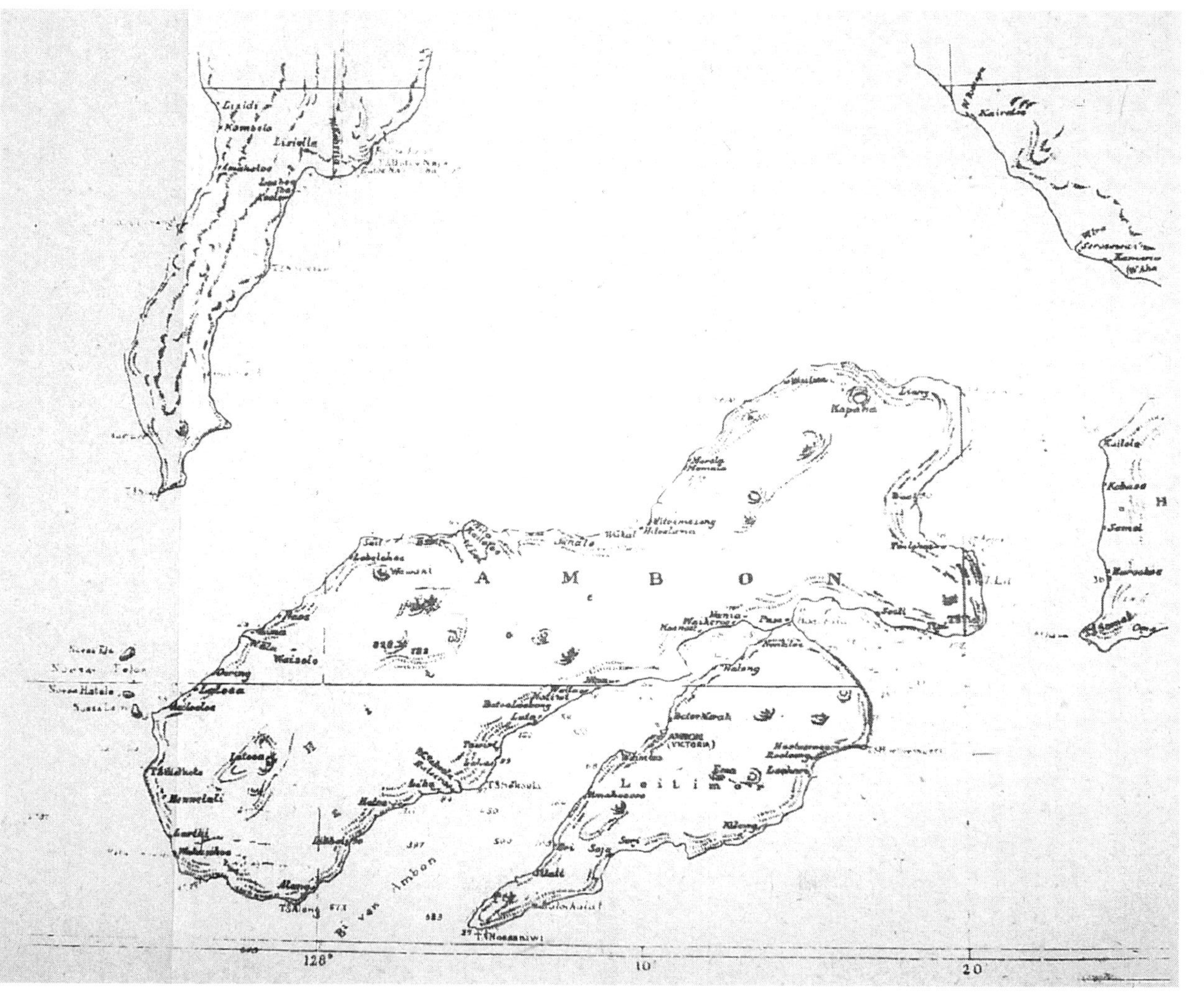

オランダ人は同島の開拓に當つても、他のモルッカ諸島と等しく、夙に日本人の移入を計畫した。クーンが一六一五年四月十日に平戸の館長スペックスに送つた書信中に、

以前ブルウエルが購入したジャンク船は、貴下が之を良好に保管せるも、銅を少しも購入する能はずんは、同船に日本人を乘組ませて、他に各種食糧及び必需品を積んで、モルッカ諸島卽ちバチャン、アンボイナ、又はバンダ島に遣はされ度し(註3)。

と記してゐるが、翌々六月十日クーンより再び同人に送つた書信には、前述の如く日本人を同船にて送致すべきことを下命した後、更に、

ブルウエルが購入したヤン・ヨウステン(Jan Joosten)のジャンク船に就いて云へば……………貴下は同船にて既婚日本人若干名並びに其の妻子と、又アンボイー並にバンダに移植すべき未婚婦人をも送致することが出來るならば、決して之を等閑に附す勿れ(註4)。

と附言してゐる。乃ちオランダ人は、同島の開拓防衛などの爲め、啻に未婚の日本人契約移民を多數招致する丈てなく、比較的浮動性少き既婚日本人と其の

妻子、及び未婚婦人の移植をも計畫せるは、特に注意すべきことにして、若し此の指令か其の後實行されたとすれば、日本人男女小兒が多少同島に移住した筈である。

然るにジャカタラ城塞決議錄一六二〇年一月十七日(元和五年十二月)の條に、

一六二〇年一月十七日、金曜日。…………

尙ハリア゛セ(Galeasse)に便乘して當地に來着した作右衛門殿(Saquemon ne)と稱する一日本人並びに他の日本人二十一名を、彼等の願出に依り、夫々アムステルダム(Amsterdam)とアレント(Arent)の兩船に分乘せしめて、彼等が總督に提出した陳情に從つて、會社所屬の一島に在るべき銀鑛脈發掘の爲めにアンボイナ島に差遣するを適當と思惟す。其の言に依れば、曾て一日本人が前記の銀鑛脈より發見したる鑛石の見本を、日本に於いて熔解して可也の量の銀分を攝取したる由なれば、旣に明白なる希望も懸けられてゐる。前述の日本人等を前記の提言の責任上、同地に於いて使役しても、會社には何等の損失を招かないから、其の事は更に快諾すべきである(註5)。

と記してある。玆に銀鑛採掘の爲め、作右衛門等二十二名の日本人勞働者がバタピヤから移植されることゝなつたが、此の派遣に先つて既に日本人が同島に赴いて銀鑛石を發掘歸國したことも判明する。引續いて同年二月二十三日にクーンはモルッカ知事ハウトマンに指令を送つて、愈〻日本人二十餘名を銀鑛採掘の爲めアンボイナ島に派遣したことを通告し、彼等の使傭上の注意を傳へてゐるが(註6)、同年五月四日當面の責任者なるアンボイナ知事ヘルマン・ファン・スプュウルト(Herman van Speult)からクーンに提出した答申書中には、二船にて來着した日本人二十二名に、其の申請に應して、斧、鑿、挺子等の必要なる準備を整へて掘鑿工事を開始せしも、所期の銀鑛を發見せず、屢〻日本人とは紛爭を生じ、あらゆる希望も煙と消えたれば、斯くなりては寧ろ閣下の下命の如く、彼等を兵卒に採用し度き旨を縷〻詳述した(註7)。其の後八月十四日に同人よりクーンに送つた書信にも、

日本人は今や一月餘に亙り、先づ最初の掘鑿工事に着手し、寸時も息まず勞働し、或る所では二十五尋、他の所では二十尋、二十五尋、二十九尋巖盤を堀進したが、鑛石の片影も發見出來なかつた。併し彼等の語る所によれば、銀鑛を熟知せる一イスパニヤ人捕虜が非常に有望なる由を報じてゐる(註8)。

と記して、同島に派遣された日本人勞働者の銀鑛採掘工事は、最早殆ど失敗に終つた觀がある。當時此等の日本人の外に、尚多數の同胞が既に同島に移住し、同年度の調査によれば、在住歐洲人一九五名あり、他に日本人も六三名ありて、其の大半は守備隊に屬してゐた(註9)。然るに茲に端なくも一六二三年三月(元和九年)、同島の蘭英兩國民の抗爭は激化して、在住日本人中にも、其の渦中に卷込まれる者あり、天涯萬里の孤島に於いて、哀れにも虐殺の悲運に遭ひ、世に所謂アンボイナの虐殺事件として喧傳せられることゝなつた。

註 1 Encyclopaedie van Nederlandsch-Indie III 's-Gravenhage. 1917. p. 36
Stapel, F W Geschiedenis van Nederlandsch-Indie Amsterdam 1930 pp 41, 42, 49,
2 A Trve Relation of the Vnivst, Crvell, and Barbarovs Proceedings against the English at Amboyna. London 1624 pp. 1—4.
3 Colenbrander Coen Bescheyden Vol. II. p. 1.
4 ibid. pp 6—7
5 ibid Vol III. p. 581.
6 ibid Vol II p 650
7 Copie Missive van Herman van Speult uijt Amboyna aenden Gour Genl Jan Pietersz Coen in dato 4 Meij 1620 [Kol. Archief 984]

8 Originele Missive van Herman van Speult uijt Amboyna aen den Gou_r Gen_l Jan Pietersz Coen in dato 12 Aug. 1620 [Kol. Archief 984]

9 Mac Leod De Oost-Indisch Compagnie Vol I p. 269 note 1

ロ　アンボイナ島虐殺事件と日本人

アンボイナ島の虐殺は、當時蘭英兩國朝野の耳目を聳動し、事件の翌年より、兩國當局は屢〻關係文書を印刷公表して、互に其の立場を辯明したが、一六七三年に至り、イギリスの文豪ジョン・ドライデン(John Dryden)が、此の事件を題材として書下した悲劇アンボイナは、事件に對するイギリス上下の憤激を表したものである(註1)。

我が學界には、恐らくリチャード・ヒルドレス(Richard Hildreth)の日本古今記や(註2)、レオン・パジェス(Léon Pagés)の日本基督教史などによつて(註3)、始めて事件の片鱗が朧げに紹介されたのではないかと思はれる。其の頃デ・ヨング(J. K. J. de Jonge)が蘭人東印度發展史料集を刊行し、其の序説中に此の問題を詳述し(註4)、又ノエル・セインスベリイ(Noel Sainsbury)の刊行した編年政府文書集東印度編中には、當時の事件關係文書を多數網羅して其の解說を書いてゐる(註5)。更に蘭領東印度近代史を專攻幾多の論著あるスタペル氏(F. W. Stapel)が、先年此の事件を研究してアンボイナの虐殺なる論文を發表し、責がイギリス側に在ることを論じ(註6)、近くは京大の時野谷常三郎博士と廣島文理大の杉本直治郎氏がアンボイナ虐殺事件に現はれたる日本人に就いて論爭され(註7)、今や事件の全貌は愈、明かになつた樣である。併しヨング以下の諸研究を見るに、未だ必しも當時の關係文書を悉く利用されてゐるとは云へず、殊に在住日本人に就いては、若干補訂すべき點や、又他の史料に依りて敷衍せらるべき點も殘されてゐる。

事件の經過を、極めて簡略に記せば、一六二三年二月二十三日(元和九年)の夜、オランダ守備隊中の一日本兵七藏か、城壁上を漫步し、再三禁制區域に出入し、オランダ人衛兵と雜談の末、城塞の構造、城内の兵數等種々質問し、衛兵は其の言動に不審を懸けて、直ちに捕へて拷問した結果、彼は他の同胞が城塞占領の陰謀を企圖せることを自白した。此に於いてオランダ人は猶豫することなく直に他の日本人十名、並びにオランダ人の下に奴隷監督を勤めてゐる一ポルトガル人を捕縛して二三日に亙つて拷問にかけ、當時拘禁中のイギリス人外科醫

第三圖　アンボイナの拷問處刑の圖

と對質せしめ、結局此等の日本人は、當時アンボイナ駐在中のイギリス人に加擔して、此の陰謀を遂行せんとする旨を強要自白せしめられた。依つて更にイギリス商館長ガブリエル・タワーソン(Gabriel Towerson)を喚問して、拷問にけ、其の事實を認知せしめ、同二十三日より翌三月三日に亙り、喚問を受けし者三十名の自白書を作成して、夫々各自の署名を取つて後、同八日知事ヘルマン・ファン・スプュウルトは一同に死刑の宣告を下した。乃ち翌九日(元和九年二月九日)にイギリス人十名、ポルトガル人一名、及び日本人九名は刑場に於いて斬首され、商館長タワーソンと、主謀者と覺しき日本人は更に梟首され、日本人二名と殘餘の八名は釋放された。斯くてオランダ人は、同地に於けるイギリス人の勢力を叩いて、一時大いに凱歌を奏することが出來たのである。

以上事件の梗概は、上述の諸研究に於いても、大同小異、略〻一致してゐる。併し關係日本人に就いて記される所は、必しも最も根本的な史料を精査したとは言へず、ヘーグの國立文書館には、關係史料が多く保存され、就中當面の責任者知事スピュウルトが東印度總督ピーテル・デ・カルペンチール(Pieter de Carpentier)に送つた事件の詳報や(註8)、喚問日本人が署名した自白書の副寫が十一通殘存し(註9)、ロンドンの印度省記録課にも、セインスベリイの收録文書の外に、前述の日本人自白書の當時の再寫や、多數の證人の陳述書が保存されてゐる(註10)。自白書には、夫々彼等の姓名、年齡、出身地、身分が記入してあり、末尾には日本風の署名が有るものもある。今此れに依つて、左の關係日本人の姓名、年齡、出身地を列記すれば、

姓名	年齡	出身地	書類日附
七蔵(Hytieso)	二四歳	平戸	二月二十三日
シドニイ・ミギル(Sidney Migiel)	二三歳	長崎	〃　二十四日
ペドロ・コンキ(Pedro Congie)	三一歳	長崎	〃　〃
朝鮮のトメ(Thome Corea)	五〇歳	長崎	〃　〃
長左(Tsiosa)	三二歳	平戸	〃　〃
久太夫(Quiondayo)	三二歳	唐津	〃　〃
神三(Sinsa)	二二歳	平戸	〃　〃
左兵太(Tsavinda)	三二歳	筑後	〃　〃

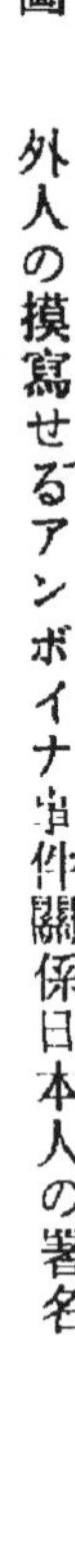

第四圖　外人の摸寫せるアンボイナ事件關係日本人の署名

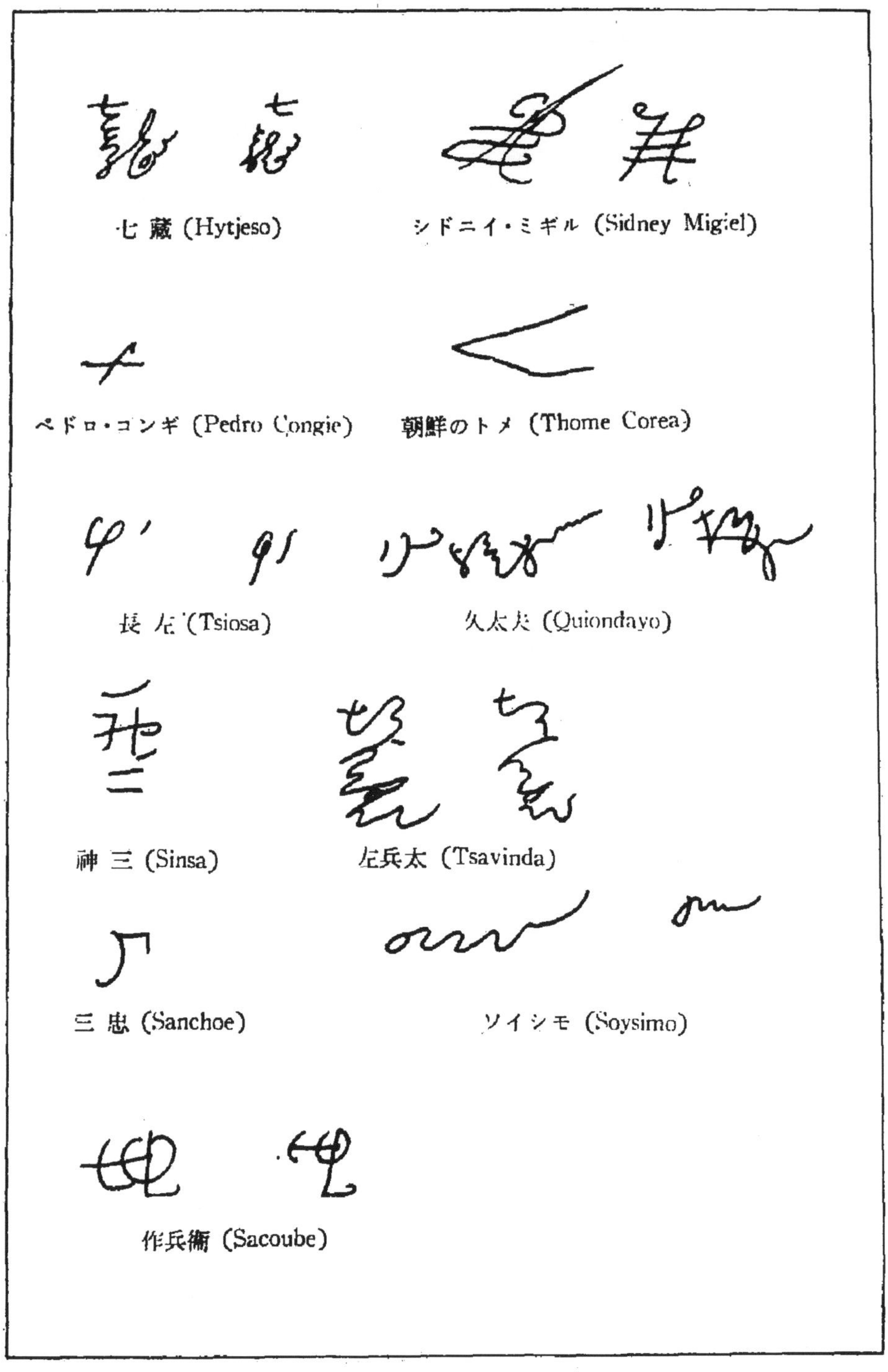

七藏 (Hytjeso)　　シドニイ・ミギル (Sidney Migiel)

ペドロ・コンギ (Pedro Congie)　　朝鮮のトメ (Thome Corea)

長左 (Tsiosa)　　久太夫 (Quiondayo)

神三 (Sinsa)　　左兵太 (Tsavinda)

三忠 (Sanchoe)　　ソイシモ (Soysimo)

作兵衞 (Sacoube)

（左はヘーグ文書、右は印度省文書に在る署名）

三　忠(Sanchoe)　二二歳　肥前　〃　〃
(副島?)ソイシモ(Soysimo)　二六歳　平戸　〃　〃
作兵衛(Sacoube)　四〇歳　平戸　〃　二十五日

此等の十一名中、最後の二名は釋放されしものにして、又彼等の姓名中、七藏、久太夫、神三、左兵太は、圖版にも揭げた樣に、略〻其の署名より推定し得べく、又作兵衛の比定も誤なかるべきも、他は假に推定せしのみ。ペトロ・コンギは、他にコンヱ又はコニヱ(Conje)、或はコンケイ(Congey)とも記してあるが、何れにしても其の日本名は一寸推定し難い。又左兵太の出身地を筑後(Tjoucketge)となすのは、既に時野谷博士の推定もあるが、彼の自白書の右側に併記された英譯文には、其の出身地を別にペイス・フォレイコ(Peis voleyquo)と記して、何處なるか全然判定し難い所である。

彼等は、出身地別に見れば、平戸出身五名、長崎出身三名、肥前出身一名、唐津一名、卽ち肥前地方出身總數一〇名にして、他に筑後出身者一名あり、何れも九州西南の對外關係深き地方出身者を以て占め、其の年齢も、最低二十二歳より最高五十歳にして、二十代四名、三十代五名、四十代一名、五十代一名あり、平均二十三歳强にして、最も勞働能力に富んだ年齢であらう。此等の人物の在鄕時代の身分は判明しないが、アンボイナにては何れも傭兵にして、其の敎名、ミゲル、ペドロ、トメを有する三名は、或は海外逃避切支丹かも知れない。又自白書に依れば、シドニイ・ミギルは曾てイギリス商館に雇傭されてゐた者である。トメ・コレアは長崎出身の朝鮮系の者なるべく、日本人の南洋各地に進出するに伴ひ、在住鮮人男女の中にも、亦此の方面に轉出する者もあつたが、此れに就いては他に機會を得て述べて見度い。

斯くして此の事件は、一見オランダ人の成功に終り、殊に同島が南洋東端の孤島なる爲め、事件は暗々裡に葬り去られるかに思はれたが、其の報は漏洩して、遲れて同年十二月漸くバタビヤのイギリス商館に傳へられ、更に五ケ月を經て翌年五月末日ロンドンに轉報されるや、俄然イギリス上下の憤激を招き、蘭英兩國は互に事件の顚末を印刷公表して應酬し、終に兩國政府の外交折衝に移され、事件後三十餘年を經てクロムウェルの時代に、オランダ政府は多額の賠償金を拂つて漸く落着したが(註一一)、冥境に憤死した此等の我が同胞に對しては何等酬ひられる所なく、其の消息も恐らく彼等の鄕里に全然傳へられることも無かつたに相違ない。

註 1 Ruinen, W. Overzicht van de Litteratuur betreffende de Molukken Deel I. (1550—1921) Amsterdam. 1928. A. N° 7—10, 12 14, 16, C N° 42, 54

John Dryden. Amboyna, or the cruelties of the Dutch to the English merchants a tragedy. As it is acted at the Theatre-Royal. London 1673

2 Hildreth, Richard. Japan, as it Was and and Is. Boston. 1855 Tokyo 1905. Note F.
竹越與三郎氏 日本經濟史。第三巻、三二一頁。 川島元次郎氏、朱印船貿易史、四〇頁。及び藤田豊八博士、歐勢東漸初期に於ける海外の日本人（東西交渉史の研究、南海篇）一五五頁の諸研究は、ヒルドレスの著によるものである。

3 Pagés, Léon. Histoire de la Religion Chrétiénne au Japon. Paris. 1866. p. 568.

4 Jonge, J. K. J. de De Opkomst van het Nederlandsch Gezag in Oost-Indie. Vol. V. 's-Gravenhage. 1870. pp. V-XXIX.

5 Sainsbury, Noel. Calender of State Papers. Colonial. East Indies. 1622—1624. London. 1878.

6 Stapel, F. W. De Ambonsch "Moord" (9 Maart 1923) [Tijdschrift voor Indische Taal, Land en Volkenkunde. Deel LXII. 1923]

7 時野谷常三郎博士、アンボイナ虐殺事件に現はれた日本人。杉本學士への御挨拶。杉本直治郎氏。時野谷博士の「アンボイナ虐殺事件に現はれた日本人」を讀みて該事件の史料に及ぶ。（歴史と地理。第三十一巻）。

8 Originele Missive van Hermen van Speult uyt Amboyna aen den Gouv.r Gen.l Pieter de Carpentier in dato 5 Junij 1623 [Kol. Archief 992]

9 Copije Autentijcq van den Confessien & Sententien van Mr. Touwrson ende Complicen over de Moordadige Conspiratie op 't Casteel Amboyna voorgenomen, dat door Godes merckelijcke ende genadige beschicking op den XXIIen februario 1623 is aenden dach gecomen als mede de Resolutien by den Hr Gouvernr van Speult & den Raet daer over genomen. [Kol. Archief 992]

10 Copy of the proceedings of the Dutch Governor & Councils at Amboyna relating to the Execution of the English at that Island. [Factory Records. Java Vol. 2. Part II]

11 Stapel, Geschiedenis van Nederlandsch Indië. pp. 74—77. Sainsbury. Calender Preface. pp. xv—lix.

ハ　アンボイナ島殘住日本人の活動

アンボイナ島の虐殺事件に關して、蘭英兩國間の交渉が斯く紛糾するや、オランダ側にては、彼等の立場の正當性を立證する爲めに、一六二八年の春、事件當時同島に在留せし自國商人等を喚問して、夫々百數十ケ條に亙る質問を發して、其の證言を記錄し、之をイキリス當局に送致した樣である(註1)。其の中日本人に關するもの六十項にも上り、事件關係日本人の行動は固より、往々當時在留日本人の生活狀態をも、色々の角度より窺ひ得る好史料である。

例へば一六二八年二月九日(寛永五年正月五日)附、東印度會社員ヤン・ヨーステ

ーン(John Joosten)の答申によれば、

第十九項。曰く、アンボイナの前記城塞のオランダ守備隊中に日本人十一二名あり、刀(Catanas)、卽ち劍を佩びてゐるが、何れも夫々大小二刀より成り、又時には一スパンの長に過ぎない小柄を添へてゐることもある。此の外、市中と島内には、會社に勤務していない日本人がゐるが、其の數は不明である。

第二十二項。曰く、當時同地に在りしイギリス人中に、日本語に通じて之を話す者ありしや否や承知せざれども、イギリス人は大抵マレイ語かポルトガル語には通じ、中には兩語に通ぜる者もあり、日本人も大抵此の兩語を話す(註2)。

とあり、又同年四月七日元東印度會社員ヤン・ヤコブス・ウイネコープ(John Jacobs Winecop)の答申には、

第十八項。曰く、其の陰謀に關して、日本人十一名捕縛されしことを能く承知してゐる。又曰く、處刑後アンボイナの町にて他の日本人等を見かけたが、其の全數は判明せぬ。又彼等日本人は大抵大刀を佩びてゐるが、又時には二刀を佩びてゐる。

後刻思ひ出した所では、島中には疑もなく、兵卒其他にて總數三十人位ゐた(註3)。

と述べてゐる。更に同年三月二日附ロウレンス・マルシャルタ(Laurence Marschalck)の口述書には、

第十八項。曰く、當時アンボイナの城塞中に、日本人十二名あり、中二名は奴隷であつたが、キャプテン・タワーソンに仕へたのはシドネ・ミチエルとピーター・コニェにして、他に幾人の日本人が町や島内に滯在せるか承知せず。前記の日本人等は、ローフー(Lohoe)ヒツー(Hitoe)及びカンベロ(Cambello)の土人から彈藥を買上げる便宜を有してゐるが、土人等は、同地て作成して之をアンボイナに賣りに來る。

第九十九項。曰く、日本人は皆マレイ語で訊問されたが、査問官も大抵此の語に熟達してゐる。………………日本人中にマレイ語を解せぬ者があつた時には、アンボイナの町に在住せる他の自由日本人の通譯を煩はした。(註4)

と記され、同月九日のペーテル・ファン・サンテン(Peter van Santen)の答申書には、

第十八項。曰く、當時前記の城塞中には日本人十二名あり。尙アンボイナの

町にも他の日本人多數ありしか、其の實數を承知せず。前記の日本人等は毎日兩刀を佩びて横行し、又前記の日本人はマカハサル人や其の他の土民から火藥を購入する便宜を持つてゐる(註5)。

と、日本人に關して種々陳述してゐる。此等の證言中に散見する所に依つて見れば、當時オランダ守備隊に勤務せる日本人兵員の外、日本人自由市民も在住・して、事件後に於いても其の總數三十名にも上つた樣てあるが、事件直後ロンドンにて印刷公表されたアンホイナ虐殺眞相報告なるパンフレットの中には、

此等の日本人は(島全體にても三十名はゐないが)大抵兵卒としてオランダ人に備はれてゐたことは、特に注意すべきことである(註6)

とありて、兩者の記す日本人總數には、丁度處刑日本人九名丈の喰違を生ずるが、固より何れも正確なる調査に基く實數にも非れば、單に其の頃三十名内外の日本人が在住してゐたと解すべきであらう。彼等はマレイ語かポルトガル語を解し、中にはマカサルや近隣の土人と交易する者もあり、何れも自國の習慣を墨守して、居常兩刀を佩びてゐたから、或は武士階級出身者が多かつたかと思はれる。

其の後引續いて同地に在住する日本人もあり、一六三〇年九月一日(寛永七年)現在のアンボイナ城塞在住官吏兵員名簿によれば、兵員總數二九九名中、左記日本人兵士五名を見出すことが出來る。即ち、

日本の五郎作(Gortsack)　兵卒
日本のジュスト(Jouste)　同
日本人、長崎のルイス(Louis)　同
平戸の庄三郎(Siosabra)　同
堺の孫六(Mangurock)　同(註7)

右の五名中の五郎作は、一六二三年七月のモルッカ諸島駐在員名簿に記されたマキヤン島タファソー在勤の日本兵五郎作と同一人なる可く、彼は此の頃までに、同地よりアンボイナに轉勤したのであらう。又翌三十一年五月十七日のアンボイナ城塞に於ける決議錄によれば、

一六三一年五月十七日、火曜日。

日本のヤン・デ・クロウス(Jan de Crous)は、元來自由市民なるか、其の志願に依って、會社に勤め、今後三年間志兵に採用し、俸給は一六三〇年十一月二十二

日より起算して月額二十グルデンを支拂ふことゝす(註8)。とあるが、同年九月十五日現在アンボイナ守備隊員名簿には、既に前記五郎作の外に、新に採用せし此のヤン・テ・クロウスの姓名と各自の俸給が記入してある(註9)。次いで翌一六三二年八月末日現在アンボイナ在勤士官及び兵士名簿にも、五郎作等以外に、新にペドロ(Pedro)なる日本兵の名か登錄され、兵士等は何れも給料の外、夫々肉類六ポンドと米四〇ポンド支給されることが記入してあるが(註10)、其の翌年五月の名簿にも、前記五郎作等三名の姓名給料を掲げ、ベドロの身分に就いては、「日本人ベドロ、マルダイケル(Mardyker)兵士」と記してあるから(註11)、彼は以前奴隷の境遇に在り、其の頃解放されて自由の身を取得し、改めて城塞の兵卒に雇傭された者である。而して同年八月末日の名簿には、五郎作、ペドロ等の外に、又新にヤン六兵衛(Jan Rokbe)とルイス・デ・コスタ(Louis de Costa)の兩人が登錄されてゐるから(註12)、此の頃アンボイナ城塞勤務の日本兵は頻りに出入移動してゐる樣である。

然るに同年度のアンボイナ島に於ける市民の會社に對する預金表によれば、

日本人アントニオ・インバ(Anthonio Jmba)　一四〇クルテン　一四ストイヘル　八ペニング

一五五

日本人　ミヒール(Michiel)　五一　〃　（註13）

なる二名の日本人市民の名も見え、未だ城塞内に勤務せる兵士や士官等の外に、此の種の市民も殘住してゐたのである。其の後一六四三年九月一日(寛永二十年)現在のアンボイナ島ビクトリヤ城塞守備隊名簿によれば、未だ尙日本人一名憲兵ヤン・デ・クロウス在職せるも(註14)、翌年の名簿以後には、彼の名も亦他の日本人名をも發見せず、恐らく彼が同島殘住日本人の最後の一人であらう。

斯くしてアンボイナ島移住日本人は、或はオランダ守備隊の兵士として、或は自由市民として活動したが、他の南洋各地より、貿易の爲め船を操つて同地に寄港する者もあつた。一六三八年(寛永十六年)、東印度總督アントニオ・ファン・ディーメン(Antonio van Diemen)が、第二回モルッカ諸島巡視の途、四月二十四日にアンボイナ島ヒツー(Hitoe)の碇泊地より、セレベス島のマカッサル(Maccassar)駐在上席商務員ヘンドリック・ケルケリング(Hendrick Kerckeringh)に送つた書信中に、宗右衞門(Soyemon)の日本ジャンク船も、亦アンボイナに來着したが、八日後再びマカッサルに向ひ出帆すべく、其の願出に依り、船には必要なる諸雜貨を提供した(註15)

とあり、日本船のアンボイナ寄港を報じてゐるが、ディーメンは同日別に一書を認め船主宗右衛門に次の如く通してゐる。即ち

マカッサルにゐる日本人ヨサ・宗右衛門へ(Josa Cheymon Japander)

敬愛する友よ。

我等のヤハト船アッケルスロート(Akersloot)にて、我等に宛てし一六三八年三月八日附の貴翰並びに敬意の印として我等に贈られし品々を落手し、之に對し深謝の意を表す。貴下の船は無事アンボイナに來着し貨物を賣却した。我等は同船の船長の願出に依つて、貴船の需要に對し若干の必要品を提供したが、只貴下の要請せる鐵砲に就いては商談に應ずる能はず。蓋し小銃は我等の小船にも頗る必要にして、到底提供し難し。

約二ケ月以前アンボイナを出帆して、目下ヒツーに碇泊中なるが、正にカンベロ(Cambello)に向ひて、同地にてテルナテ王を接待せんとせるを以て、今後八日にしてマカッサルに出帆せんとする貴船と其の乘組員に何等の親書を與へる能はず、且つ彼等の出帆前に會談することも、書面を與へることも能はざれども、予は貴下がキプテン・ヘンドリック・ケルケリングと會商して、米穀を

バタビヤに運送せば、多大なる利益あるべしと思ふ。蓋し白米は同地にて頗る高値にして一ラスト(二トン)に付き七〇レアルに賣却される。玆に僅少ながら胡桃、丁子及び土産の果實を贈りたれば、感謝の印として請取られ度し。

一六三八年四月二十四日

ヒツー港碇泊中のフレデリック・ヘンドリック(Frederick Hendrik)上にて、

アントニオ・ファン・ディーメン　(註16)

とあり、アンボイナに貿易に來り、更にマカッサルに廻航せんとしてゐるが、固より日本よりの直航船に非ずして、此の頃頻りに柬埔寨よりマカッサルに來航せし同地在住有力者宗右衛門の船なることは、他の項にて述べる所存てある。尚曾て平戸のオランダ商館長として敏腕を振ひしフランソア・カロン(Francois Caron)と日本婦人の間に儲けた同名フランソア・カロンも、永く此の島の土民に傳道したが、直接本稿と關係少きを以て之を割愛する。

註 1　Interogatories from the Judge Delegate in Holland, delivered by the Fiscall, in the Cause of the Dutch, Council at Amboyna. 〔Factory Records. Java. Vol 2 Part III 1623—31〕

2　Deposition of John Joosten. 9 th of february 1628 Dep. 1. 〔Factory Records Java. Vol. 2. part III. 1623—31〕

3 Deposition of John Jacobs Winecop. 6.th of March 1623. Dep. 2. [Factory Records. *op cit.*]

4 Deposition of Laurence Marschalck The Second of March 1623. Dep. 5 [Factory Records. *op cit.*]

5 Deposition of Peter van Santen. the 9 th of March 1628. Dep. 8. [Factory Records. *op cit.*]

6 A Trve Relation *op cit* p 4.

7 Rolle der Soldaten ende officieren guarnisoen houdende, ende tot besettinge vant Casteel Amboyna, ende omligge nde quartierren adj p° Septemb A° 1630. [Kol. Archief 1012]

8 Copie resolutien, 27 Mey 1631 tat 12 Mey 1632. [Kol. Archief 1016]

9 Rolle vant Garnisoen van Amboina adij 15 en September a°1 1631 [Kol. Archief 1015]

10 Rolle der soldaten ende officieren, guarnisoen houdende ende tot besettinge van't Casteel Amboyna, ... ady Ulmo Augustiy a° 1632 [Kol. Archief 1017]

11 Rolle der soldaten ende officieren, guarnisoen houdende & tot besettinge van't Casteel Amboyna. daij a° 1633 [Kol. Archief 1022]

12 Copie Rolle der soldaten ende officieren, garnisoen houdende & tot besettinghe vant Casteel Amboina. Adij Ult° Augusty 1633 [Kol. Archief 1026]

13 Memorie van des Comp.s Schulden uytstaende onder verscheyden Borgers op Amboyna. 1633 [Kol. Archief 1022]

14 Rolle der officieren ende Soldaten guarnisoen houdende in Amboyna tot Besettinge van't Casteel Victoria, Adij Primo September Anno 1643 [Kol. Archief 1051]

15 Vervolch van 't journael, acten, ende resolutien gehouden op den tweede tocht vanden Gouvr Gen l van

Diemen naer d' eylanden Amboina, Banda. etc. [Kol. Archief 1036]

16 Vervolch van't Journael. *op. cit.*

四　バンダ島に於ける日本人の活動

バンダ島は、大バンダ島又はロントール(Lontor)、バンダ・ネイラ(Banda-Neira)及びグノン・アピ(Goenoeng Api)の主島三と小島七よりなる一小群島の總稱にして、バンダ海の東隅に在り、アンボイナ島、及び其の他のモルッカ諸島と均しく、一五一二年アントニオ・ダブレウに發見されたが、十六世紀末オランダ人が渡來するに及び、其の勢力は全く一掃された。其の後オランダ人は土人と香料取引契約を結んで貿易獨占を企圖したが、一六〇九年の始めにイギリス船が渡航して商館を開設し、屢〻彼等と紛擾を惹起し、此の間隙に乘じて其の勢力を扶植せんとし、土民も此の間に介入して、兩國民は互に他を排度に緊迫するや(註1)、オランダ人は同地にも日本人を招致して兵備の強化を計らんとした様である。

既に一六一三年の最初の日本人契約移民輸送後、平戸の商館にては、翌一六一四年八月十二日(慶長十九年)左の事項を議決して、便船に託して、バタビヤに

送つて政廳の注意を喚起した。卽ち

又前に出帆したローデ・レーウ・メット・パレイン及びハーゼウイントの兩船に伴ひ、日本船一隻と約七十名の日本人をモルッカ諸島に差向けて、之をバンダ島に於ける特殊なる任務に充當することに決定したから、他の地方に於いて寧ろ必要にして、而も其の地方には從前より現在に到るまで駐屯する者少くして、却つて從來同島に多數駐在せしめたオランダ軍隊を割くことなく、バンダ人に對抗する爲めに、此等の船並びに人員を用いることが出來るが、尙又同島の惡化したる事情に鑑み、且つ此れに就いて他に種々考慮を續らし相談して、バンダ人を抑壓する爲めに、オランダ軍隊を使用せずして、船數隻と日本人を同島に派遣するの極めて緊要なることが十分了解される(註2)。

と記して、オランダ軍隊を他地方の防備に充當して、其の爲めに守備薄弱となる可きバンダ島には、日本人を送付すべき旨を力說してゐるが、翌年四月十日クーンがバンタンより平戶の商館長スペックスに送つた返書には、

貴下がヤハト船ヤカタラ(Jaccatra)にて送つた訴狀、及び暹羅と交趾支那のこと、並びに日本人を乘せてバンダ島に使用すべき日本船に關して、我等は直ちに、

第五圖 バンダ諸島圖

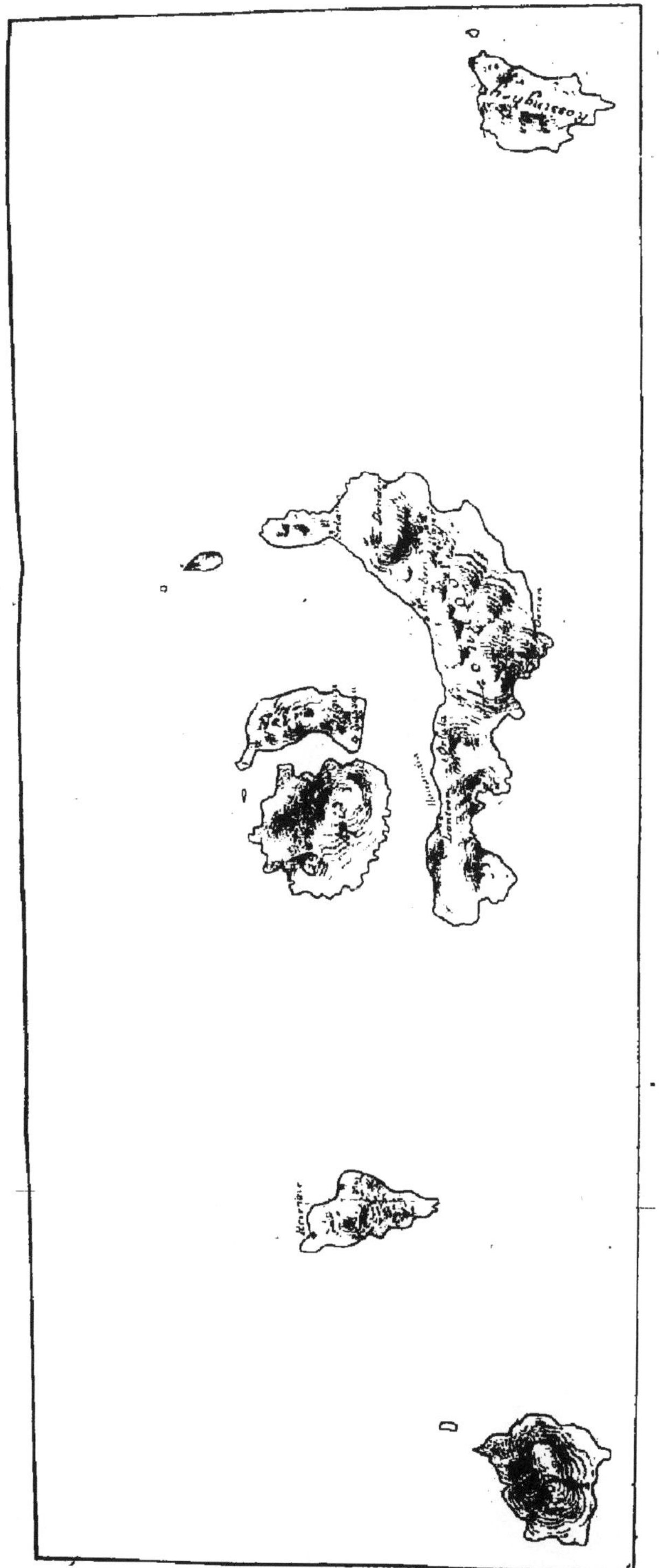

ヤハト船一隻と他に一船當地に急派せらるべき旨、總督閣下に書面を呈した。恐らく遲延すること勿るべきも、其の一隻か他の一隻來着次第、貴下は前記の件に關して、閣下又は我等の最後的決定を入手すべし(註3)。

と通じて、平戸よりバンダ島にて使用すべき日本船と日本人の送付を慫慂したことに就いて、クーンは一應返答を保留して總督の意向を聽取してゐる樣であるが、翌々六月十日には、既に引用せし如く、彼が再び平戸の商館に送つた指令中に、

貴下は、日本人を其のジャンク船に適宜に乘組ませられ度く、且又商館會議にて適當と認めし手銃、軍需品、及び他のオランダ人の必要品を積込まれたし。…………

貴下は同船にて既婚日本人若干名並びに其の妻子と、又アンボイナ並びにバンダに移植すべき未婚婦人をも送致することが出來るならば、決して之を等閑に附する勿れ(註4)。

と書き添へ、守備隊に使用すべき日本人の外に、アンボイナ島と同樣に、婦人小兒を混ぜる日本移民の送付をも要請してゐる。翌一六一六年五月十四日同地

より彼がスペックスに送つた指令中には更に此の問題を繰返へして、既婚並びに未婚日本婦人の適時に來着することを期待してゐる。…………

尙予は會社が良き船若干隻に日本人を乘せて、之を適當なる頭領の指揮下に置いて、バンダに送ることを切望す。思ふに、彼等は宜しく訓練せられたならば、能くバンダ人を制壓して、十分に任務を果すであらう。否、既に彼等は東方人種中で有する最大の名聲を克ち得てゐる。既に當地に來着せる者に就いては、未だ親しく會ふ機會が無いから、何とも批評し能はざるも、若し貴下の報知せる如く、更に二船を派する便宜あるならば、同船にて彼等を送致され度し(註5)。

と命し、彼は日本人をバンダ島の守備隊に當てることを熱心に希望し、且つ日本婦人の移植に對しても多大なる關心を示して、其の送致を要請してゐる。固より同地開拓に要する平和的移民の招致に留意せしに違ひない。

此より先一六一五年五月(元和元年)アドリヤン・ファン・デル・ドュッセン(Adriaen van der Dussen)が總勢九〇〇名の兵員を統卒してハンダ島遠征に向ひ、プロワイ(Poulo way, Paeloe Ai)の攻略に當りて、從軍日本人は勇戰して、終に之が占領の機を早めてゐる(註6)。此の時從軍した日本人の數は明かならざれとも、同年十月二十二日クーンの出した報告によれば、グリッシ(Grissix)のジャンク船を抑留して、積載貨物を分捕した(註7)。此の時尙日本人の乘組める日本船一隻も同行して、日本人を以て乘組員とせる一船が日本より來着せしなる可く、從つて此の一船を構成するに足るだけの日本人が來航したものと思はれる。或は前年來の交渉の如く、日本人を以て乘組員とせる一船が日本より來着せしなる可く、

とあるから、或は前年來の交渉の如く、

従軍した筈である。此の頃イギリス船隊司令ジョン・ジュルテン(John Jourdain)が前述の一小島プル・アイ島に派遣した一船の船長は、同地にてオランダ人に捕へられ、日本人四名に監視されたが(註8)、彼等は從軍者中の殘住者と思はれる。

翌一六一六年に到るも、オランダ人は、引續いて司令官ヤン・ディリックセン・ラム(Jan Dircksz. Lam)指揮下にバンダ諸島の經略を續行したが、日本人も之に從軍した。同年十月十日のクーンの報告に、

イギリス人は同地より退去したので、此のラムは、各隊七〇名より成る陸兵七隊、水兵三隊、及び日本人二三名を率ゐてプロワイに上陸し、三日かゝつてバンダ人の城下直近に、軍勢を配置して砲兵陣地を敷いたので、バンダ人

は同所より逃走した(註9)。

と記してゐるが、右二十三名は當時此の方面に從軍せし日本人全數ではあるまい。現に同年七月現在の東印度に於けるオランダの軍備並び貿易情報によれば、彼等はバンダ島に二城塞を有し、ナッソー(Nassau)にはオランダ兵守備隊一二〇名の外、多數の日本人、支那人等の在勤を記してゐたから(註10)、プロワイ島の二十三名の外、此のバンダ・ネイラ島東南の一角にも、尠なからず駐屯してゐた筈である。

併し此等の日本人中には、又他の機會に轉住する者もあつた。同年五月十三日バンタン駐在オランダ商館上席商務員コルネリス・バイゼロ(Cornelis Buysero)は、クーンに書翰を送つて、同地に來着せし日本人六名と、來着後二十日にして死亡した一日本人に、曾てバンダ島にて勤務せし期間の給料支拂ひに關し指示を仰ぎ、クーンは翌日之を許可したが、此等の日本人は、三五郎(Sangorro)、喜右衛門(Keyomo)、太郎次郎(Taro giro)、三助(Sanske)、左市(Sytsy)、及び喜兵衛(Quefoy)等六名にして、其の身分、年齢、出身地は全然明かでない(註11)。

然るに一六二一年春(元和六年十二月)クーンは、各々七〇名より編成せし十二隻の艦隊を率ゐて大擧バンダ島遠征を企てたが、此の時バタビヤより彼の坐乘せる旗艦ニュウ・ホランディヤ (Nieuw Hollandia) には日本兵四十二名乘組み、ジリクゼー(Zierickzee)には四十五名乘組んで出征し(註12)、攻戰に當り日本人は奮戰して、戰後特別賞與を授けられた者もある。卽ち一六二一年三月十四日バンダ・ネイラのナッソー城塞前面に碇泊中の旗艦上に於ける決議錄に依れば、

一六二一年三月十四日、日曜日、朝。

大尉マールテン・ヤンスゾーン・フィセル (Maerten Jansz. Visser)並びに志願兵オランダ人三十四名及び日本人十五名は、自ら先陣を申出で、山中未知の徑を傳つて進軍中、激しき抵抗を受け、激戰の後敵を擊退して終に山頂に到達したれば、下記の賞與を下賜することを適當と認む。卽ち

大尉マールテン・ヤンスゾーン・フィノセル、別名鳥 (Vogel) に六〇〇レアルと、別に分捕銃二挺。

前記日本人等の首領にも亦六〇レアル。…………日本人十四名には夫々三〇レアル(註13)。

と記してある。彼等は其の後暫く滯留して殘敵を掃蕩し(註14)愈々バンダ島の占領

を確保して後、同年四月五日に、今後同島の守備に殘留すべき兵員四〇〇名の割當を決定したが(註15)、從軍日本人等は同月二十一日の決議によつて、更に他の地方の遠征に從事せしめられる樣になつた(註16)。斯くて同胞の大多數は同島を引上げたが、尙同島に殘住せし者も多少あつたらしく、一六三三年(寛永十年)度バンダ島在住民名簿には、次の四名と其の使用人の員數とが登錄されてゐる。即ち

	自由バンダ婦人	他の自由土人 男	他の自由土人 女	奴隷 男	奴隷 女	計
プロアイ(Pouloay) マルダィケル						
日本のピーテル (Pieter)	一	一			一	三
日本のフランシスコ (Francisco)		一	一	二	一	五
プロロン (Pouloron)						
日本人　茂助 (Mosque)		一	一	二		四
日本人　ルイス (Louys)			一			一

(註17)

プロアイは、即ちプル・アイ(Poeloe Ai)、プロロンは、即ちプル・ルン(Poeloe Roen)にして、共にバンダ諸島の最西にある小島にして、此等の殘住日本人は、各、

同地に於いて土人や奴隷を使傭して、何等かの相當な生業を營んでゐたのであらう。

註1 Encyclopaedie van Nederlandsch-Indie. I. pp. 132—133

Purchas, Samuel Hakluyts Posthumus or Purchas His Pilgrimes, Contayning a History of the World in Sea Voyages and Lande Travells by Englishmen and others Glasgow. 1905 Vol. II pp. 528—545. William Keeling, Their Voyage to Banda, Observation by the way, Actions there

2 Extract uyt de resolutie ghenomen bij den Raedt vant Comptoir tot Firando in Jappan die van schip Out Zeelandia mitsgaders den schipper vant jacht Jacatra van dato den 12 Augusty A° 1614. [Kol Archief 11722]

3 Colenbrander. Coen. Bescheiden. V. II. pp. 1—2.

4 *ibid.* p. 6

5 *ibid.* p. 106.

6 **Commelin, Isaac.** Begin ende Voortgangh van de Vereenichde Nederlantsche geoctr. Oost-Indische Compagnie, **Amsterdam.** 1645. Tweede Deel. Reizen van Pt. vander Broecke. p. 26.

Chijs, J. A. van der. De Vestiging van het Nederlandsche Gezag over de Banda Eilanden. 's Haag 1886 p. 70

7 Colenbrander Coen Bescheiden. Vol. I. p. 123.

8 Foster, William The Journal of John Jourdain, 1608—1617, Describing his Experiences in Arabia, India, and the Malay Archipelago. Cambridge. 1905. p. 327

Foster, Letters received by the East India Company from its Servants in the East. Vol III 1615. London. 1899. p. 293. 本書には日本人は二名と記してゐる。

9 Colenbrander. Coen Bescheiden. Vol I. p. 196. Chijs. De Vestiging. pp. 81—82

10 Purchas, His Pilgrims Vol. II. p. 230.

11 Copie Brief van Cornelis Buisero uyt Bantam adij 13 Mayo A° 1616. Instructie voor Cornelis Buisero In Bantam. adij 14 Mayo 1616 [Kol. Archief 11722]

12 Colenbrander. Coen, Bescheiden. Vol. III. pp. 686—687, 713.

13 *ibid.* pp 698—699.

14 *ibid.* pp. 700—701.

15 *ibid.* p 703.

16 *ibid.* p. 712—713

17 Rolle van alle de persoonen soo blancque als swarten, vrij als onvrij in de eylanden in Banda. Anno 1633 [Kol Archief 1022]

五　蘭印外領各地、並に印度に於ける日本人の活動

上述の如く、オランダ人南洋經略の初頭に當り、日本人は彼等の招請に應じて、テルナテ、チドール、マキヤン、アンボイナ、バンダ等の現今のモルッカ諸島各地に於いて、或は東印度會社の吏員として、或は兵卒として、將又勞働者として、商事、軍務、雜役等諸般の任務を擔當活躍し、他に自由市民として殘住し商業方面にも活動する者もあつたが、尙其の近隣のセレベスやボルネオの諸島より、或は東南のソロール(Solor)や、西方のスマトラ(Sumatra)等のオランダ人の開拓地各處に亙つて進出する者もあつた。

バタビヤ城日記一六二四年九月十六日(寬永元年)の條に、セレベス島のマカッサル(Macassar)から同地に來航した一イタリヤ人が、同方面の情報を齎らし、此等の情報は悉くマカッサルに在住せる日本人アルフォンゾ・カルベリョ(Alphonso Carvello Japponees)より聞知した旨を述べてゐるが(註一)、翌年八月十七日バタビヤより遅

羅に向へる蘭船に乘組みし日本人三名は、此より前マカッサルより同地に渡來した者てあつた(註2)。

其の後十年を經て、日記の一六三四年七月十三日(寛永十一年)の條によれば、オランダ船隊司令官ヒスベルト・ファン・ローデンスタイン(Gijsbert van Lodenstijn)の命によりて、一日本船がマカッサルよりバタビヤに廻航されて來たが、同船は前年、東埔寨を出帆して貿易の爲め同地に渡航したもので、オランダ政廳は今後の日本人との關係を慮つて之を釋放し(註3)、翌々一六三六年三月末日に同船は米穀鱲魚等を積んて再びバタビヤに入航して(註4)、綿絲や綿布を購入して五月二十日東埔寨に歸帆するに當り、政廳に願出て、更に東埔寨よりマカッサルに一船を派して米穀を積んてバタビヤに運送すべき許可を求めてゐる。而して船長の名を『日本人甲必丹、シセミの宗右衛門(Japansen Capiteijn Soyemon van Sissemij)と記してあるが(註5)、彼は疑もなく東埔寨に於ける日本人の有力者にして、同地日本人の頭領の弟に當る宗右衛門と同一人てある(註6)。

宗右衛門は同年八月九日に米穀を滿載した一船を東埔寨より交趾支那に派遣すると同時に、他はマカッサルに差向く可き一船を購入したが(註7)、果して翌一六三七年六月二十二日には、彼の船が東埔寨よりマカッサルに入港し、先年東印總督の下附せし渡航免許狀と、同年一月十三日發給せし東埔寨オランダ商館長ヤン・ティリックセン・ハーレン (Jan Dirricxsen Gaelen) の免許狀をも携行してゐた(註8)。

船長宗右衞門は、マカッサル在住の支那人や日本人等と共に、贈物を携へて、當時同地方巡視中の東印度總督アントニオ・ファン・ディーメン (Antonio van Diemen) に面謁敬意を表し、何れも近海航行安全免許狀の下附を願出でた。ティーメンの巡視航海記によれば、彼の許に出頭せし人々の中に、

アチェン (Atchijn) の大使、宗右衞門船の日本人船長、並びにマカッサル在住の數名の他の日本人及び支那人等 (eenige anderre Japanders, Chinesen, etc., op Macasser resideerrende)(註9)。

とあり、又彼等に下附すべき航海安全狀に就いては、

甲必丹宗右衞門所屬東埔寨船の乘組員日本人に對して、當地よりアンボイナのヴィクトリヤ城 (Casteel Victoria)、次いでヒトー (Hietto) に航して貿易し、急速に丁子を積込む能はざれば、再び同地よりマカッサルを經てバタビヤに航すべき安全狀。…………

亦當地在住民日本人ジュアン(Ivan)に對しては、バタビヤ、暹羅、東埔寨及び交趾支那に航すべき安全狀(註10)。

と記してあり、當時日本船か頻りに東埔寨より同地に來航貿易すると共に、先に掲げたアルフォンゾ・カルベリョの外、此のジュアンや他にも若干名の日本人が在住して、主として通商貿易に從事してゐたことが判明する。

翌一六三八年(寛永十五年)總督ティーメンは、第二回モルッカ諸島巡視の途、前述の如く四月二十四日アンボイナ島ヒトーの碇泊地より、マカッサル駐在上席商務員ケルケリングに送つた書信中に、

宗右衛門の日本ジャンク船も、亦アンボイナ島に來着したが、八日後再びマカッサルに向ひ出帆すべく、其の願出でに依り、船には必要なる諸雜貨を供給した(註11)。

と記して、宗右衛門船のマカッサル渡航を報じてゐるか、又同日ディーメンは、前に掲げし如く、別に一書を認めて、マカッサル滯在中の宗右衛門に送り、同地より米穀をバタビヤに輸送販賣せんことを慫慂した(註12)。斯くて宗右衛門は當時東埔寨、マカッサル、アンボイナ、バタビヤの南洋各地の間を廻航して貿易に從

事し、特にバタビヤには米穀の運輸販賣を續け、マカヽサルには、一六三四年以來、三六年、三七年、三八年の四回に亙つて、殆んど連年渡航してゐる。

セレベス島の西隣ボルネオ島にも、旣に一六〇一年一月(慶長五年十二月)に日本より商船の渡航するものあり(註13)、其の後慶長十年及び翌年に同地渡航御朱印狀下附され(註14)、間歇的に日本商船の同地渡航ありしことを推し得るも、日本人移住の在否明かならず、僅に一六三八年四月同島南東岸の要地バンジャルマシン(Banjer-massin)と西南の要地コタワリンギ(Cotawaringi)に暴動勃發せし時、後地に於いて、オランダ人六四名と日本人二〇名及び黑奴が殺戮され、會社の蒙つた損害は十六萬グルデンの多額に上つて(註15)、此の方面にも彼等がオランダ人の許に在勤せしこと纔に判明する。

此より先一六一五年六月十日(元和元年)にクーンがバタビヤより平戸の商館長スペヽクスに送つた書信中に

ブルウェル(Brouwer)よりの來報によれば、京(Meaco)にて輕快に建造された長さ二三十リームの船を、三五〇グルデンにて入手した由である。貴下は帆船エンクハイゼン(Enchuysen)及び前述の如き船など二三隻にて、ソロール(Solor)並にバンタン、ヤカタラ間及び其の他の方面にて使役すべき日本人等を送致され度し(註16)。

とあり、日本人をバタビヤ、バンタンに送致すると共に、遙か東方小スンダ列島中のソロール島に送致して使役せんと計畫してゐるが、其の後一六一九年ポルトガル艦隊司令官アウグスチン・ラバト(Augustin Labato)が東方遠征の途、同島に碇泊して配下の日本人等に殺害されたこともあるから(註17)、南洋渡航日本人中に、或はオランダ人の要請に依り、或はポルトガル人に随行して、此の僻遠の地に足跡を印した者が多少あつたと思はれる。

又西方スマトラ島方面に於ける同胞進出の状態を見るに、一六一六年十月十日(元和二年)クーンがジャンビ(Jambi)駐在員アンドリース・スウリイ(Andries Soury)は送つた書信中に

貴下は、引續いて赴く船にて日本人等を受取ることが出來る(註18)。

とあり、又同日附彼の東印度一般行政報告中にも、ジャンビの情報を挿みて、

永らくヤカタラにて待期中の兵卒並びに日本人等を、我等は亦同地の强化の爲めに差向けた(註19)。

とあるから、此の時の船便にて、恐らく若干名の日本人が同地に送致されたに違ひない。殊に翌一六一七年四月四日に、再び彼が前記のジャンビ駐在員スウリイに送つた書信中には、

貴下が、再び日本人の妨害に遭つたならば、最も極端に之を强迫すれば、常に我が兵と同樣に彼等からも、萬事良好なる勤務を期待することが出來るが、他の手段に訴へては、決して之を遂ぐる能はす(註20)。

とあり、此の書信は、前年同地に送致した日本人等が何か不穩の擧に出でし通報に接して、クーンが茲に折返へし之に答へて、彼等の制御法を指示したものに違ひなく、渡航日本人の數は、前揭三書翰のみにては全然明かならざれども、オランダ人スマトラ島經略の一重要基點なるジャンビ防衛オランダ軍隊補强の爲め、日本人若干名駐在し、而も彼等の制御が特に政廳の注意を喚起したのは、彼等の數が決して僅少に非りしことが窺はれる。此等の日本人中解傭殘留者でもあらうか、一六二八年三月七日(寬永五年)に、クーンが同地駐在員コルネリス・ファン・デ・ル・ハーフ (Cornellis van der Haeff) に送つた書信中に、同地より一日本人チリ (Chili) なる商人がハーフの書信をバタビヤに齎らしたことが記してある(註21)。

又バタビヤ城日記一六二五年二月十七日の條によれば、ヤン・ヘンドリク・ザール(Jan Hendrick Sael)がフレガット船ムイス(Muijs)に坐乘してスマトラ近海を掃海中、南方スンダ海峽のラグンディ島(Lagundi)にて、日本人一名と支那人四名を捕へたことが記してあるが(註22)、此の日本人は、オランダ人とは何等雇傭關係なく、支那人と共に同地にて何等かの生業を營んでゐた者としか思はれない。

斯様にして、日本人は、オランダ人の南洋經略の初年に、バタビヤを始め南洋の要衝各地に派遣され、主として軍務や商事を擔當活動したか、又彼等の要請に依つて、遙か西方の印度方面に差遣される者もあつた。例へば一六二〇年四月(元和六年)現在スラット(Suratte)商館員名簿に依れば、全員十七名中に日本人一名あり、即

兵卒、日本人京(Miaco)生のヤン(Jan)。帆船ミッデル・ブルフ(Middelburch)に便乘して渡來滯留せる者にして、三月十一日に俸給額の契約を結びたれば、同日より起算して本月十二日までの給與月額は…………………九クルテン(註13)。

とあるが、彼の勤務地スラットは言ふまでもなく、ボンベイの北にある印度西北の貿易上の要地である。又印度の東南岸にありマドラスの北方に近きパリカット

(Pallicate)の一六三二年十二月現在商館員名簿によれば、一日本人マヌエル・デ・シルバ(Manuel de Silva)は兵卒として月俸九クルテンを受け、同地にて妻帯してゐる(註24)。尚此の外トマス・デ・コスタ(Thomas de Costa)と稱する有力なる一日本人貿易商が印度の海岸を本據として活動してゐたことは、既にホクサー氏(C.R. Boxer)等も指摘する所であるか(註25)、一六二七年三月の英船メリー(Mary)外五隻の航海記を繙けば

三月十六日。我等の航海を續行する爲め正に解纜せんとするや、カンナパタム(Kannapatam)から一船が我が船に來着し、同船にて州知事なるシボ・シボ・アバルダ(Sibo Sibo, Avarda)の親書を携へてシニョール・トマス・テ・コスタが來訪した(彼は日本人にして、我等のダブル(Dabull)に赴きし前航海に、我等の船に船客として便乘して同地に赴いたことがある)。………………

三月二十九日。………………ロゴポール(Rogepore)に到着して、我等はシニョール・トマス・デ・コスタの家に宿泊したが、町の有力なる商人連一同贈物を携へて我等を訪問した(註26)。

と記してある。印度の西南部にてゴアとボンベイの略中間に在る此のロゴポー

ルは彼の在住地なる可く、同地を中心として獨力貿易を營むと共に、或は洲知事と外人との交渉に斡旋し、或はイギリス商人の定宿として同地に於ける彼等の取引を助けてゐるが、前記の日本人とは異り、オランダ人に雇傭關係なく、或はポルトガル人の關係より此の地に移住して来た者ではあるまいか。

註 1 Dagh-Register gehouden int Casteel Patavia vant pasesernde daer ter plaetse als over geheel Nederlants-India. 's-Gravenhaag 1896—Vlgg. Anno 1624. p. 81

2 *ibid* Anno 1625 pp 183—184.

3 *ibid* Anno. 1634 p. 353

4 *ibid*. Anno. 1636. pp. 56—57.

5 *ibid* Anno 1636. pp. 90—100

6 Muller, Hendrik P. N. De Oost-Indische Compagnie in Cambodja en Laos 's-Gravenhage. 1617. pp. 61, 132.

7 *ibid*. pp 94—95.

8 Dagh-Register vant Casteel Batavia Anno 1637 p 280

9 *ibid*. p 291

10 *ibid* p 291

11 Vervolck van't journael, acten, ende resolutien gehouden op den tweede tocht van den Gouvr Genl van Diemen naer d'eylanden van Amboina, Banda, etc. [Kol Archief 1036]

12 Vervolcq ven 't journael *op cit*

13 Reis door Olivier van Noort. Deel I p. 129.

14 異國御朱印帳。十三，交趾。

15 Djk, L. C D. van , Neerland's Vroegste Betrekkingen met Borneo, Den Solo-Archipel, Cambodja, Siam en Cochin-China Amsterdam. 1862 p 60

16 Colenbiander, Coen. Bescheiden Vol II pp. 6—7

17 Danvers, Fred Charles, The Portuguese in India London 1894. Vol II p 205.

18 Colenbrander. Coen Bescheiden. Vol. II. p. 153.

19 *ibid* Vol I p. 227.

20 *ibid* Vol II p. 221.

21 *ibid* Vol V p. 248—250 彼の活動は既に一六二〇年頃からあつたことは，Vol. II. pp. 665—666 にも散見す

22 Dagh-Register van't Casteel Batavia. Anno 1625 p. 127.

23 Rolle van't Volck in de logie van't Comptoir Suratte [April 1620 ?] [Kol. Archief 984]

24 Rolle van alle persoonen in dienst der Compie tot Palliaccate adij Decembr anno 1632. [Kol. Archief 1021]

25 Boxer, C. R. The Affair of the "Madre de Deus" London. 1929. pp 44—45. note 6.
コスタの活動は W Foster The English Factory in India. 1624—29. pp. 243, 254, 255, 258, 268, 303, 320 にも散見す。

26 Jornall of a voyadge intended by Gods assistance with the Marrie, Hart, Starre, Hopewell and Refudge vnder the Command of Capt. John Hall. [Factory Records. O C. No. 1269]

六　結語

以上蕪雜ながら、南洋移住日本人の活動に關して、特にモルッカ諸島を中心として、更に他の蘭印外領各地より、遠く印度にまで亙つて、彼等の移住活動したる實情の究明に努めたが、茲に本稿を終るに當り、更に左の六點に就いて之が總括的考察を加へ、日本移民活動の本質と特長とを檢討して見たい。卽ち

イ　日本人の渡航地
ロ　日本人渡航移住の過程
ハ　日本移民の活動期間
ニ　日本移民の出身地
ホ　日本移民の型相
ヘ　日本移民の年齢

先づ日本人の渡航地を見るに、次表の如く、少くとも十八地に及び、南方アジヤ瀕海の廣汎なる地域に跨つてゐるか、其の大部分は殆と僻陬の地に限

られ、日本よりの距離も遠く、日本とは殆んと直接的な政治經濟上の關係なく、日本よりの直通航路を缺き、我が國民の移住には大いに不便なる土地であつた。又其の地は、何れも一地方的要地にして、多くは貿易港を擁してゐるが、歐洲

テルナテ島	テルロコ マラユー カラマタ
チトール島	マリイコ?
マキヤン島	ノフアキアハ タファソハ
アンボイナ島	アンホイナ
ハンダ諸島	ハンダ・ネイラ プル・アイ プル・ルン
セレベス島	マカノサル
ボルネオ島	コタワリンキ

スマトラ島	ジャンビ ラクンディ島
ソロール島	ソロール？
印度	スラト パリカット ロコポール

人、就中オランダ人の開拓着手後日尙淺くして、統治の基礎確立せず、未た日本人が安住して各種の生計を營むまでに開發されず、唯之が經略守衞の爲めに、主として日本人等の兵員をも必要としたに過ぎなかつた。

ロ　日本人渡航移住の過程を見るに、日本人自身の自發的移住殆んど無く、多くは外人の招致誘導に依り、就中其の大部分はオランダ人の新開拓地の守備强化の爲めに下級兵士として派遣される者や、勞力補充の爲め勞働者として送致される者にして、他に少數外人の商館に勤務する者もあつたが、何れも若干長期の滯留を目的とした。而して彼等の中には、雇傭期間滿了後、自由市民に轉身して更に殘住する者も多少あつたが、他に始めより自由移民として日本より渡航する者も稀にはあつた。何れにしても彼等の總數僅少にして、各地に分散在住し、彼等のみ聚住することは全然なかつた。

此の外南洋各地より、攻略戰の如き特殊任務の爲めに一時的に多數派遣されることもあつた。例へば一六一五年末フィリッピン總督シルバの統率下に、マニラ在住日本人五百名はモルッカ遠征に向ひ、一六二一年の始にはバンダ島遠征の爲めに、バタビヤ移住日本人八十七名が總督クーンの配下に屬して出征してゐる。又他の南洋各地在住民にして、貿易の爲め、此の方面に寄航する者もあつた。

八　日本移民の活動期間は、十七世紀の前半三十餘年間にして、我が慶長末より寛永末年に及び、一六四三年九月(寛永二十年)アンボイナ守備隊員名簿に登錄されたヤン・デ・クロウスを以て最後とする樣てあるが、他のバタビヤ、呂宋、交趾、柬埔寨、暹羅等の移住同胞の活動が、少くとも前後約百餘年に亙つたのに比して、頗る短期間てあつた。是は、如上のバタビヤや呂宋等の各原移住地に對して、此等の廣汎なる地域は、歐洲人開拓の進捗上より見れば、云はば從屬的關係にありて、我が移民も亦從つて此等の原移住地より一時的要求に依つて轉遣されし者多く、自他共に永住的要求に基くもの少くして、移住後の移動と原移住地への復歸頻りなると、更に我が移民の總數餘りに僅少にして、此れ以上彼等獨自にて增殖發展する餘力に乏しかつたことに基因するは、殆んど疑ふ餘地も無い。

ニ　日本移民の出身地は、餘り記錄に登つてゐないが、若干散見する所を拾へば、我が對外交通の門戸にして切支丹宗の繁榮せる平戸と長崎兩地出身者多く、他に之と近接せる唐津又び其の他の肥前や筑後など九州西部の出身者より、更に京都や堺などの近畿出身者もあり、大體に於いて彼等の原移住地バタビヤに於ける同胞の出身地の分布に正比例するものにして、是れ軈て當時南洋各地移住日本人全般に均しく通ずる現象と思はれる。此の外アンボイナ島にて、長崎出身の朝鮮系日本移民一例がある。

ホ　日本人移民の型相は、既に移住の過程の項にても觸れて來たが、移住後には大體に於いて下級兵士と純勞働者、卽ち二種の勞働移民が其の大部を占め、他に少數の奴隷と商館員とあり、更に此等の移民中より解傭後自由の身分を取得して、商人として殘住する者、及び彼等の家族妻子ありて、幾分商業移民の性質を帯びて來てゐる。

而して彼等の多くは、日本に於ける習慣を墨守して兩刀を佩びてゐた様であるから、恐らく浪人出身者も尠なからずあつたに相違ない。彼等は常に大膽勇敢にして、戰鬪に當りて屡〻武勳を建て、其の名聲は他の東方民族に冠絶してゐた。又テルナテ島マラユーに在住し、一六二一年にハタヒヤに歸住したジュアンロピスは明かに日本人切支丹と記してあるが、其の他にも彼等の姓名より切支丹信徒と推し得へき者あり、恐らく他の南洋各地と均しく、江戸幕府取締の手を逃れて移住せし者に違ひない。又彼等の大半は獨身者にして、妻帶者は甚た尠なかつた。

ヘ　日本移民の年齢に就いては、記錄されたものが殆んと無いが、僅かに一六二三年アンボイナ島に於ける一例によれは、二十代と三十代、卽ち最も勞働能力に富んだ年齢期の者多きは、移民の性質上正に然るべきことであるが、他に老人小兒の移民も絶無では無かつた。

要するに本稿に於いて縷述せし日本人移民の活動地域の極めて廣範圍に亙れるに反し、其の數は甚だ僅少にして、從つて彼等の活動期間も亦短期に終つた於いて此等の諸地は今日に於いてすら交通不便の酷熱僻遠の地にして、我が移民の全然在住する者無き所もあり、既に三百餘年以前に於いて、當時澎湃として起れる南洋發展の波に乗つて此等の地域にまで同胞の進出したのは、全く驚異に値すと言はねばならぬ。（完）

附記。本稿に主として引用した史料の末に、植民地文書(Koloniaal Archief)と記したのはオランダ國ヘーク國立文書館所藏文書にして、商館記錄(Factory Records)と記したのは、イキリス國ロンドン印度省所藏文書であるが、曾て此等の文書の閲讀、筆寫、撮影に當りて、此等各館の係員各位の與へられた多大なる好意を追記して深謝の意を表したい。

（昭和十三年四月十一日、稿了）

マニラの所謂パリアンに就いて

箭内健次

目次

序言

紀元十五六世紀時代の南支那、特に福建地方よりの支那人南洋進出は今日の所謂南洋華僑の勢力發展の搖籃時代とも稱すへく、特に十六世紀に至るや、歐洲人の東洋發展か試みられ、葡萄牙人は印度を中心にして、マラッカ・マカオ方面に勢力を扶殖し、他方西班牙人は西航して比律賓を發見、こゝを根據として東洋方面に伸張せんとし、その間に介在してモルッカ諸島等に於ける兩勢力の抗爭あり、南洋方面は俄に世界の注目する所となり、この波は日本にも及んてその認識を一變せしめたのであつて、以後今日に至る四百年間に於ける西洋人の勢力は牢固として拔く能はざるに至つたか、この發展に交つて、彼等の殖民事業に重大なる役割を演じた者は、いふ迄もなく支那人てあつて、相並行して今日の華僑勢力を形成するに至つたのてある。

元來華僑發展の契機は種々の方面より考慮されるか、その外的原因の一として、否最大原因と考へられるのは歐洲人の東洋發展に存するのである。故に此時代の南洋華僑史こそは、歐洲人進出後に於ける南洋史の裏面を畫くものであり、且彼等の殖民政策の如實なる表現を物語るものである。本稿は其中特に比律賓に於いて、在住華僑が統治者に對して有した意義を、その首都マニラの華僑區とも稱すべきパリアンを中心に敍述せんとしたものである。

抑も比島、特にルソン島は彼等華僑の出身地たる漳州・福州等とは僅に東支那海を距つるのみて、七十レグワ(1)といふ南洋にても最も近距離にあつた事が、自然彼等をして多く此地に赴かしむる事となり、南洋方面に向ふ支那船の半數は此地方に赴く有様であつた。之は一面後述する如く貿易上の利に誘はれた爲とはいへ、當然の事といはねばならない。明史呂宋傳にも、

呂宋居南海中、去漳州甚近。(2)

と記してゐる。故に十六世紀後半の西班牙人比島占據以前に於いても、若干の支那船が土人を對象として貿易を行つてゐた事か推測される。卽ちルソン島を占領せさる一五六七年、セブに居たミケル・ロヘス・テ・レガスピ(Miguel Lopez de Legazpi)は土人より傳聞した所として、ルソン、ミンドロ島に年々日本人と共に支那人來航して土人と貿易する事を記してゐるが、(3)一五七〇年、マルチン・デ・ゴイチ

(Martin de Goiti) 司令のルソン遠征隊マニラに到着した時には、支那人四十名居住してゐたことを述べてゐる。(4) 又同記録には、

これらの支那人は、その母國にて起つた或る事件によつて、逃れたもので、土人の間に住んでゐる。彼等は妻帶してゐるか、男女合して其數約百五十人に及ぶ。(5)

とあれは、貿易目的の爲來航する者と相交り、かゝる分子も含まれ、歸るを得ずして定住するに至つた事情か窺はれる。これらは僅かに偶々西班牙人側の眼に觸れたが故に記錄されたものであるから、此外、かゝる支那人相當存在した事であらう。併し、更に遡つて支那人比島渡航の由來を物語るに足る史料は皆無といつても同然であるが、土人の購賣力其他の點からいつて、支那人の對土人貿易は甚しく分散的であり、貧弱なものであつたと思はれる。かゝる狀態が西班牙人による比島拓殖事業と共に、支那人の來航を加速度的に增加せしめ、西班牙人多で新段界の支那人移住となり、こゝにパリアンなる一形態を以て、西班牙人の政廳側と密接なる交渉を生ずるに至らしめたのである。

註

1、Bartotomé Leonardo de Argensola, Conquista de las Islas Molucas. Zaragoza 1891. p. 165.

2、明史 卷三百二十三 外國

3、Blair & Robertson, The Philippine Islands 1493–1898. 55 vols Cleveland 1903–1909. vol. II. p. 283.

4、ibid. p 101

5、ibid. pp. 167–168

第一章　パリアンの語義と其の諸相

パリアンとは一言にして言へば、支那人町、或は支那人區とも稱すべき地域を指す名稱である。併し乍ら少くとも比律賓にては、パリアンは西班牙語のアルカイセリア(Arcaicería)卽ち生絲市場と同意義に解せられてゐた。例へばドミンゴ・デ・サラサール(Domingo de Salazar)のパリアン創設記事中には、終にドン・ゴンサロ・ロンキリョ(Don Gonzalo Ronquillo)は彼等の住居すべき地を指定し、生絲市場(當地にては、パリアンと呼ばれる)として使用せしむる事とした(1)又、同人の覺書中にも、

ドン・ゴンサロ・ロンキリョは市民全體の意向を無視して、生絲市場を作つた。これを土人並はパリアンと呼ぶ(2)。

とあり、同様の例は此の後も屢ゝ見え、枚擧に遑ない。このパリアンがアルカイセリアと離れて、獨立の意義卽ち支那人町又は區としての意味を有するに至つたのは一七五五年、時の總督マニュエル・デ・アランディア (Manuel de Arandia) が、サ

ン・フェルナンド(San Fernando)の地にアルカイセリアを建造して以後の事であつた
然し、この時と雖も、總督の意向は、支那人全部をアルカイセリアに移住せしめんとするにあつたが故に[3]、嚴密に言へば以前の概念を離るゝものではなかつたのである。

彼上によつて、パリアンなる語が、西班牙語のアルカイセリアに相當する語なる事は略明瞭であるが、果して何語に由來するものかは甚だ不明瞭である。例へば、一六三六年總督セバスチアン・デ・コルクエラ(Sebastian de Corcuera)の書翰には、

彼等(支那人)はマニラの城壁の近くに、彼等の爲に作られたる、彼等の言葉ではパリアンと呼ぶ地に住してゐる。[4]

と支那語なるが如き暗示を與へてゐるが、フォアマン及びパーネル[5]等にはメキシコ語なりとし、又前掲のサラサールの覺書の文は見方によつては土語の如くにも解せられ判然しない。然し、支那語なりとの說は後述する如く、このパリアンに相應すべき支那人區を示す語「澗」(Chien)と發音上からも同一視する事は困難である。又メキシコ語なりとの說も多く近代の人の意見であつて、現にメキシ

コ語ては東洋物産品の市場をパリアンと呼ぶやうてあるが、[6]之を以て四百年以前にも遡る事は頗る危險てあり、當時の人にして之を暗示するもの見當らぬのはその薄弱性を示すやうに思はれる。最後の土語起源說も同樣て、現在イロコ語では、やはり市場を意味する語にパリアンなる語があり、[7]一見有力のやうではあるが、之とて現實のパリアンより逆に土語に採り入れられたとも考へられ、土語の個別的成立の沿革を十分に調査し得ぬ現在、俄に斷定し難く、且、この語が比島のみに見られる語てなかつた事も注意すべきであらう。要するに、この原語については今後の調査研究に俟つことゝするが、唯當時に於いてすら、その由來について區々であつた事たけは、上述の諸例によつて明かてある。

支那側史料に現はるゝ比島の支那人區の名稱について見るに、先づ明史呂宋傳によれば、

初酋之被戮也、其部下居呂宋者、盡逐華人於城外、毀其廬。[8]

と單に「廬」の字を用ひてゐるが、明末張燮の「東西洋考」には、

華人既多詣呂宋、往往久住不歸、名爲壓冬、聚居澗內、爲生活、漸至數萬。[9]

又、許孚遠の敬和堂集の請諭處番酋疏にも、

時有澗内唐民願充助敵者二百五十人。[10]

其他何喬遠の「名山藏」には、

其地邇閩、閩漳人多往焉、率居其地、曰澗内者、其久賈以數萬。[11]

等何れも「澗」又は「澗内」の字を以て支那人區を意味してゐる。これは正しく西班牙史料に見ゆるパリアンに相應する語であるが發音は全く異なつてゐる。而も、この澗が矢張りパリアン同樣に市場の仕地を指すものなる事は「東西洋考」呂宋交易の條の註に、

市名澗内、舊在城中、後既猜嫌、改設城外新澗。[12]

と明記ある事により察せらる。現在福建地方に於いては宗教的區域を示す名稱として、戶、境の上に位する語「庵」と同意味に「澗」なる語かある事が知られるから、[13]こゝにいふ澗もかゝる意味より轉化した廣い區域を示す語として莫然と用ひられたのかも知れない。尚この「澗」なる文字は單にマニラの支那人區のみに通用されたものでなく、ジャバのバンタムの支那人區にも使用された事が史料より知られる。卽ち「皇明象胥錄」等の爪哇の條に、

市用中國古錢、衡量以倍、華船上澗貿易、昃集午罷、王日徵其稅、澗東紅毛

番、澗西佛郎機、各起土庫、歲以哈板船往來、用銀錢互市。[14]

とあり、「大明一統志」葛留巴島の條にも、

其貿易王置二澗城外、設立铺舍、淩晨各上澗貿易、至午而罷、王日徵其稅、又有紅毛荷蘭番來下港者、起土庫在大澗東、佛郎機起土庫在大澗西、二夷俱來板船、年々往來貿易。[15]

と何れも支那人交易地を指して「澗」と稱してゐる。一方パリアンも又同樣次に記す如く、マニラのみならず比島其他の地方にても稱せられてゐた。

(A) セブのパリアン

セブ島のセブ、卽ちサンティシモ・ノンブレ・デ・ヘスス(Santissimo Nombre de Jesus)の町は西班牙人により最も早く開拓された地であり、且支那船も同地に來航するもの漸次あつたが、支那人町の形成されたのは一五九三—四年の頃のやうに思はれる。耶蘇會教師ペドロ・チリノ(Pedro Chirino)がその「比島史草稿」の中に、一五九五年頃、セブにて實見した所として次の如く述べてゐる。

その上、この町の支那人區(el barrio de los Chinos)を見たが、同所は二百人以上住するも僅に教徒一人のみにて、誰も彼等を管理する者なく、若し誰か說教

せしならば、彼等は我が信仰を受容すべきが如き狀態にあるを見て、予は彼等の言葉を學得せんと努力せり。[16]と耶蘇會による支那人布敎の意を述べてゐるが、又同人の刊本「比島史」にも一五九七—八年の事情中に、

他は支那人にして、彼等の多くは母國より當地に來り滯留する。(多數商船にて來航す)。彼等はこの町にて、我々の家屋の近くに彼等自身の居住地を建設したが、當時其年は耶蘇會の管理下にあつた。[17]

卽ちセブの支那人區は耶蘇會の管區下にあつたのであるが、之は一六〇〇年に至り、土人傳道に對する影響を恐れ、耶蘇會の手を離れ、其後は概してアウグスチン派の下に置かれてゐたやうである。[18]而してこの支那人區も又パリアンと呼ばれ、アルカイセリアか設けられてゐた。一六五八年頃のイグナシオ・デ・パス(Ignacio de Paz)の記述によれは、

この町にはパリアン、卽ち、支那人のアルカイセリアあり。信心深き敎師の管理下にあり。[19]

又、サン・アントニオ(San Antonio)の「フランシスコ派布敎記錄」にもセブ管區の條に、

支那商人の一區域あり。パリアンを形成する。[20]

とある事によつても明かである。尙このパリアンの位置はフアン・デ・デルガド(Juan de Delgado)の「比島史」によれば、城外の如く思はれ、[21] 一七六二年頃のセブ町の圖によれば明に町の北部に三棟存し、[22] この位置は後述するマニラのパリアンの位置に酷似し興味があるが、之もマニラのと同樣、初めは町の中に置かれ、後に至つてその外に移されたものではなからうか。

(B) アレバロのパリアン

デルガドの比島史に、

アレバロの町の牧師職――パリアンあり――は耶蘇會に與へらる。[23]

とあるのみでその時期・變遷・位置等何等記してない。併し十七世紀に於ける在住支那人の散居狀態及びアレバロの位置より察して恐らく支那人區なることは疑ない。元來比島在住支那人は初期に於いてはマニラ市及其近郊以外は北部呂宋を除いては殆んど居住しなかつたが、對土人交易の進展は漸次彼等をして各地に散住せしめるに至つた。併し此現象は比島政廳にとり治安攪亂の懼れとなつたので屢〻そのマニラ歸住を命したが中々效果なかつた。かゝる狀態であつたかち、地方分散した支那人はその各地に於いて或程度の集團的生活をなし、從て支那人區の如きものも又小規模ながら隨所に生したものであらう。一五九八年六月八日付のアントニオ・デ・モルガ(Antonio de Morga)の比島事情報告の第四十條に、

これらの支那人か、西班牙人殆んと住せざる町村にパリアンを所有することを許可すべからず。(21)

と述べてゐるのは、必すや當時各地方に小規模ながらパリアンと名付くる支那人部落があつた事を物語るものと考へられるか、管見の限りては比島に於いてパリアンなる名稱の下に存在した支那人區は以上に盡きるのてある。現に一六二八年ホロ(Jolo)地方叛亂鎭定の爲赴いた西班牙軍は同年四月二十二日上陸し、平定したか其際、

西班牙人は漁師てあるルタオス(Lutaos)の居住地及村に火を放つたが、支那人の住してゐたアルカイセリアにも同様火を放つた。(22)

と、アルカイセリアのある支那人區當時存在してゐたことを知るが、同所がパリアンと呼はれてゐたかは史料に見えない。又後世一八四二年米人旅行家チャー

ルス・ウィルクス(Charles Wilkes)の見聞記中にもホロの町に支那人町あり、可成整備したもののやうに思はるゝも、この場合もパリアンの名は見えない。

(C) 交趾廣南のパリアン

上述のパリアンは獨り比島内のみに限らず、南洋にても用ひられてゐたらしい。卽ち一六一七年、ウィリアム・アダムス(William Adams)と共に、我平戸より貿易の爲、交趾に赴いた平戸英國商館員エドモント・セーリス(Edmund Saris)の廣南滯留中の一六一七年六月二十六日の日記に、

袋に封印して、余とメッチェル(Metser)は、通譯と支那人を伴ひ、余の生絲を受取りにパリアン(paryane)に出掛けた。[27]

とあり、又ウィリアム・アダムスが同地ての一六一九年六月十七日の紀事に、

我々は購入して、これを賣却したか、若干工夫をして大した紛糾もなく我かパリアン(parrian)の門を閉しる事が出來た。[28]

と見え、これによつて、同地に生絲取引市場の如きパリアンなるものか、存在してゐたことを知るのである。明示はしてゐないが恐らく支那人關係のものてあらうと察せられる。

尙この外南洋各地に於けるパリアンについては後日を期したいと思ふ。

(D) 日本人パリアン

パリアンが支那人區を意味する特定の語である事は明瞭であるか、時代の變化と共にこの語の含む語の觀念にも相違を生じ、こゝに日本人住地卽ち日本人町を示す語としてパリアンが用ひられた事は興味ある事である。卽ち一六〇三年のマニラ支那人叛亂により燒失したパリアンの跡に生じた日本人住地卽ち所謂ディラオ（Dilao）の日本人町を日本人パリアン（Parian de japonés）の文字を以て記してゐる。[29] 然し本例は極めて乏しく、他の日本町をかく稱した事も、又比島の日本人以外の住民の住地を呼んだ例も見當らない。一時的呼稱かとも考へられる

前述の如く、マニラのパリアンを初め、各パリアンは何れもアルカイセリア卽ち生絲市場と同意味に用ひられてゐたか、要するにパリアンなる呼稱は少くとも初期に於いては俗稱であつて便宜かく呼はれたに過ぎない。故にこの創設された當時（マニラのそれは後述する如く、一五八二年）は單にアルカイセリアといはれてゐたと考へられる。卽ち前揭のサラサールの創建の記事は一五九〇年に

於ける執筆であり、僅か乍らも殘存のその當時の史料にはパリアンなる名稱は見えず、管見によれば、一五八六年のサラサールの前掲の覺書に見ゆるのが初めてである。今遡つて創建記事を考ふるに、コンサロはアルカイセリア、なる名義の下に支那人住地を指定し、そこに店舗を建て住せしめたのであるから、その住地內には特に各種の商品を一堂に集めた所謂今日の所謂「市場」の如きものは存在したのでなく、支那人の住宅兼店舗を綜合して、便宜アルカイセリアと稱したものと考へられる。故にアルカイセリアといふも、又同意味てのパリアンなるものも意味する概念は甚だ莫然たるものがあつたのてある。[30] 從て、彼等支那商人店舖が取扱つた商品は、決して其名の示すが如き生絲のみてはなく、各種雜多の商品てあつた事は元より當然てある。唯その中で特に多量であり、マニラを仲介地として遠く各方面に輸出されたのは生絲てあつた。モルガの「比島記事」の支那貿易敍述中にも、

生絲(生糸及び織絲双方)及び布類——これらは船荷の根幹をなしてゐる。——

は、西班牙人側及び支那人側の双方諒解を得た人々により、勝手に値か定められる。[31]

とあるによつても明であるが故に、コンサロが支那人住地とせす、アルカイセリアといふ形式をとつた意圖も、當時少くとも或方面の人々によつて反對せられる事を顧慮したが故と考へられるのである。

上述によりアルカイセリア(卽ちパリアン)は其の當初よりその言語の意味するより遙く廣い概念を有してゐたが、其後支那貿易の發展と共に益々多岐多樣に推移したのであつた。サラサールの執筆當時卽ち、一五九〇年頃の狀態を見るに、

このパリアンには醫者あり、藥劑師あり、彼等の店には自國語で印刷したる看板をかゝけ、賣品を告示してゐる。又支那商人及び土人か食事する食堂多數あり、西班牙人すら訪るるものありと聞いてゐる。一般の人々は西班牙式の甚た器用なる職人てあり、且非常に低廉なる價格て總ての物を作る支那人より布及び靴類を買ふので、西班牙人により作られたる手藝品はすへて死滅して了つた。銀細工師はエナメルの方法を知らないか、他の點ては、すはらしい金銀の細工を製作する。(32)

と一端を記してゐるか、全くの商業區化した事か知られる。實に之こそ比島に於ける支那人貿易否全貿易の中樞とも言ふべきものに外ならなかつた。かゝる

状態よりパリアンなる語の意味する範圍は益〻擴張し、支那人商業區を稱する事になり、更に轉じて支那人以外の外人居住區として、例へは日本人區にも用ひられた事は前述した如くてある。併し乍ら我々か取扱ふマニラのパリアンに於いては、その姿は時代・場所の推移にも拘らす、大體に於いて變化はなかつた樣に思はれる。然し、明確に之を畫いたものは極めて少ない。創設のものは唯「四箇の建物」[33]とあるのみてあるが、一六〇六年の報告によれは、

九つの區より成り、各區には種々の店舗及ひ或は高き或は低い住宅あり、すべてで五〇〇軒に近い。[34]

と、僅に區制あるを知るのみであるか、一六三七―八年頃マニラを旅行したバニュエロス・イ・カリリョ(Bañuelos y Carrillo)の見聞によれは、

(パリアン)は、彼等が住む順序美しき故を以て、誠に興味深い所てある。各種の商品は各〻それ自身獨立した區を有し、この商品は甚た珍奇なもので、最も進歩した國民にすら賞讚を博してゐる。[35]

又デルガドの「比律賓史」に見ゆる十八世紀中期のパリアンに於いても略同樣の組織にあつた事が知られる。[36]

パリアンは原則として西班牙人の居住を許さなかつたが、一六一七年その中に教會成立の後は關係教師若干住するものあつたらしい。支那商人はこゝを根據に每日マニラ市內の西班牙人の家に商賣に赴くといふ習はしてあつた。故にマニラとパリアンは比島商業の原動力を結ぶ線を形成し、その相互交涉こそ比島殖民史の發展を示すものであつた。

註

1、Phil. Isls. Vol VII p 220.
2、Colin, Francisco Labor Evangélica de los Obreros de la Compañia de Jesús en Islas Filipinas. Nueva Edición por el Padre Pablo Pastells Barcelona. 1900-1902. Tom I. p. 450 nota.
3、Phil Isls Vol XLVIII p. 180
4、Phil. Isls Vol. XXVI p. 139
5、Foreman, John The Philippine Islands London 1892. p 265 Los Chinos en Filipinas Manila 1886. p 16 Purnell, The Log Book of William Adams. 1614-1619. (Transactions and Proceedings of the Japan Society London Vol XIII Part II) Index
6、Enciclopedia universal ilustrada europeo-americana. Bilbao Tomo XLII Parián の條
7、例へば、Carro, Andrés, Vocabulario Iloco.-Español Manila, 1888
8、明史 巻三百二十三。

9、張燮。東西洋考。卷五。東洋列國考　呂宋。

10、許孚遠。敬和堂集。卷之六。請諭處番酋疏。

11、何喬遠。名山藏。王享記。東南夷三　呂宋。

12、東西洋考。卷之五。呂宋。

13、小葉田淳氏の示教による。

14、茅瑞徵。皇明象胥錄四　瓜叶。陳仁錫。皇明世法錄。卷八十二　南蠻　瓜哇。

15、魏源。海國圖志。卷十三。

16、Pastells, Pablo. Historia general de Filipinas. Barcelona 1926–1932. Tomo IV p. CLXVII.

17、Chirino, Pedro Relación de las Islas Filipinas. Roma 1604. Cap. XLI. p. 134.

18、Phil. Isls. Vol. XIII. pp. 75–76

19、Phil. Isls. Vol. XXXVI. p. 100.

20、Phil. Isls. Vol. XXVIII. p. 149.

21、ibid. p. 164.

22、Phil Isls. Vol. XLVII p. 115.

23、Phil. Isls. Vol XXVIII. p. 172.

24、Phil Isls. Vol X p. 82.

25、Phil. Isls. Vol. XXII. p. 208.

26、Phil. Isls. Vol. XLIII. pp. 155–156

27、Purnell, The Log Book of William Adams. p. 295

28、ibid. p. 260.

29、Pastells, Tomo V p. CII　Phil. Isls. Vol XIII. p. 280 本文は誤訳なる如く "the Parian of the Japonese" とある。

30、例へば、モルガの著に見ゆる所によつても "arcaicería y parian" の如き (Morga-Retana p. 23) 又 "Parianes y tiendas" (ibid. p. 224) とし、又ベナビデスの書翰にも "Market and Parian" と訳されてゐる (Phil Isls. Vol XIII p 273.

31、Morga-Retana. p. 218.　Phil. Isls. Vol. XVI. p. 182.

32、Phil Isls. Vol. VII. pp. 225–226.

33、ibid. p. 220.

34、Pastells, Historia, Tomo V. p. CII.

35、Phil. Isls. Vol. XXIX p. 69

36、Delgado, Juan J. Historia general sacro-profana, política y natural de las Islas del Poniente llamadas Filipinas Manila, 1892. p. 56.

第二章　パリアンの創設と其變遷

(一)パリアンの創設

西班牙人の比島に於ける開拓の業進捗と共に他面對岸より來航の支那船も漸次其數を增加の形勢にあり、マニラ創設の一五七一年以後は每年來着するものあつた事が史料より察知せられる。[1] 彼等支那人は從來の對土人交易よりその對象を新來の歐洲人に轉ずるに至り、マニラの發展と共にその活躍は漸く目覺ましくなつたのである。而も一方彼等以外より經濟生活資源を得る方法殆んどなかつた西班牙人は當然支那人の來航を歡迎奬勵したのである。然し支那人のマニラに於ける取引狀態は要するにその積荷の賣却を了するや、直ちに同船にて本國に歸還するのが常であつたから、特殊の事情以外は比島の滯留を必要としなかつたのである。故にパリアンの創設の頃、少くとも一五八〇年以前にてはマニラの近郊のトンド(Tondo)附近に若干支那人住するも其數は多きに至らなかつたやうに想像される。當時の支那商人の動靜について傳ふる史料は甚だ少いが、後年一五九九年七月十二日付を以て時の比島總督フランシスコ・テイヨ・デ・グスマン(Francisco Tello de Guzman)が西班牙國王に對しパリアン廢止を建議したる文書中に廢止後の狀態として、

布類を保管すべき建物なきを以て彼等(支那商人)は以前パリアン創設せられざる時になしたる如く、街路に、又は船上にてそれを賣却するなるべし。(2)

と記す事よりその交易の狀況を遡及的に推測されるのである。又一五八一年耶蘇會教師と共に來島した初代司教ドミンコ・テ・サラサール(Domingo de Salazar)が記したる「パリアン變遷」と題する書翰中に、來島當時のマニラ近郊支那人居住狀態につき明快に次の如く述べてゐる。

臣此島に到着せる時、トンドと稱する一部落に――この市(マニラ市)より遠からず其間に河あり――多數の支那人居住せるを見出したり。彼等の中には教徒ありしも大多數は異教徒たりき。又この市にも支那人の經營する店舖若干あり。彼等は每年當地にて保管の物品賣却の爲、當地に居住せり。(3)

とあれば、一五八一年頃には滯留する支那人も增加してマニラ附近二ケ所に集團的生活をなす迄に至つた事が窺はれる。かゝる狀態の變化は何時頃からか詳かでないが恐らく一五八〇年を去る事遠くないと思はれる。而してこの支那人滯留者の增加は財政的窮乏に惱む比島當局者の注目する所となり、こゝに總督ゴンサロ・ロンキリョ・デ・ペニャローサ(Gonzalo Ronquillo de Peñalosa)をしてパリアン創設の計畫をなさしめ、こゝに支那人と比島當局との關係は俄に具體性を生ずるに至るのである。

次にパリアン創設の事情を見るに、前掲サラサールの書翰には更に筆を進めて、

これらの支那人は西班牙人間に散在し、何等特殊の地所割當てられざりしが、遂に、ゴンサロ・ロンキリョは彼等が居住し得る一地を指定し、四個の大きな建物を作り、生絲市場——當地てはパリアンと呼ばれる——として使用せしむるに至れり。(十)

とゴンサロの創設に係はる事を明記してゐるが、本書翰は彼の來島後十年を經過したる一五九〇年の執筆にて、パリアン變遷の事情を皇帝に報告の文書てあるから時間的敍述に重きを置かぬうらみがある。併し乍らこの事件を當時に於いて明白に詳述したものは今見るを得ない。アントニオ・デ・モルガ(Antonio de Morga) の名著「比律賓島紀事」には、

ゴンサロ・ロンキリョの時代に支那人との通商增大し、彼は彼等支那人の爲に市內に市場とパリアンを作つたが、其處にて支那人は彼等の商品の賣買をなす事が出來た。(一)

と僅に記すのみてある。唯此二文書よりするも、このパリアンが總督ゴンサロ・ロンキリ「により經濟上の理由から創設されたものなる事は推測されるのである。所がサラサールの一五八二年の執筆と認むべき「比島諸事情」なる文書には當時の政廳と支那人との關係事情が記されてゐるが、その中に

昨年及今年の間に惡感情增進して來た。それは彼等は始め何等税を支拂ふことがなかつたからである。併し後には繫船税が彼等に賦課された——利益の爲といふより寧ろ承認を得るといふ意味て——而も一方昨年及ひ今年、彼等は支那商人より三パーセント税を要求し、この事より後者に對する多くの不正が生ずるに至つた。その第一に、彼等はすべて今年作られたる垣を繞らした住地に、離れて住むやう命ぜられ、依て彼等は不承不承そこに移つて行つた。其處には彼等の爲に店舖建てられ、物貨は外にて値するより高値で拂はされた。又彼等の爲に見張り番人任命せられ、刑罰の權を有し、互報告によ

れば幾多の不正、惡事か彼等に加へられたといふ事である。(6)
從來全然束縛・制限の見られなかつた對支那人貿易關係に一轉機を劃すべき事實を記したものであるが、文中に見ゆる「支那人を今年垣を繞らした地に移住せしめ西班牙人等と隔離せしめた」。と見ゆるのは特記こそなけれ、生絲市場卽ちパリアンの創設を物語るものと見ることが出來るのである。第三章の經濟的關係の條にて詳述する如く、パリアンの創設は總督コンサロを初め當時の政廳當局者の意向が全く金融財源の形成の目的にあつた事明かであるから、諸稅賦課を實行し始めた當局者がその一方法として、從來散在してゐた支那人を一地域を劃して居住せしめた事實を記した本文は疑もなくパリアンの敍述であり、その名の見えぬのは恐らくパリアンなる名稱が創設當初よりの呼名でなかつた事を示すものであらう。

尙サラサールの「パリアン變遷」文書には彼の支那人に對する布敎計畫について述べてゐるが其中に、

トンド在住の支那人に對してはアウグスチン派の敎師之を管理するも彼等自國語でなく、土語にて說敎したれば支那人敎徒當地に居住するも唯單に名義上のみの教徒に過ぎず基督教については全く關知せざるも同然なりき。臣は彼等自身の國語にて說教指導する教師なきを甚だ遺憾とせり。此事が臣をしてドン・ゴンサロ・ロンキリョと相談して彼等自身使用の爲に、彼等に特殊の地を割當て、彼等の爲に教師を任命して同地にて其國語を習得し且指導なすやう協議せしむるに至りたるなり。(7)

とあるのは一見總督と彼との合議の上パリアンが作られたかの如く察せらるゝも之は恐らくトンドの地方に於ける地域限定の計畫を示すものであり、又サラサールはパリアン設置については寧ろ反對の意向を有してゐた事は後にその廢止を皇帝に望みたる事によつても明かであるから本文はパリアンとは無關係のものと考へられる。

次にパリアンが總督ゴンサロの手により創設された時期を見るに、モルガの如く漠然とゴンサロの時代と記すものもあるが、一五八〇年と記すのが多い様である。(8)然し之は近年の書てあり、その依據の史料を記す事なく、從つて我々を說得せしむる事は出來ない。今偶目の上記二史料より之を察するに、一五八二年執筆と思はるゝ「比島諸事情」よりすれば明に一五八二年てあり、他方「パリアン變遷」文書を見れば甚た不明瞭てあり、サラサール來島當時既に存在したのかの如くにも察せられ頗る曖昧てある。尙以上の外に内容は未見に屬するも、セビヤ印度古文書館目錄中に、一五八三年一月一二日付にてメキシコの總務廳(Audiencia)より西班牙本國に宛て、マニラにおいて總督ロンキロが支那人滯留者の爲に生絲市場を建てた旨を報告せる文書が存在する事が知られるので、(9)生絲市場卽ちパリアンの創設の事情と彼此相對照して一五八二年の事件と推察されるのてあつて、而も之が設置はマニラに支那人多數滯留の時期卽ち支那船來航の二・三月より出帆の五・六月頃の間と想像されるのてある。

尙このパリアンの位置については單に離れてとあり、マニラ住民の住地とは幾分隔絶してゐた樣に思はれるが、後述の第二代パリアンの位置、及び船の發着に便利の處故、恐らく市の東北部パシック河に面した地にあつたてあらう。

(二)市内パリアンの變遷

併し乍らこのパリアンは間もなく火事で焼失、別の地に移轉、又擴大されたが、その變遷の樣子はサラサールの「パリアン變遷」に依れば、

上述の如く、サント・ドミンゴの修道院はこの市の北より南への境界の沼地に

建てられたる支那人のパリアンに密接して存すドン・ゴンサロの建てたるパリアンは火事の爲焼失したれば、支那人等はティエコ・ロンキリョによりその統治の中に同地に移されたり。最初はかゝる沼地に人間の住居が作らるゝといふ事は考ふるだに馬鹿氣たる事と思はれしに、甚だ勤勉にして、且器用なる支那人はよく之を處理し、人間の住む地と思はれざる地にパリアンを作りたりこは更に大にして且高壯なるも他の(パリアン)に類似せり。彼等によればそれは他よりよく作られたりといふ。即ち四列の建物のある堅き土地に、家屋を建て、又パリアンを通ずる道路、即ち建物の各列に別々の通りを作りたり。

又長き歩道あり、建物は四角形をなしたり。されとこのパリアンはベラ(Vera)の時、火事にて焼失せり。それは各家屋革にて作られたる故なり。併し總督ドクター・ベラの努力により更に立派なる家屋作られ、火の用心の爲、タイルを以て葺きたり。(三)

とて執筆當時のパリアンの狀態の縷述に及んでゐる。即ち之によつて見ても一五八二年初めて設置せられてより、一五九〇年に至る間に、早くも火事により三回の變遷を見てゐるのである。而して本文書はその變遷についてはその極めて不明瞭ながらつゝも、その設置年代及びその場所を明記しない。故に今極めて不明瞭ながらそれを考へて見るに、第二代のパリアン設置、換言せば第一代のそれの焼失はディエゴ・ロンキリ「(Diego Ronqullo)の時代とあれは一五八三年二月――一五八四年五月の間てあるか其頃の火災の記錄は管見にては一五八三年一月三十日の支那人生絲市場(アルカイセリア)の焼失、及び同年二月二十七日のマニラ市大火の二事のみてある。(二)前者とすれは前代コンサロの時代てあるが、恐らく此時焼失したがコンサロの死去(二月十四日)等により遅延して再建は二月二十七日の大火の後に於いて即ちディエゴの手により爲されたものと解すべきてあらう。尙この第二代パリアンの位置は前掲記事より見て後世のガブリエル(Gabriel)城塞の附近と考へられる。

次に第二代パリアン焼失、第三代設置の時期は總督ベラの治政時代即ち一五八四年五月――一五九〇年の間てあるが、前掲文書中に第二代パリアンの地の近くにドミニコ派の僧院が設置された事が記されてゐる事故、その設置を見た一五八八年一月一日には未た焼失しなかつた事が知られる。併し其他に於いてはその年月を比定するに足る資料が見當らぬから漠然一五八八年以降と考へる外ない。尙この第三代パリアンは恐らく第二代のそれの跡に建造されたと覺しく、記述中に滿潮時には水量增大してパリアンの周圍に作られた池に船が入り得る[12]とある事よりこの池は後世の城壁を圍る壕の前身とみられ、パシック河と濠とに圍まれた卽ちガブリエルの城堡の地に存在したと推定されるのである。

かくして變遷を終るに從ひ、その規模は漸次擴大し、居住の支那人又多きを加へたが、一五八八年六月二十五日付サラサールの報告には、

この市內には一五〇軒の店舖を有する支那商人の生絲市場あり、通常六百人の支那人居住す。[13]

と述べてゐるか、同人の前揭「パリアン變遷」には、

このパリアンに居住する支那人は、船て往來する二千有餘人を除いて通常三四千人を數ふ。[14]

とあり、又一五八八年には來航者及住者を合して一萬餘人[15]との記錄も見えその繁盛を窺ふことか出來る。

この市に來る人の數甚た增大したれは、他の大なるパリアン前揭のものの傍に形を似せて作られたり。[16]

との記事は第三代パリアンの增設と見られ以上の事情を物語るものである。尚少し後の一五九一年五月三十一日付、比島庄園記錄に見ゆるパリアンの條には、

この市（マニラ）には支那商人より成立せるパリアンなる生絲市場あり、二百軒の店舗を有す。パリアンには多少の差あれ約二千人の支那人あり。裁判官及頭領を有してゐる。(17)

とあれば一五九〇年前後には固定人員二・三千人の支那人居住したと考へられる。かくの如きパリアンの發展は他方その內面よりも窺はれる。サラサールの文を引用すれば、

パリアンに於いては支那より來る各種の物資及珍品との取引の全貌が見出される。これらの物資は既に當地に於いて、支那に於けるより一層迅速に且良き出來榮で製造され初めた。この事は支那人と西班牙人との交渉の結果によるものであつて、支那人が支那にて生產する事を欲しなかつたものを完成する事を可能ならしめたのであつた。このパリアンにてはすべての取引、手工業に從事する一國民の職工あり、その多くは各ゝ何かしらの仕事に從つてゐる。彼等は西班牙に於けるより遙に立派な物品を作り、時には述べるのが恥しい

程安價な事もある。(18)

と經濟的活動を敍述し、又醫者あり、藥劑師あり、又食堂の設備すらあり、支那職人の製造品の爲西班牙人の手工業は驅逐せられ、歐洲流の技術習得により、すばらしき效果を擧げてゐることなど記してゐる。かくせばこの頃のマニラのパリアンは立派な商業區を形成しマニラ商業の中心をなしてゐたことが知られるのてある。

併し乍らこの半面に於いて早くも比島在住西班牙人側にはパリアン廢止の議が可成有力に唱へられた。その理由とする所は主として經濟上の事情てある。卽ち一五八六年マニラに於いて開かれたる全島市民會議の席上、本國に請訓して改革すべき諸問題論議されたか、その決議事項の一項に、

マニラに、物品小賣又は畜積の爲に支那人を滯在せしめざる事(中略)、彼等が小賣に必要なる店舖は其年內に西班牙人により沒收すへき事、さすれば我等に利益あらん。當地には多數の支那人あれは、かくせさるに於いては利を增し難し。市外には支那人殘留するもこは敎徒及往復せさる昔よりの住民にて小賣人に非ず、勞働者――機械工・大工・庭師・農夫――及び土人部落にて食糧を

購入し、市に之を齎す食糧供給者なり。[19]こゝに言ふ店舖は卽ちパリアンの店舖を指し、又市外に住する支那人とはトンド在住者を意味する事は勿論である。又この決議事項と共に耶蘇會教師アロンソ・サンチェス(Alonso Sanchez)が西班牙本國に持參した司教サラサールの覺書の中の第五十四條に、

ドン・ゴンサロ・ロンキリヨはすべてのこの市の意向に反して、士人がパリアンと呼ぶ一生絲市場を作りたり。同處にて支那人は一船の船荷を他船の爲保管し、それが因にてすべての物品は法外なる値に騰貴するに至れり。何となれば以前はその船荷を保藏すべき處なければ、直ちに賣り終れば母國に歸りたればなり。陛下、このパリアンを廢止すべきや否やにつき、この市に利益と恩惠を與へられん事を。[20]

と訴へてゐる。前掲決議の他の項にも、支那人の小賣を禁止し、特定の人を定めおき、卸賣にすべき事を決議してゐる。[21]卽ちかゝる反對の生したる理由は、支那商人がパリアン創設前後を契機として、從來の極めて幼稚なる取引形式を一變して、强固なる地盤を形成し、商品の一部を貯藏、思ひの儘の値で賣却す

る事により、多大の利益を擧げた彼等一流の策より起つた物價高騰が原因をなしてゐるが、前掲一五八二年のサラサールの「比島諸事情」には、支那人に對し、繫船稅の外に三分稅を徵收し、又一定地に居住せしめた事情を述べた後、陛下に稅金を拂はねばならぬといふ口實の下に、如何なる物品賣却にも、豫め登記する事なき場合は罰金が課せられた。然しこの登記の際には彼等の商品の最良のものは取上げられて檢査員又は登錄人が勝手に選んで定めた値で買上げられた。そこで若干の生絲は、より以上の利益を以て賣却する爲に、又或は商品を約束した人に與へんが爲に、支那人により隱匿された。これが爲に、その噂を聞くのは一二回に過ぎぬにも拘らず、恰も永年の刑罰に要求せらるゝが如き甚だ苛酷なる罰に處せられたのであつた。(22)

とある所より見れば、前述の支那人の商略はこの西班牙人の不法なる壓迫・處罰の對抗手段と考へられ、原因は西班牙人側にありといふべく、財政の利より案出したこの對支那人政策は逆の結果を見るか如き有樣となつたのである。

然らばこのパリアン廢止運動は其後如何に進展したか。一五八六年のマニラ市民の決議事項は西班牙本國に齎され、印度諮問會議(Consejo de Indias)に上せられ、その結果は比島總督サンチャゴ・テ・ヘラの轉職、マニラ總務廳の廢止、新總督ゴメス・ペレス・ダスマリニャス(Gomez Perez Dasmariñas)の任命を見るに至り、彼は一五九〇年五月比島に着任した。而してこの新總督に對して皇帝フェリッペ二世より與へられた指令書は前述のマニラ市民の決議事項に對する回答に外ならなかつた。換言すれば、ゴメス・ペレスの施政は市民の要望に答ふるものであつたのである。故に問題の條項を見るに、一應前記條文を掲げたる後、

この問題は重大なれば、當島に異教徒の小賣商人を許可する事なきやう、且又面倒を起す患ある多數の居住の事なきよう忠告さるべし。(23)

と極めて抽象的辭句を列するに過ぎぬのである。要するに此問題に關しては當該比島政廳當局者の臨機應變の處置に一任するといふ所存と思はれる。

(三)パリアンの市外移轉

然るにこの經濟的事情によるパリアンの廢止の議と共に、他方支那人による治安擾亂の危機漸時唱へられ、こゝにパリアン市外移轉の問題生ずるに至つた。抑も西班牙人占據當初は來航の支那船も數少なく、從つて危險も考へられなかつたが漸時增加と共に、元より漳州方面無頼の徒の赴くものあり、統治日尚淺く防備極めて手薄の政廳としては侵略あらんことを

恐れたが、殊に一五七四年に於けるリマホン(Limahon)即ち林鳳の侵掠は甚しく彼等を畏怖せしめ、次て北部呂宋方面に於いての日本人海賊の活躍等により東奔西走防備强化に暇なき程であつた。例の一五八六年の全市民會議に當つても論議され、その事項中には侵略の恐れある五危險と題し、土人・日本人・マルコ人・ブルネイ住民・英人と共に支那人に對しても、

第二は支那人よりの危險なり。彼等は四・五千人當地に在住し、常に出入、往來をなす。[24]

と記し、適當な對策を考究すべき事を訴へてゐる。これに對する皇帝の指令には、日本人及支那人海寇防備の爲、イロコス(Ilocos)カガヤン(Cagayan)に更に要塞構築すべきことを命じてゐる。[25] 現に一五九二年には日支人混成の海賊船イロコス地方を襲ひ、西班牙人と交戰する事件あり。[26] 事情かくの如くなれば、パリアンに在住の多數の支那人は表面何等不穩の形勢なかつたにもせよ、總督ゴメス・ペレスの眼には幾分危惧の念か映したてあらうと察せられるのである。

一五九一年比島に於いては豐臣秀吉來襲の噂聞え、同年嘗てマニラに滯留したる原田喜右衞門來島し、各所を視察して歸國し其結果を報し、愈々比島遠征と

決意するに至つたとの報は、一五九二年四月十八日マニラに入港せる平戸船により比島側に齎らされたので[27]大いに驚き急遽對策を講ぜしめ、總督は軍務及市政委員會並びに僧會に警戒を與へ注意事項を指示してゐる。この文書は日付なきも内容より當時、原田孫七郎到着の五月廿九日以前のものなることは疑ないものであるか、この中に、マニラ在住日本人の武器を沒收して、市外に上地を與へ移轉せしむべしとの指令が見えてゐるか、支那人に關して、

同様にすべての支那人の財産を、物資安全に畜へらるゝやう、この市の石造倉庫に保管しおくかよろしかるへしと考へらる。又一方支那人等は一寸とした放火によりかのパリアン及市の大部分をやくか如き危險なきやう市外に彼等の店舗を建て得べし。此事は我々がかゝる手段をとるの機會生ぜし場合のみ提議せらるゝものと諒承せらるべきものなり。[28]

と意見を記してゐるが、實際コメス・ペレスがパリアン市外移轉の意圖のあつた事は皇帝フェリペ二世よりコメス・ペレスに宛てた一五九三年一月十七日付の書翰中にコメスの書に述ぶる所として、

パリアンには支那人の店舗ありて、地代は彼等の統治者に與へらる。然しこ

れらの支那人が同處に滯留する事は、彼等が教徒ならざる故を以て好ましからず、市外に居住地を彼等に割當て、店舖の地代は公共財產として市に供給せられ、他の報酬は上記の支那人統治者に與へらるへきなりとの貴下の報告に關し、朕はこの問題に含まるゝすべてを貴下に一任するを以て得業師のローハス(Rojas)及この市政當事者と協議の上、上記の支那人が、害又は不滿をうけざる方法に於いて其の施行をなすべし。(30)

によつても明かである。而してこゝに述ぶるゴメス・ペレスの書翰は未見に屬するも、當時西班牙・比島間の航海實情より察して、恐らく一五九一年五・六月頃の發信かと想像され、前揭の文書と併行してその當時の總督の意圖を窺ふことが出來る。而も皇帝に指示を仰き、其指令に從つて事を行はんとしたものゝやうである。

併し乍ら實際に於いてパリアンは此時市外に移轉されたてあらうか。後の記錄てあるか、一五九六年五月二十五日付て皇帝より新總督フランシスコ・テイョに與へた指令の中に、

上記支那人は以前は市内に住みたるも、ゴメス・ペレス之を市より移したるに、

近頃又其指定した地を離れ市に戻つたといふ。[30]

とあり、又テイヨが一五九九年七月十二日皇帝への書翰には、

ドン・ゴンサロ・ロンキリョは彼の統治の時代に支那人の爲にパリアンを市の疆域内に建設した(中略)。ゴメス・ペレス・タフマリニュスは人口の多く町の治安には餘りに家屋多き故、之を市外に移す。現今存在する所なり。[31]

と何れもゴメス・ペレスのパリアン市外移轉を明記してゐるか、當時の記錄に移轉の事實及年月を記載せるもの管見の限り見當らず、果して事實か否か頗る疑はしい。今之を吟味するに當り當時の實情を考へて見やう。

前述せる如く一五九二年に於ける比島當局の最大問題は勿論豐臣秀吉の招降に係はる一群の外交交渉にあつた。從つて彼等にとつては比島在住外國人對策は先づ日本人に向けざるを得なかつたてあらう。さればこそマニラ在住の日本人を市外の一地に移し、武器沒收をなしたのであつて、此の事は恐らく實行されたらしく、比島に於ける日本町の起源はこの秀吉招諭事件に求め得られると想像される。[32] 然し支那人との關係を見るに、支那人海寇の報は勿論達したが、さりとて對日本關係の如き切迫さは見られなかつた。換言すればこの時在住支

那人を特に移轉せしむる程の狀態には立至つてなかつたと見るか妥當てあらう。彼等比島當局者をしてこゝに初めて在住支那人對策を講ずるの止むなきに至つたのは實に一五九三年十月二十五日、モルノカ遠征の途にあつた總督ゴメス・ペレスの支那人による暗殺事件であつた。

この事件に關してはレオナルト・デ・アルヘンソラ(Leonardo de Argensola)の「モルノカ征服志」に詳述あり、又「明史」「東西洋考」等にも略ゝ同様の記述が見える。即ち、總督ゴメス・ペレスはモルノカ島のテルナテ島(Ternate)遠征を計畫し、自ら總指揮官として旗艦に乘組み、一五八三年十月十九日のカビテ港を出帆、一方上力は彼の息ルイス・ペレス・ダスマリニャス(Luis Perez Dasmariñas)之を指揮して別にセブに渡り、同處にて落合つた上、目的地に向ふ豫定てあつた。而して總督ゴメス・ペレスはその乘船に乘込ましむべき七人の漕手の詮衡思はしくなかつた爲、俄に支那人二百五十人を傭入れ出發したか、出帆後六日、十月二十五日夜、アスフレ岬(Punta de Azufre)の近くにて突然支那人謀叛し、彼はその兇手に倒れた。併し乍ら今この原因を見るに之は全く西班牙人側の不當なる壓迫・虐待による反抗てあつて、抑も總督か二百五十人の支那人傭入の際の如き、その詮衡手段甚だ不法を極め、又船中に於ける酷使は、元來船員ならざる支那人にとつては死を意味するものに外ならなかつた。彼等は全くの自暴自棄となつて、西班牙人に抗し、叛するに至つたのである。(33) 而してこの支那人曹了の素性については「東西洋考」に、

萬曆二十一年八月、酋郎雷氏敝裏系勝、征美洛居、役流寓二百五十人、充兵助戰。(34)

とあり、又アルヘンソラには、

總督は旗艦を操縦又は艤装するか爲に、貿易に比島に來る者より二百五十人の支那人を選ぶやう命令せり。(35)

とあり、支那人頭領その選拔をなさんとするや、皆好まず、店を閉じ、商易を停止してゐるのを、總督强制的に之を雇傭したる事や、船を漕く事初めての者なれば、疲勞甚しかつた事等より見て此等二百五十人の支那人は何れもマニラのパリアン住民てある事明白てあり、初めより不穩分子は全然見出されなかつた。尙乘組支那人について「東西洋考」は「政和堂集」を引用して、

高們爲把總、魏惟秀、揚安頓、潘和五、洪亨五爲哨官、鄭振岳爲通事、郭惟太等爲兵。(36)

とあるが、アルヘンソラの、

この二百五十人て五分隊作られ、五人の支那人敎徒、キャプテンに任せられたり。(37)

に相應するものであらう。

而してこの叛亂支那人は船を奪取して後、比島を避けて支那に赴かんとし、漂流して交趾支那に至つた爲、直接比島に影響する所なかつたか、總督暗殺の報は比島西班牙人社會に大なる衝動を惹起し、而も下手人かマニラ在住支那人てあつた結果は、直ちに彼等に對する取締方法に變化の來るてあらうとは當然考へられる所てあらう。

ゴメス・ペレス暗殺の報マニラに達するや、マニラ市民によつて臨時總督の職につたペドロ・ロハス(Pedro Rojas)は十月二十一日付を以て、セブに待機中のルイス・ペレスに事件を告け、直ちにマニラ歸還を命した。依て彼は十二月二日マニラ到着、父の遺言に從ひロハスに代り翌日比島總督となつた。彼は暴動を起して支那人により拿捕された船の搜索や、支那國王に事件報告の爲、彼の從兄弟のドン・フェルナント・デ・カストロ(Don Fernando de Castro)を初め、ディエゴ・デ・チャベス・カニサレス (Diego de Chaves Cañizares)、ドミニコ派の僧、フライ・ルイス・ガンドゥリ"(Fray Luis Gandullo)、フライ・フアン・デ・カストロ (Fray Juan de Castro) 等を支那に遣した。この事は一五九四年三月二十四日付でルイス・ペレスが皇帝に奉つた書翰に明かであるが、(38) 「明史」呂宋傳にも、

時酋子郎雷貓吝駐朔霧、聞之、倍道馳至、遣僧陳父寃、乞還其戰艦金寶、戮仇人以償父命。(39)

と見えてゐる。而して此時ルイス・ペレスより支那國王へ贈つた書翰は巡撫許孚遠の「敬和堂集」に收められてゐるが其中に於いて父が支那人の爲に殺さるゝに至つた經路を敍したる後、

佚時奉命帶兵駐劄朔霧、各屬聞變、共議究、將城內舊澗折卸。佚聞此回國勸諭、不許生端報怨、復議設新澗城外、慮及番兵橫爲擾害、着頭目四人、逐日在澗看守、以便唐人生理、不想起蓋未完、而日本報警、番旦思見澗地接邇城郭、兼之唐人每有交通之情、恐招蕭牆之禍、再議移澗、此非本心。(40)

本文中「澗」とあるは第一章にて述べたる如くパリアンを指す語であるから、本文は實にパリアンのマニラ城外移轉を示す重要資料といはねばならぬ。卽ち暗殺

の報を聞き、報復手段として從來市內にあつたパリアンを破壞したる後、更に市外に之を設けたが、日本來襲の報を聞くや、新パリアンが城郭近くにあるを危險なりとして、更に遠く移さんとした事情を述べてゐる。「明史」呂宋傳にも、初佛之被戮也、其部下居呂宋者、盡逐華人於城外、毀其廬、及貓容歸、令城外築室以居、會有傳日本來寇者、貓容懼交通爲患、復議驅逐、而孕逋適遣人招還、蠻乃給行糧遣之。(41)と略同様の事實を記してゐる。一方前掲のルイス・ペレスより皇帝フェリッペ二世に奉つた書翰には、

既にペドロ・ロハスの移したる新パリアンは市と僅かに壁一重であるから、大なる確實性を與へなかつた。卽ちかゝる事情より見張り人は倍加され、一人は夜間上記のパリアンの城門に、城壁の步哨に、町の夜警其他の警備においた。而してこの警備にとつて最も重要なる事及最も必要なる事は、上記の支那人に對し、マニラに住む一萬人の中五千人を、敵軍來襲の恐れあるこの市にとり必要な船舶を浪費するとの口實の下に、彼等の國へ用意された船に收容して赴かしむるやう命ずる事であつた。(その結果)嫌々ながら多數歸國した

而して又上記のパリアンの位置をトンド河の他岸に移すことに決定した。上記の船にて、三千人の支那人去つたが、間もなく他の六隻の船て、乘船し得る最大限の人か去ることてあらう。[42]

と記してゐるが、彼此對照すれは、大體眞相を諒解し得るやう思はれる。ペドロ・ロハスの移したパリアンとは支那側の記錄に見ゆる「城外新澗」てあり、ルイス・ペレスが日本の來襲を恐れて更に遠く移さんとしたことも事實のやうである。唯明史に見ゆるが如き西班牙人がマニラ市內のパリアン破壞の事は比島側の史料には未だ見るを得ない。併し乍らマニラパリアンの城外移轉は總督暗殺事件を契機としてペドロ・ロハスにより彼の執政時代卽ち一五九三年の十月より十二月初の間に於いて爲されたと見るが前述の事情より妥當と思はれるのてあつて、ゴメス・ペレスの時とするのは時代の混同と思はれる。然しゴメス・ペレスが少くとも一五九一年頃パリアンを移轉せしめんとした意圖のあつた事だけは確實てあつて、恐らく皇帝の指令を俟たざる中に遭難したものと察せられるのてある。

次にルイ・スペレスが日本より來襲の風聞と、市の城壁に近過きるとの理由よりロハスの移したパリアンを更に移轉せしめんとした事は比支兩方面の史料より察せらるゝも、その實行有無については疑問である。當時日本との關係を見るに、一五九三年四月第二回の遣比使としてマニラに來着の原田喜右衛門は總督に秀吉の書を呈し、來島の事情を述べた結果、總督ゴメス・ペレスは返翰と共に答使としてペドロ・バプティスタ(Pedro Baptista)及びゴンサレス・カルバハル(Gonzales Carvajal)を派する事となり、一行は原田と共に同年五月マニラ出發、日本に赴き、名古屋にて秀吉に謁した結果、ゴメスの書に對する返書を得、バプティスタは日本に留まつて布教開拓に從事することゝし、カルバハルは翌一五九四年四月マニラに到着した。而して彼の持參した秀吉の返書には依然招降を希望した強硬なる文字が連ねてあるか、其の中に、

多數の部將は行きてマニラを占領するの許可を與へられん事を予に請ひたり原田及法眼は之を聞き、予に告けて內繒見地より彼地に行き、又當地にも來るか故に敵なりとは思はれすと言へり。是故に予は兵を派遣することを見合せたり。(43)

とあり、又クンキン(Kunquın)家(法眼家)にては比島遠征を計畫準備せる事なとアントニオ・ロペス(Antonio Lopez)の陳述に見ゆる事などより徵し、比島側にては愈、

日本軍の遠征を感じた事が「會有傳日本來寇者」となつて現はれたものと思はれる。即ちパリアン再轉の議も考へられたのであらう。併し乍ら日本來寇もなかつたので其必要もなくなり、又前掲のルイスの手紙によつても少くとも五千人以上の支那人が本國に歸還せしめられた事より移轉は實現されなかつたであらう。尚この頃即ち一五九四年初頭、吉例の如く多數の支那船來航したが、何れも物資積載殆んどなく、武器滿載し其上七人の支那官人乘船してゐた。此事に對し比島側ては彼等はコメス・ペレスのテルナテ遠征により比島防備力薄きを知つて征服に來航したものなりとした。然し支那官人等は來航の目的は、支那より許可なく比島附近に流浪する支那人逮捕の爲なりと辨じたが、比島側では信じなかつた。(15) 實際支那官人等の目的が奈邊にあつたか不明瞭てあるが少くとも比島側ては之を征服の目的と觀取したのは明かてある。モルガも、

彼(ルイス・ペレス)は特に支那人及び居住地パリアンに關する適當なる手段を講じた。(16)

と此事件とパリアン問題を關聯せしめ、何等かの變化のあつた事を暗示してゐるが、之は前述の日本來寇の噂と共にルイスをして再移轉せしめんとする原因となつたのであらう。唯今後のパリアンの推移については史料不充分にて二ケ

年程見當らぬか、コメス・ペレスの後任として正式に西班牙本國より比島總督に任命されたフランシスコ・テイヨ・デ・グスマンに對し一五九六年五月二十五日付で皇帝フェリッペ二世より示された指令の中に、

上記の支那人は以前市内に住みたるもゴメス・ペレス彼等を外に移したるに、近頃指定したる地所を離れて市に戻りたりといふ。彼等は私人の宅に於いて取引に從事す。彼等は一人も教徒ならさる由を以て、此事を許容する事宜しからす、市に近き他の離れたる居住地を指定するが宜しかるべし。此の事は熟慮を要する事にて貴下が該島に到着するや否や、貴下、大司教及總務廳は支那人に對し居住地として、我々が殆んど信を置き得ぬ人種から生ずる迷惑に對し最大の安全性を持つ場所を市外に調査し決定すべし。(17)

とある所より、ルイス・ペレスの時追放を免れたる支那人はパリアンを離れ漸次市内に戻つたと覺しく、恐らく、パリアンは無人の虚と化したのであらう。從つて新パリアン設置が指示されたものと見える。然るに一五九六年七月六日付でモルガがフィリッペ二世に奉つた書翰には、

新パリアン、余か來島の後、支那人の爲に、城外サント・ガブリエル(Santo Gabrief)の外側に建設さる。[48]

と明記あり、ティョの來島(七月十四日マニラ着)以前に、少くとも、一五九五年六月より九六年七月初の間[49]に建設を見た事か知られる。卽ち總督ルイス・ペレス及びモルガ等は皇帝の指令を俟たすしてマニラ東北隅パシック河南岸の地にパリアンを作つたのてある。

併し乍らこのパリアンも一五九七年初火災にて燒失したらしく、同年四月廿九日付總督ティョの書翰に、

約二ケ月前、支那人のパリアン、巨額の財産と共に燒失せり。余は其夜燒失を免れたる僅かの人の財產の管理に努めたり。パリアンは市に近接するも、火は市に及ばさりき。萬事處理されて後、余は彼等にパリアン再建を許したるも、以前ありしより更に百步、市より遠方に離したり。[50]

然し實際は以前とほゝ隔らさる地に建てられた事は、一六〇三年叛亂の際の記事に。

我が軍は此等と同じ支那人の生絲市場(卽ちパリアン)に火を放ちたり。こは城壁より約二十步の所にあり。[51]

とあるに依つて明かである。

この再建後は移轉される事なく、一六〇三年支那人暴動の時に至つたものゝ如く、其間先には一五九六年に一萬二千人の支那人追放の事あり、其後六、七千人又追放をうけ、一方政廳當局者に於いては後述する如く種々の理由より支那人制限、パリアン廢止の策など提出されたにも拘らず一五九九年の頃は家屋約三百軒餘、滯留人員三千人に及び、(32) 又一六〇二年總督ペドロ・ブラホ・デ・アクニャ(Pedro Bravo de Acuña)着任當時には約四百軒、人員約八千人餘にまで澎張したのてある。モルカの著「比律賓記事」に見ゆる十七世紀初頭の頃のパリアン及び在住支那人の現狀の記載は誠に要を得その全貌を窺ふに足る文てある。即ち、

これらのマニラ在住支那商人及工人は一六〇三年の叛亂以前はパリアン及びその店舗に居住してゐた。パリアンは市の城壁より幾分離れ、多くの通路ある長い圍繞された生絲市場てある。河に近く、その位置はサン・グラビエル(San Graviel)—又はサン・カブリエル)と呼はれる。其處には裁判所及び監獄を有する彼等自身の頭領あり、助手あり、彼等は裁判を行ひ、安全に暮し、秩序を擾すことなきやう日夜監視する。

このパリアンに收容出來ぬ人々は對岸、河の他岸、トンドのある所のバイバイ(Baybay)及びミノンドク(Minondoc)(ビノンド)に居住する。彼等はトンド州知事の管理下にあり、彼等の敎化に努め其爲支那語を習得したドミニコ派の敎師の世話をうけてゐる。又必要な敎師を備へた二つの修道院及び支那人を治療の目的の病院一つあり。非敎徒と離れて支那人敎徒の一區あり、婦女・家族住し五百人を數へ、毎日洗禮をうくる者あり(中略)。

如何なる支那人と雖も、パリアン及びバイバイ、ミノンドクの居住地以後の地に居住又は家屋を所有することは出來ない。土人の居住地は支那人の居住地の内に、否その近くにさへも許されない。特別の許可なしに、支那人はこの市から二レグワ以上群島内に赴くことは出來ない。又更に城門閉じたる後は市内に夜宿泊することも出來ず、違反せば死刑に處せられる事になつてゐた。[54]

これによつてその位置、居住狀態など察知出來るのである。このパリアンはその居住民の増加と共に規模も大となつたが、一六〇三年の叛亂により燒失の後、發生した土人の部落サン・アントン(San Anton)及び日本人移住地ディラオ(Dilao)は何れもパリアンの一部であつた事[55]より察すれば、叛亂直前のパリアンの規模は北はパシック河岸より、マニラ城壁の外郭に沿ふて遙南なるディラオに迄及ぶ廣大なる地域を占めてゐたことが判明するのである。

(四) 一六〇三年の暴動とパリアンの再建

然るに以前マニラに住した支那人張嶷(Tiongúin)なるもの、[56] 機易山(カビテ)に産金ありとて採堀の議を朝廷に奏聞した結果、遣使の事定まり海澄縣丞王時和及于一成は張嶷と共に一六〇三年(萬暦三十一年)五月二十三日マニラに到着した。そして直ちにカビテに赴き調査したが元より無稽の事故、空しく引返した。併し乍ら此事は張嶷一人の芝居にて全然虚構であり、彼の目的とする所は何か不明であるか、比島政廳側にては、之を以て支那の比島征服の準備工作なりと見做し、在住支那人に對し漸く危惧の念を抱いた。市の防禦工事に狂奔し、在住支那人に壓迫を加へた結果遂に支那人側は謀叛を決行するに至つた。[57] 時同年十月四日である。この暴動の發端者は主としてトンド在住者であつて、パリアン在住民は殆んど加はるものなく傍觀の立場にあり、總督アクニャも同月六日パリアンを訪れ、參加する事なきやう懇願した程であつたが、暴徒漸時パリアン近くに來り、助勢を求むる事あり、ディラオに駐屯するに至つたので、連絡の患ありとなし、同日比島側の手により之に火を放ち全燒せしめた。之よりパリアン在住民は暴徒に組するに至り暴動愈〻大となつたが、比島側は日本人、及土民の援助を得て漸時之を壓迫し遂に之を遠く退散せしめ、(58)支那人の死者は二萬二千餘の多きに上り、在住民殆んど全滅、僅にガレイに逃れ得たもの五百人に過きぬ有様であつた。(59)

この支那人暴動は最初の支那人叛亂たるのみならず、比島殖民史上最大のものゝ一てあつた。此後比島、支那關係一時悪化し、支那遠征軍來航の風聞ありしも實現することなく收まり、翌一六〇四年初頭の來航期には平生の如く多數の支那船マニラに到着したが、彼等は前年の亂を全然知らなかつた。時恰もパリアン燒失の後とて、滯留する場所なかつたので、總督アクニャは彼等を市内の市民の家屋に收容せしめたが其數四千人餘に上つたといふ。(60) 併し乍ら一六〇六年検察官ロドリゲス・ディアス・ギラール(Rodrígnez Díaz Guiral)の報告によれば、この年滯留した支那人は四百五十七人とあれば、(61)殘りの支那人は商易濟むや歸國したと考へられる。而してこの燒失のパリアン再建如何につき、經濟上及び道德上より設置反對の意見強く、メキシコ貿易を行ふ三・四・五の三ケ月間のみ滯留を許可すべしとの議(62)も出たが、直面せる現實に支配され遂に又再建される事とな

つ。一六〇五年二月三日、時の大司教ミゲル・デ・ベナビデス(Miguel de Benavides.の書翰には、

支那人嘗て市中に、市場に、又當地にあつた所謂パリアンなる一大町に居住してゐたが、叛亂の後、上記のパリアン及び町は再建の命あり、今や新に建造され、上記の支那人非教徒再び居住してゐる。(63)

と見える所より、この執筆を距たざる頃、再建されたものらしく、一六〇五年の初頭と見るべきであらう。而してその位置について前掲の書翰に、

生き殘つて、現に新パリアンを維持する人々——パリアンは上述の土人の部落に近接し、古のパリアンの一部に建造せられた。(64)

と明に叛亂前のパリアンの住地の一部を占め、前述の如く、その他の部分が夫々サン・アントンの土人部落、ディラオの日本人部落を組成することになつたから、面積に於いては以前に比し甚だ小規模となり、僅にパシッグ河と城壁とに圍まれた一地をその敷地としたものであらう。

然し、パリアン再建は又、當然マニラ在住支那人を激增せしめ一六〇四年には四百五十七人の市內滯留者が、一六〇五年には支那より三千九百七十七人來

島、内三千六百八十七人歸國し、差引二百九十人の新滞留者を見、それにマニラ以外の地より入島せる者を加へ計千六百四十八人を數ふる事となつた。[65] 一六〇五年六月二十一日付、ドン・ベルナルディノ・マルドナド (Don Bernaldino Maldonado) の皇帝へ上つた書に、

彼等支那人に對する待遇は前年と同樣である。市内在住支那人は一千人に充たず、殘りは再建されたパリアンに住す。[66]

とあれば、差引七・八百人はパリアンに住してゐたと見られる。尙この數の從來に比し著しく僅少なのも當時のパリアンの規模を物語るものであらう。然し、翌一六〇六年には二十三隻の支那船にて六千五百三十三人來島したので[67]更に增大したらしく、總務廳では千五百人の支那人滞留を許可したが、[68] 實際は更に多かつた樣である。かくの如き多數の滞留許可は以前より幾多の反對論あつたにも拘らず、敢て實行したのは支那貿易よりの利潤、就中、入國税とも稱すべき滞留許可税の收入か目的であつた事はギラールの書翰によつても明白である。彼の書翰に、

常而、支那人の滞留を欲せざる事を宣言せるにも拘らず、彼等はパリアンと

名付くる昔の住地の跡に、多くの店舖を建設したる事は臣が送付せし公文書により知らるゝ如くなり。而して此等の各には四人の中、三人は住し、又中には更に多きものあり。若し制限せざればパリアン益〻大となるべければ、臣はこの店舖の建設に反對せり。今や叛亂前と同じ大きさになりたり。この惡結果は、陛下がこれらの店舖より受取らるゝ收入を市に許可したる事實より生じたるものなり。(69)

とあり、一六〇六年には規模既に叛亂前のそれに匹敵するに至つた程急速な發展を知ることが出來る。尙この年五月二十九日パリアンを視察したギラールの報告に依れば、

上記のパリアンは、この覺書によれば、九つの區より成立ち、各區には數多き、高低さまざまの店舖、住居より成り、これらすべての數は殆んど五百軒に近し。(70)

とその狀況を記してゐる。

かく全く舊に復したパリアンは其後暫らくの間、移轉又は燒失の事なく支那船の定期來航と相俟ち、順調に發展したらしく記錄に見ゆる事殆んどない。併

し乍ら此間と雖も、比島當局側に於いては支那人に對し常に警戒の目を以て遇してゐた事は日本人に對する場合と同一である。卽ち一六〇九年、フランソア・ウィッテルト(François Wittert)を司令とする蘭艦隊、モルッカ島より比島に來り、マニラを襲はんとする噂立つや、特に在住支那人に警戒を加へた事は彼等が蘭人と同盟を恐れたからであらう。(71)尙ロペス(Lopez)の「一六〇九年一〇年事件記」には、支那人叛を企てつゝありとの噂あり。それは西班牙人が支那人は信用置けぬ故、之を殺さんとしつゝあるからなりといふ。依つて總務廳の檢察官、パリアンに赴き、集會を催し一同を說得し、優遇を約したので靜まつた。若し彼等叛する事あらば、可成多數の事故、國內危險であらう。(72)と述べてゐるのは、何かしら西班牙人が支那人を危際視し、壓迫せんとした事情を物語るものであらう。

後述する如く比島當局に於いては支那貿易の絕對缺くべからざるものなる以上、支那人滯留元より歡迎すべきも、他方多數においては島內治安維持の必要から成るべく之を忌避することに努め、其折衷策として支那人滯留者數を約六千人限度と定め、此實行に努めた。國王よりも一六〇六年、一六二〇年、一六三二年と同趣旨の勅令發せられ、(73)代々の總督は盡力したが、實際は其數を超過する有樣であつた。一六二一年には許可を得て滯留する者一萬六千人、無許可の者は五・六千人あり、計二萬有餘人の支那人の在住を見たので(74)總督ファハルド・イテンサ(Fajardo y Tenza)は多數の支那人を本國に歸らしめ、許可なき者の滯留を禁止したが、(75)その事は永く續かなかつた樣である。故に成るべく敎化策により敎徒となし、之をパシック河の他岸ビノンドに移住せしむる事とし、支那人敎化は盛に行はれた。これと同時に從來各地に散居した支那人をパリアンに集めしめ、支那人はパリアン及びビノントの敎區以外に住居を嚴禁した。(76)

(五)一六二九年の火災及びパリアンの極盛時代　一六〇五年再建後比較的平穩を保つたパリアンは一六二九年初頭火災にて燒失した。卽ち此年二月十三日の曉、火を發し、五時間にして全燒したといふ。「一六二七年二八年事件記」によると、

(一六二九年)三月十三日夜半一時、一萬二千人餘の支那人住するマニラ城外の支那人パリアン卽ち生絲市場に火事起り、五時間以内に全燒した。二人て取卷く事の出來ぬ程の木材を持つ廣大な居住地が、非常な短時間內に燒落ちるといふ事は、

有り得べからさる様に思はれる。併しそれは異教支那人が神の怒りを買つた恐ろしい罪に對する火てあり、天罰てあつたに違ひない。すばらしい木造建造物たるドミニコ派の修道院及び教會は火災より免かれ、又耶蘇會所有の未完成てあつた一軒の家も焼け殘つたか、其他は盡く全焼した。[77]とあり、別の記録によれば焼失した家屋八百軒餘[78]とあるか、之はパリアンとして最大の規模とも稱すべきものであつた。この火災の時、總督ニン・ニョ・デ・タボラ(Niño de Tavora)は自ら、パリアンを俯眼し得る監視所に至り、支那人の動靜を注視したといふ。而してこの再建は間もなく舊住地にて起工せられ、四ケ月後に復舊した。而もこの大火災の原因が木造及び藁葺てあつた事に鑑み、新造パリアンはタイル葺とした。前掲文書に、

然し、四ケ月の歳月の間に、この生絲市場の大部分は、角に、街路に、同じ型の家が再建された。甚だ美麗なる外觀を呈し、マニラ市と同じ大きさである。三千人の人かその工事に從事したのでかゝる短期間に全く建造されたのは怪しむに足らぬ。[79]

とその規模マニラ市と略同様にある事と記してゐるより見れば、パシック河に沿

ふて東に擴大されたことを裏書するものであらう。尚本工事費は支那人により支辨された事も注意すべき一事である。[80] 此時より約十年間は、パリアン在住者最も多く、市區整然、商賈殷辰、正にパリアンの最盛期であつた。故に總督セレソ・デ・サラマンカ (Cerezo de Salamanca) は又もや在住支那人を四千人迄制限せんとしたが到底不可能であつたので、極力パリアン在住者の外住を禁じたが、住民の懇願を容れて嚴重なる許可制の下に外住者には特別税を賦課したが、[81] 之に依つても比島當局が如何に富源を求めてゐたかが察知出來るのである。この結果、再び支那人はパリアン及び敎徒として生活するビノンドの二地方以外に流出し、或はカビテに、又全島に移住散在する事になつた。加へて勞働者として比島當局に勞役を提供するものも多く、此か一面一六三九年の暴動ともなつて表面化するのである。

一六三七—八年の頃、比島を旅行した西班牙將軍ハニュエロス・イ・カリリョ (Bañuelos y Carrillo) の見聞によるパリアンは、市より一射程の距離にサンクレイ卽ち支那商人の住地たるパリアンが見られる。約二萬人住し、すべて商賣取引の爲、其地に引付けられた商人である。

それは彼等の住む順序美しき故を以て誠に興深い處である。各種の商品は各それ自身獨立した區を有し、この商品は甚た珍奇なもので最も進歩した國民にすら賞讃を博してゐる。パリアンは木造にすぎす、其處に住む支那人は武器を有しないが、其方面には强固な防備をせねばならない。支那人は甚だ元氣あり、且大膽なる國民であるのでその町に向つて幾門かの大砲さへ備えてゐる。經驗によれば、若し我々が要心せぬ時は從來も現在も危險に脅かされるのである。西班牙人の家にして、每朝、同處にて商品を取扱ふ商人の九人や十人見ることのない家はないのである。何となればすべての取引は彼等を通じて行はれ、西班牙人の食糧として用ひらるゝものすら、すべて彼等の手を經るのである。(82)

パリアンの組織及びその活動を單的に物語る興　る一文である。之を頂點としパリアンの對比島經濟界勢力は漸時衰へて來るのである。

(六)一六三九年の暴動及びパリアンのバイバイ移轉　一六三八年及び九年メキシコより比島に來航すべき予定の船、何れも不正事件の爲アカプルコにて抑留された結果、當然比島への金銀貨物資の補給は途絶し、折角支那船來航あるも商品購入困難となつたので支那商人はパリアンの店舗を閉鎖して歸國するものすら生じた。偶〻一六三九年八月四日、歸國の支那人を乘せた五隻の大船、マニラ沖にて、中二隻暴風の爲、岸に坐礁六百餘の溺死者を生ずるが如き慘事あつたが、一方メキシコよりの船は抑留を解かれ八月五日マニラ市民の歡喜の中に呂宋北部のヌエバ・セゴビヤ (Nueva Segovia) に到着したが不幸難破、百五十人溺死したが、この報によりマニラにあつて歸國せんとした支那人は多く下船再び彼等の店に戻つた。(83)

マニラ市民にとり一難去つたのも束間、此より三ケ月後の十一月には支那人大暴動勃發、未曾有の悲慘事を生ずるに至つた。卽ち總督セバスチアン・ウルタド・デ・コルクエラ (Sebastian Hurtado de Corcuera) は嘗てより財源增加の目的で皇帝領の增加を企ててゐたかその一としてラクナ湖 (Laguna de Bay) の西岸カランバ (Calamba) と稱する地に大開墾地を開拓する事とし、多數の支那人、農夫として從事せしめたが、待遇過酷であり、又氣候惡しき爲、三百人餘の死亡者を生じ、支那人をして多大の危惧を感ぜしめた。加へて各個人につき二五ペソの滯留稅及び地代を拂ふべき時期となつたが到底拂ひ得る狀態でなかつたにも拘はらず役人の督促烈しかつたので、遂に最後の手段として西班牙人に對し暴動を起すに至りこれが漸時マニラ地方に波及し大事件となつたのである。時、一六三九年十一月中旬てある。暴徒約三・四千人、近隣を攻略、サン・ペドロ (San Pedro) の村を占領後、西班牙軍と和議中、伏兵の爲千五百人殺された結果、再び反抗、次てマニラ近郊のサカール (Sagar) 及びサンタ・クルス (Santa Cruz) の支那人武器をとつて加はり、十二月二日にはパリアン支那人遂に立ち、爲にマニラ市内は大混亂に陥つた。政廳側ては此際徹底的彈壓をなすことに決し、土人及び日本人の援護を得て、先つ市内の西班牙家屋に住む支那人を殺したのを手始めに、パリアンに火を放つて全燒せしめ、結果、市内にて、又河中に溺死する者、パリアンにて燒失のもの約三千人に及び、慘禍は次にカビテ在住の支那人に及び、十二月五日全住民殺害の命あり、依つて千三百人殺され、其他ブラカンにては三百人、パンパンガにては六百人、パンガシナンにては六百人、其他タール・バラヤン、サンバレス等支那人住する處盡く慘を蒙り、亂は翌年二月十五日に至り約八千人の支那人マニラ復歸を機に收まつたが、殺された支那人は二萬三千人に及び、全島支那人殆んど全滅といふ比島華僑史最大の慘事はこゝに終りを告げた。[84] 尚叛亂當時支那人在住者はマニラ及びその近郊にて約三萬五千人他の諸地方にて約一萬人の多數であつたが、これに對する比島側は步兵三十人、騎兵三十人、日本人五十人、シヤオス七十人、それに一萬餘人の土人といふ劣勢であつたが、[15] 支那人は農夫及び商人の如き非戰鬪員であつたからその勝敗は當初より寧ろ明白であつた。

この叛亂の原因は上述の如くであるが、勃發に先立つ事約一年、一六三八年暮、支那人海賊比島沿革掠奪の報あり、支那人中にはパリアンより逃れたるものもあつたといふ。[86] 依つて比島當局てはマロート (Maroto) 引率の船隊出動一時收まつたが、又起つたので翌年一月ペトロ・ベルムデス (Pedro Bermudez) 出發、中旬ミンドロ沖にて海賊船八隻に遭遇、後又之を討つて六十人の支那人を殺し、他をマニラに護送、取調中圖らずも支那人か比島擾亂の陰謀を計畫せるを發見したといふ。[87] 然し之か前述の十一月の暴動と關係如何は不明瞭てあるが、比島當局者には又々對支那人感情を惡化せしめ、延いてはかくも殘虐な振舞をなすに至つたものてあらうと推測されるのてある。

この叛亂後前述の如く八千人の支那人復歸は、又々パリアン再建を必要としたものらしく間もなく新パリアン設立を見たが、此度は從來と位置を異にし、パシック河の對岸ビノンド地方に移つたのである。恐らく舊住地の被害程度甚大で復舊に容易ならさる爲と推察され。一面この理由より三月を距る事遠からさる時期の移轉と想像されるか、年月不明である。この新パリアンについて、ドミニコ派教師サンタ・クルス(Santa Cruz)の著「ドミンコ派比島布教史」によれば、

總督閣下(コルクエラ)は上記の被征服民(支那人)が再ひ戻つて、昔の住地に自由に滯留するを好まず、マニラの北西、河の他岸、海と溝渠との間のビノンド村の一地てエスタカーダ(estacada)、土人がバイバイと呼ぶ地にパリアンを建設したり。併し船の救援や危際を冒して、必需品を同所に求めに出掛けるには市にとり不便であり、且又教徒にとり、かゝる異教徒の間に置かしむるやうするのは甚だ近所惡き事等より大なる不利益を生じたるも、かゝる場所に定められたり。(88)

とあり、又カシミロ・ディアス(Casimiro Diaz)の「比島征服史」には、

之(パリアン)はマニラの城門より遠く距つた、然しサンチ「ゴ要塞の大砲の着彈距離内にあるラ・エスタカーダ(この目的の爲に垣を繞らした地なる故、かく呼ばる)に置かれた。この結果に基く幾多の不便や、土人教徒の風俗紊亂の恐れあるにも

拘らず、政廳當局は支那人を他の如何なる地にも定住することを拒んだ。併し支那人は同處に僅かに一ヶ年滯留したに過ぎず、火災起つて、パリアンは其處に賣出されたるマニラ市民に屬する多量の物資と共に全部燒失した。[89]以上の二文によつてこのパリアンがパシック河を距てゝマニラ市と反對側海岸に近き所に約二ヶ年存在したことを知るが、筆者不明の一六四一年頃のマニラ近郊スケッチ圖に見ゆる新パリアン(Nuevo Parian)とはこのパリアンを示したものに外ならない。[90]而もこの移轉の原因は舊地の荒廢の外に對支那人警戒の意味が含まれてゐるやうてある。然し此パリアンは一六四二年或夜、祭の最中に火を發して全燒、[91]又々移轉が問題となつた所より見れば、少くともこの地への移轉は一六四〇年内と類推し得るのてある。

(七)舊地への復歸。屢次の暴動　一六四二年の火災について、サンタ・クルスに依れば、

恐らく最早燃燒すべきものが殘つてないと見え、この村(パリアン)の火事は遂に收まつた。生じたる損害を評價する事は容易ではない。併し乍らパリアンを、叛亂以前にあつた昔の位置に、再び建設する事によつて若干の慰安――我々が神

の攝理を動かす他の高い目的を持たねばならぬ事に關する以外——を得たのであつた。[92]

とあるが、移轉の時期を明記してゐない。所がディアスには、新總督ディェゴ・ファハルド (Diego Fajardo) 着任の事をのべ、

着任するや否や、彼は支那人のパリアンを現在の位置に移した。以前程餘裕を有してなかつたが、勅令によりかくなすやう命ぜられた。[93]

によつて着任の一六四四年八月十一日以降、程近い頃の事のやうである。このパリアンは後述の如く叛亂前と住地を同じくしてゐるからサンタ・クルスの文に見える「火事燒失により移されたパリアン」の樣に思はれる。然し火災は一六四二年であり、之は四四年であれば、その間パリアンは存在しなかつたのであらうか。事情を物語る他の史料も。又ディアスの文に見ゆる勅令の內容も知るを得ないので不明である。

このファハルドのパリアンは一六七八年まで約百餘年同じ位置に存續し、支那人貿易、否比島經濟界の中心地をなしてゐた。一六五〇年頃には二百人程の大工及び同數程の理髮師の如きパリアンに住居せる記錄あり、[94] 一六六二年付のレ

トナ (Letona) の「比島紋述」中のパリアンは、
市の東方にして、市外、城壁に面して一射程の距離にパリアンと呼ぶ生絲市場あり、通常一萬五千人の支那人住す。彼等はサングレイにして大支那の住民なり。すべて商人又は工人なり。而して彼等は街路及び廣場により區分せられて、この社會に必要なるすべての種類の商品及び取引を含む店舖を有してゐる。場所は甚だ秩序よく、整然として、市民には甚た便利なり。彼等は少數なれど、多數の使用人を有するは彼等の偉大性の表徴なり。彼等は木造の家に住み、自國民の頭領及び、西班牙人の知事あり、又裁判吏・書記あり、又監獄も存在す。又管區教會あり、四千人の信徒に聖餐・聖語・埋葬等執行せらる。殘りの者は非教徒なり。(95)

と略ょパニュエロスの記事と同樣の事實を記してゐる。

然るに一六六二年五月五日、伊太利人トミニコ派教師ビトリオ・リッチ (Vittorio Ricci)、鄭成功の使者としてマニラに來り。總督マンリケ・デ・ララ (Manrique de Lara) に招降を求めた書を呈するや、市民一齊に激昂し、市民會を開催の結果、その報復手段として全島在住支那人追放の決議をなしたか、この强硬手段を聞いた在住支那人大いに動搖し、以前の如き慘事起るを恐れ、パリアン其他居住地を離れ逃亡を企てた。中には河に落ちて死ぬ者、自殺する者あり、殘留の者もパリアンの店舖を閉鎖し姿を隱すに至つた。總督ララは之を見て一方西班牙人を抑へ、他方支那人をなため、漸時パリアンに歸らしめたが、騷動の際、市民・支那人間に若干爭鬪起り、双方殺さるゝものあつた。パリアンに收容された者は士人の監視の下に置かれ、次いで附近要塞强化の勞役に從事したが、翌一六六三年四月再びリッチマニラに來り、鄭成功の死を告けその企圖消滅するや、全く平靜に復した。(96)

此事件後二十三年、一六八六年又もやマニラパリアン住民に暴動が起つた。併し之は一部の不穩分子の策動て、卽ち支那より罪を逃れてパリアンに住した一味が、以前よりの住民て罪あり出獄したティンコ(Tingco)なる者と共謀・掠奪を計畫し、八月、先づペトロ・デ・オルテガ(Pedro de Ortega)を殺し、次いでパリアン知事ディエゴ・ビビエン(Diego Vivién)を襲擊したが、間もなく政廳側の手により鎭壓されたが、一味は約三百人の支那人て全く一部分子の仕業てあり、政治的意味を有するものではなかつた。(97) 併し乍ら此後は益々在住支那人の數を制限するの必要を認めたが、實際に於いても在住者は次第に減少の傾向にあつた。之は一面地方への流出の故でもあるが、他面彼等の商業上に於ける獨占的利益は漸時西班牙人に奪はれて行つた事を示すものであらう。其後比島政廳内部に於いては總督と大司教間の軋轢甚しく、總督の交迭頻々として、加ふるに土民各地に蜂起し、治績は一向擧らざる有様であつた。比島統治當初より支那人に對し常に警戒視した政廳では益〻その嫌疑を濃くし、向の一六八六年の暴亂後は支那より來る者と在住支那人教徒との交際を嚴禁せんとし、又土人との交易さへも停止せしめんとしたが實際は何等行はるべくもなかつた。[98] 一七四五年バラヤンの土人叛した時も、支那人暴動の噂あり、事實無根であつたが總督ガスパル・デ・トレ(Gaspar de Torre)はその衝動をうけて病死する事など[97]あり、次の總督ホセフ・デオバンド(Joseph de Obando)も着任早々、豫て支那人追放の勅令をうけてゐたので、協議會を開き議せんとしたが、瑣細の事より司教と紛爭起り、肝心の議事については何等決する處なかつた。[100] 要するに此時代の政廳には有能の人全くなく、私事に日を送り、重要政策は一として之を爲す事なかつたから、支那人に關しても結局推移するかまゝに放任されてゐたものと察せられる。

(八)アランディアの生絲市場創設と其の後のパリアンの興廢

オバンドの次に總督の職についたマニュエル・デ・アランディア (Manuel de Arandia) は其時代に於ける有能の總督で、彼も又支那人追放の勅令を受けて來任したので、この解決に當るべく、一七五五年從來の市の東北部にあつたパリアンを廢し、ビノンドのサン・フェルナンド (San Fernando) に生絲市場を建設し、支那人を同處に居住せしむる事にした。マルチン・デ・スニガ (Martín de Zuñiga) の比律賓史には、

彼(アランディア)はすべての異敎徒を故國に送還し、今後比島に滯留する事なきやうサン・フェルナンドの生絲市場を建設し、當地に取引に來る支那人は、すへて彼等の帆船の出帆の時期來る迄は同處に滯留せねばならず、時期來ればすべて乘船すべき事とし、たゞ土地耕作の條件で當島に居住を許されたる敎徒は之を除外することになつてゐた。支那人の居住に利害を有する西班牙人は彼に說いて、若し彼等を追放せば、國內貿易をなすに事缺くてあらうと述べたので、このつまらぬ口實に屈して、彼は西班牙人と混血兒との商業組合を作つたが、僅かに一年しか繼續しなかつた。(101)

とあり、この年六月三十日を以て、敎徒として滯留許可されたる者五一五人、

教養勉學の故を以て特に許可されたもの、一一〇八人、追放された者、二〇七〇人に上つたといふが、(102)嘗ては三萬餘人を收容したマニラ市も僅に三千餘人の支那人在住してゐたに過ぎなかつた事を窺ふことが出來るのである。

アランディアにより見捨てられたパリアンは其後如何に推移したか。スニガの文にも一應觸れてゐるが、パルド・デ・タボラ(Pardo de Tavora)によれば、

支那人がパリアンにて有してゐた活氣ある取引は、西班牙人の貪慾を見覺ましめ、マニラに於いて全く商業上の中樞てあつたかの市場の店舗を我物にせんと望んだ。この事が勅令を以て追放を行つた原因なる事は疑ひない。何となれば總督が勅令を發するや、之に應してサント・トミンゴ派の援護の下に、

支那人の舊住地を占領し、同處に於いて支那人との取引を繼續せんとする目的を以て、一組合が西班牙人によつて組織された。この組合は一年以上活動しなかつた。一七八四年、マニラ城塞により可成危險なりとの故を以て、王はパリアンの教會及び家屋の破壞を命した。(103)

とある事により略事情を察する事か出來る。而もこのサン・フェルナンドの生絲市場の建設は一七五八年九月七日の勅令を以て確認されたから、(104)從來のパリアン

は實際廢止された譯であるが、事實は此後約二十年間多少なりとも存續してゐたことは前掲の如き事情によつたものであらう。

歐洲に於ける七年戰役は殖民地に於ける英佛の抗爭となり、西班牙又佛國に加はるや、西班牙と英國との爭を生ずる事になり、英國はその强大なる海軍力を以て西班牙の殖民地、アメリカ方面にてはキューバ等を、極東方面にては比律賓を攻略する事に決し、この命をうけた司令官コーニッシュ(Cornish)、參謀長ウィリアム・ドレーパー(William Draper)[105]は印度マドラスを出帆、一七六二年九月二十三日、十三隻の船舶、二千三百人の兵を乘せてマニラ灣に姿を現した。比島側では、之に對し武備薄弱、不完全であつたので、英軍忽ちマニラに上陸、瞬く間にマニラを占領、多數の西班牙人を捕虜にしたが、此後、約十八ヶ月間、英人は比島の首都を占領したが、此期間在住支那人は從來の迫害に對する反抗意識より終始英人側に加擔、食糧補給し、又共同して西班牙人攻擊に從事した。之は土人が西班牙人側に從つてゐたのと對象をなしてゐる。殊に總務廳の審議官として、後には總督となつたアンダ・イ・サラサール(Anda y Salazar)、一七六二年十月難を避け、都をパンパンガのブラカン(Bulacan)に移し、偶ゝ近くのグヮグヮ(Guagua)にあつた時、パンパンガに在住の支那人及びパリアンより來つた一千人の支那人は英人の使所をうけて、アンダ暗殺を企てたる所、未然に發覺、十二月二十日蜂起したが、[106]敗れ逃れたが、一八一人は殺害又は自殺をとげた。この逃亡した者、マニラに戻り英人に告報の結果、英人のブラカン攻略となり、支那人及び反逆西班牙人若干加はり出發したが失敗、次にキィアポ攻擊にも支那人加はる事あり、この爲西班牙人の對支那人感情益〻惡化し全支那人殺害すべしとの意見も生ずるに至つた。かく見る時この時代にはパリアンに支那人住居する者可成あつた事が想像せられるが、マニラ占據の際の英西人爭鬪の記事に、パリアン附近に支那人居住の事記さぬ所より見れば、支那人は英人攻擊の報にすばやく他に移行し、或は近隣の部落に逃避したものではなからうか。英人退去後の一七六四年六月二十二日アンダより皇帝カルロス三世 (Carlos III) に奉つた書翰中に、占據當時の支那人に對する處置を述べて、

マニラのパリアンに住する住民の多數、パンパンガに入り、其地方に住む支那人と綜合して軍備を整へんとした。爲すべき事は彼等の武裝を解除してパリアンに送還するにあつたが多くは武裝して現はれ、彼等は平和になり、武

器は陛下に奉仕の爲に用ひらるゝものなりとの證書を與へることを申出た。(107)とあり、パリアン在住者、住地を離れ、その一部分の一千人(108)かパンパンガに赴いた事實を知るのである。かゝる事實に鑑み、西班牙人側ては不取敢、總務廳よりの許可なき者は州に居住を禁じ、又は規定以上の滞留を禁じたが十分履行されず、パリアンより自由に川に出入したので州知事に命し支那人のリストを作らしめ總務廳の許可なき出入を禁じ、州よりマニラ、カビテに赴く者は財産沒收する事と定めたるに、大體好結果を得たといふ。(109)然しマニラを占領されたる西班牙側としては之が十分なる取締は不可能であつたに相違ない。而して前述のアランディアの生絲市場によつて此迄殆んど同意味に用ひられたパリアンとは此に初めて區別されたが、一方の生絲市場も支那人敎徒の居住地に使用されたが、こゝに居住の支那人も英軍に加擔した結果は、漸時單なる支那人居住地ではなくなつたらしい。一七六五年七月九日ビアナ(Viana)は總務廳に對し、

パリアン及びアルカイセリアの支那商人等は、先般の謀叛に對する罰として、並びに彼等がマニラの小賣取引を獨占支配し、かくして西班牙人の店主に損害を與へるとの理由に依つて、當島より追放し、その物資を沒收すべき事を

要求した。又彼はパリアンの既婚支那人はサンタ・イネス (Santa Inés) に送り一種の刑罰殖民として、鑛山にて勞働せしめ、又附近の土地を耕作せしむべしと提案せり。(110)

とある事はこの邊の事情を物語るものである。この結果、一七六七年には支那人多く追放されたか、此際の事情について當時比島滯在中の佛人博物學者ル・ヂェンティル (Le Gentil) は、

マニラ在住の西班牙人にして、眞に支那人の出發を後悔しなかつた者、及び當群島がそれにより惱むであらう事を明に認めぬものあるを知らなかつた。上人は支那人と置き換ふる事出來ぬからである(中略)パリアンは一種の市場で、同處では、生活必需の物品すべて見出された。即ち、西班牙人がこの勤勉なる國民を失つた事を後悔したのは無理からぬ事である。(111)

この言は當時の西班牙人の心情を畫いた適切な文字である。かくの如き追放あつたにも拘らず、支那船の來航は支那人在住者を生ぜしめ、今後の政廳の對支那人處置は誠に煩はしき程の頻繁さてあつた。卽ち一七六九年總督ホセ・ラオン

(José Raon により追放の命發せられたが[112]十分行はれず、一七七八年には再びマニラ歸還を許され、[113] 一七八四年には前述の如くパリアンの教會及び住宅の破壞が命せられた。即ち一六四四年テエコ・フ・ハルト總督により建設されたサン・ガブリエル地のパリアンは遂にその存在を失ふに至つたのである。翌一七八五年二月二十五日には全支那人即時マニラ追放が命ぜられた。[114] トマス・サンス(Tomás Sanz)の一七八四―五年頃のマニラ市図に依れば、パリアンには殆んど僅か二三の建物が畫かれてゐるに過ぎぬから、[115] この頃破壞されたものであらう。モンテロの「比律賓史」によれば、前述の一七八五年二月二十五日に、追放を命ずると共に、他方一定數を限つて住居する爲に、城外に一地を與へたと記してゐるが、ブラボ(Bravo)の比島地名辭典に一八四〇年代のマニラの市内にあるパリアンは總督バスコ・イ・バルガス[116] (Basco y Vargas)(在職一七七八―一七八七)の時に建設されたとあるのと同一事を示してゐるのではなからうか。ブラボに依れば、本パリアンはレコレクトの修道院とサン・フランシスコとの間にありとあるから現今のアラウリョ(Araullo)高等學校の處と覺しく、かく考ふれば、比島政廳としては一應舊パリアンを破壞はしたものゝ、ヂェンティルの觀察した如き事情より又々再建の必要を感して、皇帝に訴へたる結果、今度は市內の一地に建設したものと思はれる。このパリアンに就いて、一七九六年十月―十一月交マニラに滯在した佛人ヅ・ギーニュ(de Gunes)の見聞する所によれば、

市に面したるパリアンは最も考慮せらるべき所と思はれる。數條の街路あり、サングレイと呼ばるゝ支那人住居する。彼等のすべては工人・鍛冶屋又は商人で其數現在三千人なり(中略)。此等の支那人には甚だ嚴酷な見張り番おかれ、區長及び若干の西班牙人役人警察權を握り、特に新年には可成多額の金を強請するといふ話である。[117]

と記してゐる。他方一般支那人に對する政策を見るに、一七八五年四月一日付でパンパンガのカンダバ(Candaba)湖畔に支那人二百人の殖民地建設が認められ[118]てより支那人の地方移住の傾向助長せられたが、一八〇四年、既婚者を除くマニラ在住支那商人八日以內に退去を命ずる勅令發布さるゝ等、[119]一方に追放を命ずるや、他方滯留を許可する如くその變轉目まぐるしい程て彼等政廳の苦悶が察知せらる。偶〻一八二〇年十月マニラにコレラ蔓延したが、病源外國人の傳播によるとの風聞より、外國人襲擊の事あり、其に伴ひ多數の支那人殺さるゝ椿

事勃發した。[120]　一八二八年四月六日の勅令では各商賣に從事する者の稅額を決定し、又未婚者は六ヶ月以內に歸國を命したが、歸國した者八百人餘、人頭稅未拂の爲、勞役に服した者四百人餘、一千人餘は山中に逃亡したといふ。[121]　かゝる勅令は其後屢〻繰返されたが、一八四三年には支那人店舖は他の外人のそれと同條件におかれる事になり、[122]　此後は支那人に對する壓迫は漸時輕減されたが、この頃支那商人は多くビノンドに店を構え、パリアンの支那人は少數になつた樣に察せられる。マニラ市のみならず、全比島に支那人分散した事は、結局に於いてパリアンの存在價値を喪失せしむる事となり、一八六〇年八月三十日、パリアン破壞命ぜられ、遂に四世紀に亙り、[123]　マニラ貿易の中心地として特殊の位置を占めたパリアン消滅し、現今は先のガブリエルの地に一七八二年建造された城門のみ殘り、敷地は或は公園に、參謀本部に又、學園にと化したのである。

パリアン店舗及び人口表

年代	店舗	人口
1588	150軒	600人
1589	——	2000人
1591	200軒	2000人
1599	300軒	3000人
1602	400軒	8000人
1605	——	700人
1606	500軒	——
1628	800軒	12000人
1637	——	20000人
1645	1200軒	
1662	——	15000人
1687	——	6000人
1796	——	3000人

本表によりてその最大規模は一六三七―四五年、即ち三九年の暴動前後の頃と察せられる。

パリアン移動表

年代 ＼ 場所	マニラ市内	サンガブリエル地方	ビノント地方	備考
1582–1593	■			
1593–1594		■		1593年　コメス暗殺さる
1595–1603		■		1603年　支那人暴動
1605–1639		■		1639年　支那人暴動
1640–1642			■	
1644–1784		■		1755年　アランデアヒノンドに生絲市場建設
1785–1860	■			1860年　パリア廢止

註

1、一五七一—二年、来航船あるも隻数不明、一五七三年八隻、一五七四年六隻、一五七五年十二—十五隻来航あり。

2、Phil. Isls. Vol X. p. 259.

3、Phil. Isls. vol VII p. 220

4、ibid.

5、Morga-Retana. p. 23. Phil. Is vol XV p 56

6、Phil. Isls. Vol V. pp. 236–237 本文書は Retana, "Archivo del bibliofilo filipino" より採録したるもので、原文書には無日付であるが、レターナは之を一五八三年と比定してゐる。併しその根拠は明かでない。私は之を次の理由より一五八二年に比定する。即ち、例へばフランシスコ教師ペドロ・デ・アルフアノ (Pedro de Alfano) が一五七九年支那に赴いた事を三年前と記す如くしてある (p. 250)。尚 (Phil. Isls. Vol IV. pp. 308–309 参照)。

7、Phil. Isls. Vol VII pp. 222–223.

8、Enciclopedia universal Tomo XLII Parian. Foreman, op. cit. p. 265. Montero y Vidal, José Historia general de Filipinas. Madrid 1887–1895. Tomo. I. p. 84.

9、Torres y Lanzas, Pedro. Catálogo de los documentos relativos a las Islas Filipinas (Pastells, Historia も同様 Tomo II p. 113.)

10、Phil. Isls. Vol VII. p. 224.

11、Pastells, Historia. Tomo II p. CCXXXIII.

12、Phil. Isls. Vol VII p 228

13、Colin-Pastells, Labor Evangélica. Tomo II. p. 676.

14、Phil. Isls. Vol VII. p. 230

15、Pastells, Historia Tomo V. p LX

16、Phil. Isls. Vol VII. p. 229.

17、Phil. Isls. Vol. VIII. p. 97.

18、Phil. Isls. Vol. VII. p 225.

19、Phil. Isls. Vol. VI. p. 168

20、Colin-Pastells, Labor Evangélica. Tomo I. p. 450 nota

21、Phil. Isls. Vol VI. pp. 167-168.

22、Phil. Isls. Vol V. p. 237.

23、Phil. Isls Vol VII. p. 155.

24、Phil Isls. Vol VI p 183.

25、Phil. Isls. Vol VII p. 164.

26、Pastells, Historia. Tomo III. p. CCXXXII.

27、ibid pp. CCXXIV-V.

28、Colin-Pastells, Labor Evangélica Tomo II. p. 53 rota Phil Isls Vol VIII. p. 290.

29、ibid. p p 307-8

30、Phil. Isls. Vol IX p. 231.

31、Phil. Isls. Vol X p 259.

32、岩生成一氏。南洋日本町の盛衰(一)、「呂宋日本町の盛衰」。(台北帝國大學文政學部史學科研究年報第四輯所收)頁二三五。唯この日本町――即ち後のディラオのそれの發生を明確に記述したものは見當らない。一五九五年五月三十一日付、フランシスコ・デ・ラス・ミサス (Francisco de las Missas) の書翰には日本人在住者千人にも達せるを述べ、その取締方法として、便宜支那人パリアンに共住せしむるがよろしと述べてゐる。(Archivo de Indias 67–6–29) このパリアンは其後間もなく、カブリエルに建設されたるモルガの云ふ新パリアンなるべく、(註48參照) 後述する如く本パリアンは大體に於いてディラオ村附近をもその住地としてゐたから、本史料はディラオの日本町發生事情を窺ふべき好資料であらうと思はれる。(尙註 55 をも參照の事)。

33、Argensola, Conquista. pp 199–200, 203-205.

34、東西洋考。卷五。東洋列國考。呂宋。

35、Argensola, Conquista. p. 199.

36、東西洋考。卷五。呂宋。

37、Argensola. Conquista. p. 200

38、Pastells. Historia Tomo III. p. CCCXIV.

39、明史。卷三百二十三。外國二。

40、許孚遠。敬和堂集。卷之六。請計處倭酋疏。

41、明史。卷三百二十三。外國二。

42、Pastells, Historia. Tomo III p. CCCXIV.

43、村上直次郎博士。異國往復書翰集。(異國叢書所收)頁五九―六〇。

44、Colin-Pastells. Labor Evangélica. Tomo II p. 65 nota. 尙一萬の兵士を送らんとすとある。

45、Pastella, Historia. Tom III. p. CCCXV. Argensola, Conquista. p. 212.

46、Morga-Retana. p. 33. Phil. Isls. Vol XV. p. 74.

47、Phil. Isls. Vol IX p. 231

48、Morga-Retana. Apéndice. p. 238. Phil. Isls. Vol IX pp. 268–269.

49、モルガは一五九五年六月十日、カヒテに着く。(Pastells, Historia. Tomo III. p. CCCXX.)。

50、Phil Isls Vol X. p 43.

51、Phil Isls Vol XII p 138

52、Phil. Isls. Vol X p 259.

53、Argensola Conquista. p. 338

54、Morga-Retana p. 225. 226.　Phil. Isls. Vol XVI. pp. 196–198.

55、Phil. Isls Vol. XIII. p 273, 277.

56、彼の傳記については目下未だ詳にし得ないが、マニラ在島中は椅子製造人又は大工であつたといふ。尚オイテン(Oy-ten)とも呼ばれた (Phil. Isls. Vol. XII. p. 103 105)。

57、Phil. Isls. Vol XII p 142.

58、ibid. pp. 141–168　Phil. Isls. vol XVI. pp. 31–41.

59、Argensola, Conquista. p. 337.

60、Phil. Isls vol XXXIV pp 441–445

61、Phil Isls Vol XIV p 150.

62、Phil. Isls Vol XIII 273.

63、ibid. p. 271.

64、ibid. p. 279

65、Pastells Historia. Tomo V p CCCXV.　Phil Isls. vol XIV. p. 150 尚一六〇五年には五千五百人來島の記錄あり。(ib.d p 51)

66、Phil. Isls Vol XXXIV p. 445.

67, Phil. Isls. Vol XIV. pp. 189-191.　Pastells, Historia. Tomo V. p. CII.

68, ibid pp 152–153

69, ibid p. 152.

70, Pastells, Historia Tomo V p CII.

71, Pastells, Historia. Tomo VI p LXXXVI

72, Phil. Isls Vol XVII p 105.

73, Phil. Isls Vol. XXII p 157.

74, Phil. Isls Vol XX p 96.

75, ibid. p. 153

76, Phil. Isls. Vol XXII p 289

77, ibid. p 212 尚同年八月四日總督タボラより皇帝に贈つた書翰には「一月の或夜」とあるも書誤りと思はれる。 (ibid. pp. 269–270)

78, ibid. p. 294

79, ibid. p. 212.

80, Medina, Juan de. Historia de los sucesos de la Orden de N. Gran P. S. Agustin de estas Islas Filipinas. Manila 1893. p 251

81, Phil. Isls. Vol XXVI pp. 139–140

82, Phil. Isls Vol XXIX pp 69–70

83, ibid. pp. 194–196

84, ibid. p. 202. 212–227 248–249

85' ibid. p. 257. Phil. Isls. Vol XXXV. p. 126.

86' Phil. Isls. Vol XXIX. p. 155.

87' ibid. p. 157.

88' Santa Cruz, Barthazar. Tomo Segundo Parte de la Historia de la Provincia del Santo Rosario de Filipinas, Japon y China. Zaragoza. 1693. pp. 49–50.

89' Díaz, Casimiro. Conquistas de las Islas Filipinas. Valladolid. 1890. pp. 456—457.

90' Phil. Isls. Vol XXXV. p. 171.

91' Santa Cruz. Historia. p. 50.

92' ibid. p. 51.

93' Díaz, Conquistas. p. 465.

94' Phil. Isls. vol XXXVIII. p. 55.

95' Phil. Isls. vol XXXVI. pp. 204–205

96' ibid. pp. 218–253.

97' Phil. Isls. Vol XLII. pp. 248–250.

98' Phil. Isls Vol XLIV. p 135

99' Phil. Isls. Vol XLVIII. pp. 141–143

100' ibid. pp. 153–154

101' ibid. pp. 180–183

102' Forman, The Philippine Islands. p. 266.

103' Liquete, Gonzales Repertorio Historico, Biografico y Bibliografico Manila 1930 Tomo III. pp. 296–297. Reconditeces de la Arcaicería.

104、Montero y Vidal, Historia. Tomo II. p. 8

105、西班牙暦では九月二十二日、又兵士の數も一萬五千人とあり。(Phil. Isls. Vol XLIX p. 129.)

106、ibid pp. 291–293.

107、ibid. pp. 262–263.

108、ibid. p. 263.

109、ibid. pp. 263–264.

110、Phil. Isls. Vol L. pp. 161–162 note

111、Phil. Isls. Vol LI. pp. 231–232 note.

112、Montero y Vidal, Historia. Tomo II p. 139.

113、ibid. p. 289.

114、ibid. p. 314.

115、Phil. Isls. Vol LI. p. 193.

116、Buzeta, Manuel. y Bravo, Felipe. Diccionario geográfico, estadistico, histórico de las Islas Filipinas. Madrid 1850–1851. Tomo II. p. 229.

117、Pinkerton, John. A General Collection of the Best and Most Interesting Voyages and Travels. London 1808–1814 Vol XI. p. 79.

118、Montero y Vidal., Historia. Tomo II. p. 314.

119、Jagor, F. Travels in the Philippines. London. 1875. pp. 347–348.

120、Phil. Isls Vol LI p. 139–42 note.

121、ibid. p. 53 51. note.

122、Jagor. Travels. p. 348

123、Montero y Vidal, Historia. Tomo III p. 296.

第三章　パリアンの行政組織と對政廳關係

第一節　パリアンの行政組織

前章にて詳述した如く、變遷に變遷を重ねたマニラのパリアンは如何なる行政組織を備へてゐたかに就いては、時代により、或は狀況により多少の相違あつた事は元より當然であるが、大體に於いて一定の形を持つてゐたやうである。即ち西班牙側に於いては、土人に對すると同樣、パリアンに對しても或る程度自治制を許容し、今日の治外法權的根跡も窺はれ、從つて支那人は同處に於いて故國に於けるが如き生活を爲し得たのであつた。今この代表的敍述として、モルガの「比島紀事」より引用すれば、

パリアンは河に近く、その住地は、サン・グラビエルと稱せらる。其處には彼等自らの頭領（Alcayde）あり、裁判所及び監獄を管理し、又助手若干を備へ、彼等に對し裁判をなし、晝夜見張り、安全に生活し得るやう、又秩序を援す

ことなきやう監督する（中略）。

彼等には、自國民にして、敎徒なる頭領(Gobernador)あり、吏員及び助手を備へてゐる。頭領は、家事及び商務の裁判の訴訟を聞き、それよりの控訴はトンド知事又はパリアン知事に、更に總務廳に通ぜられる。こゝでは、この國民に對し、又それに屬するすべての事に就いて特別の注意を拂つてゐる。(1)

モルガの著述に見ゆる所は大體一六〇〇年前後の狀態である事は前述した所であるが、比島華僑殖民史四百年間を通じ知り得る行政組織は、大體に於いて、モルガの記述より多く出ないのである。依て以下、之を基にしてその歷史的沿革を見たいと思ふ。

抑もパリアンは一五八二年創設されたが、實際に於いてその活動が著しくなり、マニラ貿易に至大の關係を有するに至つたのは一五八七年のドミニコ派敎師渡來以後の事であるから、その組織の具體化されたのも其頃よりと見て大過ないと思はれる。パリアン行政組織中、最も注目すべきは彼等在住支那人間に頭領を有してゐた事であるか、その創始期は不明瞭て、恐らく自然發生なるべく、管見の史料では一五九〇年、ドミニコ派の支那傳道計畫の際、斡旋に努めた支那人教徒フランシスコ・サンコ (Francisco Zanro) か支那人頭領であつたのが初めであるが、(2) 後述の西班牙人側の役人たるパリアン知事が既に一五八九年に任命されてゐるから、恐らく其以前にも存在したかとも考へられるが、要するにドミニコ派の在住支那人布教後の事であらう。其後に於いては、一五九三年ゴメス・ペレスのモルッカ遠征の際の支那人漕手徴發に當り、その人選方をパリアン頭領に依頼した事見え、(3) 又原田喜右衞門のマニラに於ける陳述に通譯に當つたアントニオ・ロペス (Antonio Lopez) も當時頭領たり、(4) 一六〇三年支那人暴動の首謀と目さるるエンカン (Eng-Kang) (教名、ホアン・バプチスタ・テ・ベラ (Joan Baptista de Vera)) も同様のものであつて、(5) 以後引續き存在した事が想像される。併し乍らこの頭領の支配範圍はどの程度に及んだか判然しない。制度により定められたる職ではないから本來常任のものでなかつたかも知れない。然し元來パリアン設立當時、既に在住支那人にして、パシック河對岸トンドの地方に住する者多く、彼等は大概教徒であり、其後パリアンより教徒となつて移住するもの漸時生じた事は前述した所であるが、此場合支那人頭領はパリアン・トンド兩地方の支那人を管轄したか否か問題であるが、支那人頭領は管見の限りでは基督教徒であり、モルガの記す如くである。併し、モルガの文は甚だ不明瞭であつて、支那人支配者を記す語として、前半には Alcayde 後半には Gobernador を用ひてゐる。前半はパリアン、後半は以外の支那人住地を記してゐるやうであるが、同様に支那人を支配する支那人を意味してゐるやうに察せられる。然し、マニラ支那人頭領二人あつた事は他に見えぬから矢張り同一人を記したものであらう。例へば、ミゲル・ロドリゲス・デ・マルドナド（Miguel Rodriguez de Maldonado）の「一六〇三年の支那人叛亂」なる文書中に、

バリスティリャ（Baristilla 卽ち、Baptista de Vera）は支那人教徒にて、當時教徒及人異教徒双方の支那人の頭領なり。(6)

とあるから、廣く支那人全般に對する支配者であつたと見るべきであらう。尚この頭領の選出方法は恐らく支那人一同の互選によつたものらしく、一五九七年八月二十九日總督ティョが皇帝への書翰に、

臣統治の來島した時、支那商人等は行政及ひ市會に於いて自由行動が許されてゐた狀態であつた。臣は、それより生ずべき紛擾及び當地の支那商人の莫大なる數（恐らく一萬人以上）を考慮して、行政上の諸權利を取上げたが、併し、

以前よりの慣習であつた彼等閒の頭領は殘した。(7)と述べてゐる所より、この職の永年存在した事を知ることが出來る。後世一八四二年頃の在住支那人社會にては、トント州知事司會の下に、教徒より頭領(Gobernadorcillo)を選出し(8)たのと同樣であらう。併しその任期等は一切不明であるが恐らく短期、不定のものであつたらう。唯こゝに興味あるのは、この頭領の職が金で賣買される事すらあつた事である。即ちディエゴ・アドワルテ(Diego Aduarte)の「ドミニコ派布教史」中に前述のアントニオ・ロペスの德を讃へたる條に、

此等の善き性質の故を以て、彼は屢〻止むなく自國民の頭領の職に就かざるを得なかつた。此事は彼が正しく且、憐み深きを知る故に、彼等に大なる悅びを與へた。この職は通常金で買はれ、時としては幾千ペソにて買はれさへするにも拘はらず、彼は無償でさへも其を望まなかつた。それて彼に無理押しする事が必要となつた。最早拒絕する事が出來ずその職を引受けた時、彼は貪慾へのすべての誘惑を避けんとし、初めより、その職より得られる利益のすべてを教會に獻納をした。(9)

と記してゐるが、こゝに見ゆる利權に就いては他にこれ以上知る事が出來ない。

又頭領は在住支那人の代表として、比島政廳當局との交渉の任に當つたが、モルガにも見ゆる如く在住民よりの種々の訴訟に及ばず、パリアンにある裁判所に送付したものである。併し、實際の裁判に當り如何なる程度の權利を有してゐたか詳かでない。一六〇三年四月十五日發布の法律に、パリアンの訴訟には、

パリアンの支配者(Governor of Parian)のみその訴訟裁判の第一審を施行し、(而る後)總務廳に控訴する事にあり。(一〇)

と規定してゐるか本文の支配者とは、西班牙人にして支那人を支配する者卽ちパリアン知事を指したるものと考へられ、支那人頭領は關與せざるものゝ如く、後述する如く、此後パリアン住民問題ある時は直接の支配者のパリアン知事に訴へすして、總務廳に訴出た事實が見られるから、控訴の權利のみ認められてゐたやうに思はれる。(一一)

以上の如き支那人側組織に對する比島政廳側の監督役人として第一に擧げらるべきはパリアン區知事(Alcaldia-mayor del Parian ó Arcaicería)である。元來比島地方制度の根幹をなすものは州(Provincia)て其長官を Alcaldia-mayor と稱し、時

には Corregimiento が任命された事もあつた。而してパリアンがマニラ市内に設置されてゐる時は勿論マニラ市廳の管轄下に屬し、其後、マニラ市外に移轉の後は當然トンド州の管轄下にあつたこと明かである。併し乍らマニラ市の行政區域は五リーク以内と定められてゐたから、(12) その地域內に存在するトンド州もその規定より言へば州として獨立存在すべき地てはなかつたのであるが、その地の重要性に鑑み、之をマニラ市より切離して州とし、長官卽ちトンド州知事(Alcaldia-mayor de Tondo)を置く事になり、又同樣の意味でパリアンも獨立區域として、之にも知事を置いたものである。卽ち元來マニラ市の管下にあるべきものが、マニラ市とトンド州に分れ、更に之にパリアン區を加へて三分の如き形を呈するに至つたのである。本來かゝる、性質のものであつたから、時により存在しなかつた時もあつたのは當然である。例へば總務廳の財務官イエロニモ・デ・サラサール・イ・サルセド (Hieronimo de Salazar y Salcedo) が、一五九九年七月二十一日付皇帝への書翰に於いて、比島の地方行政區域整理の意見を述べた條に、

トンド村及びマニラ市の沿海地方に――すべて此等は市の郊外であり、外郭である――總督は、別の州知事及び武官を任命してゐる。併し、其等は皆、

陛下の恵みにより、とのマニラ市が管區として所有する五リーグ以内にある。——市長(Alcalde de ordinario)は上記のトンド州の知事の區域全部に司法權を執行するを常としてゐる。即ち、市長は城外にて、權力を以て行使し、又逮捕出來るのであるが、現在では城内のみに過ぎない。故に若し陛下御希望あらば、トンド州知事を廢止し、それに代るにこの市の市長を以て統治せしめ、二人の中、一人は一年の中六ヶ月勤務し、一方他の一人はこの市に居らしむるがよろしかるべし。(13)

と述べてゐるのはこの邊の事情を明にするものであつて、此建議により、一六〇二年の新總督アクニャへの皇帝の指令中には廢止すべきやう指示してゐるのである。(14)

管見によれば、パリアン區知事の名は一五八九年、時の總督サンチャゴ・デ・ベラにより任命されたアロンソ・マルトナー(Alonso Maldonado)か初見であるが、(15)前述の如き本職の成立過程より見て、大體この頃の創設と見て大過ないと信ずる。而して本知事の待遇も他の諸州知事のそれと同一て年額三〇〇ペソの俸給をうけ、多く武人出身者のやうに思はれるが、パリアンの盛衰に伴ひ、この官職も又適宜存廢したらしく、(16) 若しパリアン、マニラ市内にある時は、その職權は之をマニラ市長行ひ、マニラ市外の時は、トンド州知事ある時は彼それを行ひ、双方なき時はマニラ市長か管理したと見らるゝのである。前掲モルガの敍述中パリアン住民の訴訟をなすもの、パリアン知事又はトンド州知事行ふとあるのは以上の如き空席の場合をも暗示したものと解すべきてあらう。

かくの如き二重の行政機關の存在は當然屢〻問題を惹起せしめ、紛糾の種であつたから、前掲のイエロニモ・デ・サラサールの如きトント州知事廢止の建議をなしたものもあつた。然し乍ら政廳としては原則としてトンド州知事又はパリアン知事存在の場合はその方に行政一切を委任したやうである。一六三〇年八月四日總督ニニョ・デ・タボラは總務廳がトンド及びパリアンの監獄に對し監督權行使の事情を正しからずとて次の如く述べてゐる。

これらの監獄はマニラの近くにあり、且總務廳の監督區域なる五リーグの地域内にある。(これは彼等の主張する議論てあるが。)けれども、其地には依然知事あり、別に管轄區域あり、監獄巡視は總務廳と同樣夫々の吏員に屬する事である。市長及び法廷吏員(參議自身であるか)は、五リーグ内なる事により、トンド及びパリアンにて逮捕するも、それらの罪人を夫々の地の監獄に入れずして、この市の監獄に入れる事は事實である。(17)併し乍ら、實際に於いて、若しパリアンの支那人に對し、或は政廳當局者より、或は管轄知事より種々壓迫ある時は、支那人頭領は直接之を總務廳に訴へ出でその解決方を要請した場合が屢〻あつた。(18)

以上の記述によりパリアンの行政組織は、政廳側としてはパリアン知事を第一とし、夫に若干の吏員あつて取締に當り、之に對し支那人側では、互選による頭領あつて、パリアン知事の隷下に屬し、配下の訴訟を受理して、之をパリアン内の裁判所又は總務廳に提出し、或は政廳の命によつて支那人徵發の任に當る等、可成の組織立つた自治が行はれてゐたが、この外、パリアンの地代を知事に納入の場合、及び課稅徵收の際にも一應頭領の手により爲されたものと見られる。尙精神的管理として布教によるパリアン統治は次節にて述ぶるる如く、終始ドミニコ派敎師の手により行はれたが、此の場合に於ける支那人側の世話人は矢張り敎徒多く選ばれた頭領が當つたものであらうが、元來パリアンは異敎徒の住地であり、一六一七年以後初めて其內に敎會設立されたが、敎徒となつたものはパンパンガ河を越えてピノンドの地に移るのが多かつたから、布教に對するパリアンの行政については影響する所少ないと考へられる。

註

1、Morga-Retana p. 225 226
2、Phil. Isls Vol VII. p 233
3、Argensola. Conquista p. 199. Governador Chino とあり。
4、Aduarte, Diego de. Tomo Primero de la Historia de la Provincia del Santo Rosario de Filipinas, Japon y China Zaragoza 1693. p. 100.
5、Morga-Retana. p 150. 尙以上の外、一五九九年頃にはアロンソ・サンヨ (Alonso Sanyo) なる頭領があつた事が知られる。(Phil. Isls. Vol X. p. 213.
6、Phil. Isls. Vol XIV. p. 120.
7、Phi Isls. Vol X. p. 42.
8、Phil Isls. Vol. XVII. pp. 327–328.
9、Aduarte, Historia. pp. 100–101.
10、Phil. Isls. Vol. XXII p. 154 note.
11、一例を擧ぐれば、Phil. Isls. Vol XXII. p. 249. こゝに見ゆる "the governor of the Sangleys" は支那人である。
12、Phil. Isls. Vol IV. p. 107.
13、Phil. Isls. Vol XI. p. 90.

14、ibid. p. 270.
15、Pastells. Historia. Tomo. III. p. CXIII
16、寓目した處を拾へば ibid. p. X Phil. Isls. Vol. XVIII p. 97, Vol. XXII p. 288. Vol. XXIX p. 103, ibid. p. 210. Vol. XXXVI. p. 205.
17、Phil. Isls. Vol. XXIII. p. 103.
18、Phil. Isls. Vol. XXII. p. 249.

第二節　布教政策上より見たるパリアン

比島に於ける基督教布教は既に早く、一五二一年かのマガリヤエンス(Magalhães)が比島來航の際、セブ島及び其附近の土人に對して試みられ、八〇〇人の洗禮者を出すに至つたと見えるが、(1)此れは何等組織的布教に非ず、期間も又極めて短かつた故、その發展性もなく、從つて影響する所も少なく、比島傳道史の基礎とはならなかつた。所謂宗團的布教は一五六五年レガスピ(Miguel de Legaspi)と共に渡來したアンドレス・デ・ウルダネタ(Andres de Urdaneta)によるアウグスチン派の進入が初めてである。而して此に次て相續く基督教各派の傳道の目的は、比島傳道といふより、實は支那本國に對する布教であり、之が彼等の其後幾世紀を通しての變らざる希望であり、比島傳道史は一面この目的に向つての足場としての努力の歴史であつたと見る事か出來る。(2) 特に在住支那人に對する布教はかゝる意味での試みにすぎなかつたともいひ得られやう。

一五六五年より一五七七年六月、フランシスコ派教師初渡來に至る迄の間、比島の基督教布教は一にアウグスチン派の獨占する所であつた。彼等は先つ土人に對し、次に僅少乍らも居住して居た在住支那人に及んだのである。然し、何れの地に於いて如何に布教が試みられたかは不明であるが、西班牙人の勢力がセブよりマニラに移ると共に彼等に對する布教が開始されたものと思はれる。(3) 一五七五年頃、アウグスチン派の修道院が、マニラ及びトンドに近接して設けられてゐる事はそれを示すものであらう。(4) その頃、ファン・パチェコ・マルドナド (Juan Pacheco Maldonado) が皇帝に贈つた書翰に、セブの土人多く洗禮を受くる事を記した後、

同様ルソンの島にても、同地に居住せる支那人――甚だ怜悧なる國民であるが、――にして神聖なる掟の眞實を認め、洗禮をうけ、基督教徒として生活するもの若干あり。(5)

と記してゐる事によつても明かである。而も彼等支那人教徒は一五八〇年頃にはトンドの地方に一部落をなしてアウグスチン派の管理をうけてゐたか、傳道方法の缺陷よりその十分なる效果は擧げられなかつた。司教トミンゴ・テ・サラサールの記す處によれば、

臣此地に到着せる時、トンドと稱する村――市より遠からず、其間に河あり――に多數の支那人住するを見出せり。彼等の中には教徒も若干あるも、大多數は異教徒なり(中略)。

臣到着せる時、すべての支那人は殆んど忘れられ、隅に押込まれゐたり。誰も其言葉を知る者なく、又甚だ困難なる爲、習はんとする者なく、當地に住する教師は土人の事に多忙なりしかば、彼等の教化につきては何等の考慮も拂はれ居さりき。アウクスチン派の教師、トンドの支那人を管理したるも、彼等を管理若くは教化するに當り、彼等の自國語に非ずして、土民の言葉を以て爲したり。かくして當地に住する支那人教徒は單に名義上の教化にして、基督教につきては全く知らぬも同然なりき。(6)

此の言葉は後、支那人布教のドミニコ派獨占を企圖せるサラサールの事とて、

多少の粉飾あらうも、大體眞相と見て差支なからう。

アウグスチン派の次に來島したフランシスコ派、及び一五八〇年渡來の耶蘇會は何れも支那傳道には志しつゝも、在住支那人教化には熱心ならず、僅かに自派の管區内に居住のものに手を及ぼしたに過ぎず、實際の在住支那人傳道はアウグスチン派とドミニコ派の爲す所であつた。

一五八〇年初代司教として比島に赴いたドミニコ派のドミンゴ・デ・サラサールは從來の傳道が主として島外就中支那に向つて試みらるゝのみて、島内の布教に不十分てあつた現狀を見、比島島内布教こそ比島殖民政策の根幹と考へた。在住支那人に對してもこの點より、根本的改革の要ありと考へ、トンド地方の支那人集團に注目すると共に、マニラ市内居住の支那人に對する布教を望んてゐた。偶〻一五八二年總督ゴンサロ・ロンキリョにより、パリアンと稱する生絲市場を中心とする支那人集團區域が形成されたので、彼は之を宗教的に利用せんとしたのである。而して彼は從來の對支那人布教の不振の原因は、教師の支那語不習得にあると痛感してゐたので、先づ之が實行を努める事とし各派(卽ち三派)に要請し、以てパリアン布教を實施せんとしたが、熱意の不足と言語の難澁により成功するものがなかつた。これを見たサラサールは愈〻自派即ちドミニコ派を以て之に當らせるより方法なしと考へ、同派の渡來を大いに熱望する中に、(7)ファン・デ・カストロ(Juan de Castro)を首班とするドミニコ派教師十五名は一五八七年七月二十一日カビテ港に到着した。(8)サラサールの喜び極に達し、本格的傳道の機は至つたのである。彼は一應他の三派に支那人傳道管理の議を提議しその應ずるなきを見て愈〻ドミニコ派に支那人傳道の全權を與へた。一五八八年一月一日、彼の異常なる盡力によりドミニコ最初の修道院がマニラ市内に建設されたが、(9)その場所はマニラの中心と、市の東北隅にあつたパリアンの間に定めたことは、以て其意圖を察する事か出來る。卽ちパリアン在住の支那人は市への往復、このドミニコ修道院の傍を通る事となり、聖禮說教の聲まで聞えた程であつたから(10)間接的に布教への影響をうけた事は當然であつた。その上、サラサールはドミニコ教師に支那語習得を要望した結果、就中ミゲル・デ・ベナビデス(Miguel de Benavides)及びファン・コボ(Juan Cobo)の如き早くも習得し、彼等二人は後にパリアン支那人管理專任を命せられた。來島後、略一ヶ年を經た一五八八年六月二十五日總務廳よりフェリペ二世に奉つた書翰に、彼等は又市内に他の家屋を建設し、同所に支那人の教化に熱心に努力しつゝあり。既に支那語にて說教すら始めたり。支那人等は甚だ信仰深く、且善意の國民なること知られたれは、布教は彼等の間に於いて大なる效果得らるべしと豫期せらる。[11]

かくの如く當時マニラ市内にあつたパリアンに對する布教に着手したドミニコ派は、進んでマニラに於ける支那人部落の一なるトンド地方敎化にあたり、はしなくもアウグスティン派と相衝突するに至つた。前述の如くこの部落はパリアンより遙に古く、既にアウグスチン派により、不充分乍らも敎化が行はれてゐた。

サラサールはこの部落に對してドミニコ派が支那人布敎の全管理の權授受を利用して彼等の手に收めしめんとした事により兩派間に爭生じ、總務廳の裁斷に從ふ事になつた。[12] 一五八九年七月十五日總務廳よりの書翰によれば、トンド村に……支那人管理の爲に一僧庵（Hermita）作られ、この職に司教は自派たる支那語を諒解せるドミニコ派教師二人（即ちヘナヒデス及びコ十）を任命せり。同時に又この二人は當市の生絲市場の支那人の管理を委任せられたり。[13]

とその積極的傳道を見る事が出來る。併し乍らアウグスティン派の反對する理由の主眼は、勅令により一村に二つの宗派の修道院存在するを許さずとの一條であつた。總務廳に於いてもこれをドミニコ派に全部委任管理せしむべしとする意見と、以前よりの經緯よりアウグスティン派之を行ひ、ドミニコ派之を援助すべしとの意見とあつたが、(14)司教サラサールの强硬なる態度と總督サンチャゴ・デ・ベラの好意的支援とによりトンド地方のドミニコ派の勢力は益〻强固となつた。卽ちドミニコ派の對支那人傳道の基礎の確立は一に司教サラサールの熱意と、司教としての立場を利用しての他の宗派への壓迫の結果によると見なければならぬ。總督ベラも又嘗てより在住支那人布教を望んでゐたのでドミニコ派愈〻この事業に着手せんとするや、(15)パリアン及びトンドに教會建設を要望した。かくの如く總督及び司教と僧俗兩方面よりの絕大の援助を得て着々とその實を擧げる事が出來た。今その初期に於ける經過をアドワルテの「ドミニコ布教史」より見るならば、

一、ドミニコ派はサラサール及び總督サンチャゴ・デ・ベラより教徒となつた支那人の爲に教會を建設の許可を得、その結果、トンド村の近くバイバイ(Bay

bay）と呼ぶ新村に新に教會を建て、ミゲル・デ・ベナビデス及びファン・コボ之が委任をうけた。彼等は教會のみならす、パリアンの異教徒にも說教した。

一、バイバイの教會建設後間もなく、パリアンに對する布教上、小さな棕櫚造りの小屋をマニラ市とパリアンの中間の地に建て、病人の治療も行つた。

一、この小屋の住地を擴張して病院を建立したが、マニラ市民の反對により、パンノク河の對岸の地に移し、不取敢木造て建てた。

一、新築の病院をサン・ガブリエルと名付く。

一、バイバイの教徒增加の爲、小川を隔てたビノンドと稱する地を求め、同地に教會を建設、同地に前總督ルイス・ペレス・ダスマリニャス在住す。

一、ビノントの教會、病院の名に從ひ、サン・ガブリエルと稱す。(16)

大要以上の如くてあるか、アドワルテには、その年代を全然記してない。今他の史料によつて之を推定して見たい。

バイバイの教會の設立はドミニコ派の對支那人布教の最初の宗教施設であるか、これに關するアドワルテの記述は、前揭一五八九年七月十五日付總務廳よりフェリッペ二世への書翰に見える所と略內容を同じくする。卽ちバイバイはトンドの一部であること明かであり、アドワルテに言ふ教會は僧庵(エルミタ)を指す事明白であるから教會といふも規模極めて小なるものであつたらしい。この創設は略時を同しうする「パリアンに對する布教所」が一五八八年中期以前であるから、この年の初頭頃と推察される。この教會を中心とした布教の進展は其後ビノンドへの擴張を齎すに至つたが、一五八九年七月十三日の長官ベラの書の中に、

卽に基督教徒の部落すらあり。(17)

と記したのは疑もなく、このバイバイの支那人教徒部落の形成を示すものであらう。

次にパリアンに對する布教の具體的基礎はアドワルテに依れば、マニラ市とパリアン(市内にあり)の中間の一小屋の設置に初まる。この記事も前掲一五八八年六月二十五日付總務廳よりフィリッペ二世への書翰に「市內に他の家を建設し、支那人教化に熱心に努力しつゝあり」との文に相照應すべく、此によりその建設期はその以前にあることが知られる。而もトミニコ派のマニラの修道院設立は同年の一月一日であるから一月以降六月以前の事なるべく、その他はサラサー

ルに依れば、パリアンと市との中間にありとすれば、前記の布教所はその修道院の附屬地にあつたと想像され、然もアドワルテの記述によつても形ばかりの小屋にすぎなかつた様である。[18] この貧弱なる布教所を基礎として始まつた布教はその成果も又十分ではなかつた樣である。パリアン布教專屬の委任をうけた教師ベナビデス及びコボは實はバイバイの布教を兼ねてゐた事によつても不徹底であつた事を知る。又後述する如くマニラ在住支那人の二つの居住地中、バイバイは比較的人の移動少なきにも拘らず、パリアンは常に往來甚だしく、流動的性質を帶びてゐた事は、又布教の效果を十分に擧げしむるを妨げたのであつた。而も洗禮に際し、サラサールが支那人教徒に斷髪を强制してゐた事は、剃髪者は犯罪者なりとの本國の風習を知る支那人をして、洗禮を忌避する結果となつたらしいが、[19] サラサールの意としては、再び異教徒に戻らざる一表徴として之が施行を强制せしむるのであつた。[20] 然し教徒としての特權を未だ賦與されてない支那商人(主としてパリアンに住む)は基督教に對し特別の關心を抱く程に比島になじまぬ故、前述の二教師が支那語にて說教するも實際に於て此の時代には大した業績を擧げ得なかつたと見らるゝのである。

アドワルテに依れば、パリアンに對するドミニコ派の布教所は其後基礎を擴大して石造りの病院建設に至らんとしたが、市民より危險なりとの故を以て反對せられた爲、中止し、パシック河對岸の地に移しこゝに木造りの病院を建てたといふ。卽ちサン・ガブリエル病院が之であるが、この移轉の時期について見るに、パブロ・パステルス(Pablo Pastells)師の「比律賓史」には、

支那人の爲の最初の敎會はサント・ドミンゴの修道院の近く、今日サン・ガブリエルと呼ばるゝ城堡のある地にあつた。そしてサン・ペドロ・マルティル(San Pedro Martir)の名を冠せられた。同處にて最初はサント・アルカンヘルの病院 (Sant-Arcangel)を所有してゐたが、この病院は幾多の變遷を經て、二世紀繼續した。一五八八年此等の建物はパリアンより遙か遠方に移されこの支那人部落のみサン・ガブリエルの名を以て修道院と病院の間に殘ることになつた。[21]

とて、支那人布敎所及び病院の移轉を一五八八年と記してゐる。パステル師の文は恐らく、フェランド(Ferrando)の布敎史に據つたものであらうが[22]、此の事は甚だ疑はしい。何となれば第一にサン・ペトロ・マルティルの名はアドワルテに依れば敎會の名稱といふよりむしろ病院の名稱であつて(尤もこの場合は敎會と病院

は一と見てもよいが、サン・アルカンヘルは對岸に移轉後、最初に定めんとした名稱、アルカンヘル・サン・ガブリエルの事と覺しく、移轉前の名稱ではないのである。而も一五九一年五月三十一日付の比島莊園記錄中、マニラ市の條に於いて、

一、ドミニコ派の修道院あり、四人乃至五人の教師あり。別に同派の修道院、支那人の病院パリアンにあり。教師二人あり。[23]

又、同文書トンドの條に「アウグスチン派修道院あり」の記事の次に、

この外にドミニコ派の修道院あり、教師二人有す。四十人の支那人教徒に布教を行ふ。貢稅は陛下に拂はる。この町の管理の下にあり。[24]

とあるが、之により一五九一年にはマニラ市内のパリアンに支那人の爲の修道院も又病院も尙存在し、對岸卽ちトンドにはバイバイの敎會のみ存在することを明示したものであつて、啻に之の一事のみによつても先の一五八八年移轉說は誤りなること明瞭である。併し乍ら一五九一年に未だ移轉しないこと明かであつても、實際移轉の時期については不明であるが、後述する所により略、一五九三年頃と想像されるのである。

而して移轉後の諸事情についてパステルスの「比律賓史」には、

病院の移轉と同時にパリアン教會は廢止され、支那人教化の任に當つてゐた教師等は、ビノンドの教會に移された。同教會は一五九六年支那人基督教徒の爲にサント・アルカンヘルの禱の下に建設されたものである。(25)

とあるがこの文によると移轉は一五九六年以後の樣にも見られ、甚だ不確實な文と思はれる。併し、本文に見ゆるパリアン教會廢止は蓋し事實であらう。惟ふに教會といひ、病院といひ、名稱こそ異なれ同一のものを見方を變へて表したもので、たゞその中の療養的方面のみ重んせられてこゝにガブリエル病院として存在するに至つたものであり、且、パリアン教會に屬した教師は實はバイバイの教會に屬する人てあつたから、程近き場所に移つた以上一方の消滅は想像せられるのてある。而も一方パリアンは漸次規模擴大、在住民増加すると共にこゝに布教方法一變するの決意を固めるに至つたと想像される。卽ちパリアン住民全般に對する布教は彼等の流動的性質より不可能なりと見、その一部分に試み、教徒となつたものは、之をパリアンに在住せしめる事なく、バイバイの部落に移さしめる事にしたのてあらう。卽ちアドワルテの「布教史」にパリアン

創設頃の布教を述べて、

彼等(卽ちパリアン在住民)は當時はすべて異教徒であつた。それはその時まで如何なる支那人も教化され洗禮をうくれば直ちにこの異教の(卽ちパリアン)地を離れ、近傍にあつた支那人教徒の部落に住居しなければならなかつたか故である。基督教が——新らしいので——この近隣の異教徒の誹謗の誘惑に抗し、且発れるのに十分なる力を有してゐないので、その異教徒の惡例に從はぬ樣彼等をかくして新洗禮者を異教徒から隔離すべく努力が爲されたのである。(26)

と記してあるが、パリアンが全く異教徒を以て成立つとは注意すべき言といはねばならない。是卽ち、パリアン布教の大事業には、當時のドミニコ派の現狀を以てしては出來得ぬものであつたことを言外に示してゐるのであつて、この後一六一七年までのパリアン布教は出張布教とも稱すべき極めて微弱なものてあつたのてある。一五九四年六月十一日皇帝フェリッペ二世より發布せられた法律にも、

司教等は比律賓諸島に於いて我が神聖なるカトリック信仰に改宗せる支那人教徒を、異教徒間の交際及び生活により、棄教の危險に陷らざらしめんが爲

に、母國に歸るを許さぬべし。[27]

とあるのは一五九二・三年頃の狀態について命じたものであらう。故にパリアン教會の廢止もこの頃のことで、恐らく一五九三年頃パリアンか市外に移轉を機に中絕したものと思はれる。

次にビノンドの教會創設はパステルス師の文及びアドワルテの文に、同處はルイス・ベレスの居住する事[28]等により大體一五九六年頃と推定され、こゝにドミニコ派の支那人布教の教會はマニラ市の對岸トンドの地に、バイバイ及びビノンドと二箇所あり、近邊に教化の居住するもの多きを加へるに至つたのである。モルガに、

パリアンに住する餘地なきものは、向側、河の對岸てトンド村のあるバイバイ及びミノンド、クと呼ぶ居住地に住む。彼等はトンドの知事の管理下にあり、ドミニコ派教師の支配をうけ、教師等は彼等の教化に努力し、其目的の爲に、既に支那語を習得してゐる。

ドミニコ派は必要な助手を備へた修道院二箇所及び支那人を取扱ふ可成の病院を有する。異教徒と隔離した一地方に支那人教化及び妻子、家族を收容し

た居住地あり、五百人を數ふ。教師は絶へず他人(異教徒支那人)を教化し、その部落に移して居る。[29]

と、當時五百人の教徒あることを記してゐる。一六〇三年の支那人暴動の際には同地の教徒に對しては同地に住するルイス・ペレスは保護を加へんとしたが、十月六日遂に暴動に組し、ルイスは爲に戰死するに至つた。亂鎭定後この教徒部落は殆ど無人となつたのであらうが、翌年よりは支那人の來往又以前の如く行はれたので布教も又次第に盛になり、教徒も增加した。一六一二年頃のロペス(Lopez)の記述によればドミニヨ派の支那人布教は、

ビノンド及びバイバイの村には六百人若しくはそれ以下の支那人の爲に、教師二人住する傳道區あり。サン・ガブリエルの病院には教師二人あり——一人は僧にて、他は俗人なり——其處にて異教徒支那人は養はれ、教化せられてゐる。[30]

とあり、即ち形式的には叛亂前とは何等異る所がない有樣であつた。

所が一六一七年パリアンの内に教會修道院の建設をみるに至つたことはパリアン布教上一期を劃する事件である。これまではパリアンに對しては、教師が

ビノンドに住み、毎日曜日に僅にパリアンに赴いて說敎を施し、洗禮うくればビノンド地方へ移し農業等に從事せしめてゐたものであつた。[31] 併しかくの如き消極的態度ては全パリアン敎化なとは到底望むべくもなかつた。ドミニコ派もこの頃は既に渡來後三十年餘を經過し、基礎も漸次堅くなり、加ふるに政廳對パリアン支那人間も比較的平穩な時代であつたから、この機に乘し、積極的布敎を試みることになつたのである。此後はパリアン內にて洗禮をうくる支那人多く、受洗を開始した一六一八年より一六三三年までの十六年間に洗禮をうけた支那人は四七五二人の多數に上つた。[32] かくなつては以前の如き、敎徒となればパリアンを離るゝが如き事なく、パリアンは敎徒異敎徒の雜居地の如き狀態を示すに至つたのてある。一六八七年頃のパリアン布敎の狀態についてフライ・デ・ビリャルバ (Fray de Villalva) の記す所に依れは、

パリアン、それは支那人の生絲市場てある。マニラの城壁に近く、五六千人の支那人通常同地に居住す。彼等自國語ての敎徒の說敎には彼等自身の敎會にて祭日每に催される。異敎徒に對して街路上て絕えず說敎あり。この努力により多數の改宗者を出し、多數の人を確得した。[33]

とある事で、その狀況を察知出來るのである。一六二八年三月十三日パリアン火災の時、同所にあつたドミニコ派の教會及び修道院は奇蹟的にも助かつたが、それは木造築物としてマニラ有數の立派なものであつたといふ。[34] 併し一六三九年の支那人大暴動の際に遂に燒失したか再ひ復興し、[35] 其後は同し位置に存續したもの丶樣である。一六六二年レドナの敍述する所に據れば、彼等(パリアン在住支那人)は教區の教會を有し、同處にては聖禮、神聖なる言葉、埋葬の事、これらの支那中の四千人の教徒に對し管理せられる。殘りの者は異教徒なり。[36] と當時のパリアン在住者人口一萬五千人中、四千人と約四分の一と相當する教徒をその中に含む事を示してゐる。然るに一七六五年四月ゴメス (Gomez) はサン・アントン、ディラオと共にパリアン教會の撤廢を建議する所あり、[37] 其結果一七八四年勅令を以て破壞が命ぜられた。[38] こ丶にパリアン教會は創設後百七・八十年を經て遂に消滅するに至つたのである。

以上の敍述より察せらる丶如く、パリアンに對する比島政廳の布教策は概略的に言へば失敗と見られるのである。成程一六一七年以後はその內部に教會の設立を見たとはいへ、その結果は必しも善からず、パリアン卽ち異教徒住所なりとの感は三百年を通じて言はるゝ所であつた。その失敗の第一の原因は勿論パリアン其自體の性質に歸すべきものであつて、往來定まりなき在住者には成功すべくもなかつた。而して中、數少き教徒に對し、之を他の住地に移さしめた事も、結果は反つてパリアン内の基督教的要素を減少せしめたのである。其外、一般に洗禮の際の斷髪は彼等をして止むなく定住者たらしめたのであつて、決して眞の教徒ではなかつた。併し、「結婚し、髷を持たぬので母國へ歸れぬから、定住するに至つた。[39]」とある如く、土人と結婚して定住した結果は、混血人を夥しく生ぜしめることゝなつた。彼等支那人は基督教に對しては恐らく何等の關心をも有しなかつたかも知れない。ビノンド等に教徒となつて住した者も本意は貿易の利にあつたのであり、獻身基督教に身を捧げた信仰ある支那人は殆んど見當らぬ程である。故に比島在住中は教徒なるも、歸國の爲乘船するや直ちに棄教すると記すド・ギーニュの文[40]は彼等の眞意を物語るものであらう。かく見れば、比島政廳の對支那人布教政策は一歩進めて全然失敗と言ひ得ると思はれる。尚その布教方法については、支那語で行つた外、目下敍上以外に記すものは見當らぬが、この方面よりも十分吟味さるべき問題である。

尙最後にパリアン布教と密接な關係あつたサン・ガブリエル病院に就いて一言する。同病院は前述の如く支那人加療の爲、一五八八年建設され、一五九三年頃、パリアン教會廢止と共にマニラ市對岸の地に移されたが、一五九六年六月十五日マニラで開かれたドミニコ派僧會で認可され[41]以後二百年に亙りドミニコ派の保護の下に維持せられた。一六二二年には患者少なく三十名に過ぎずと記されてゐるが、[42]一六二五年には增築されたとあるから、[43]在住支那人增加と共に相當利用されたと思はれる。尙本病院の經費は初めは、同所と市内の間を流れるパシク河の渡船料で償はれてゐたが、一六三二年橋(Puente grande)落成したので、其に先立ち一六三〇年十一月二十六日の勅令で年二千ペソ代償することにしたがこれは支那人の財團資金から支拂はれたといふ。[44]

註

1、Phil. Isls. Vol. XXXIII. p. 159.

2、其後各派によつて爲された幾多の試みは之を示すものであるが、アウグスチン派敎師ラダ (Rada) も一五六九年の手紙に支那征服の爲には、比島を根據となすべしと力說してゐる。(Phil. Isls. Vol XXXIV. p. 227)

3、一五七〇年ゴイチの率ゆる呂宋遠征隊マニラに到着した時、同地に百五十人の支那人家族在住して居たが、彼等は間もなく教徒になつたといふ(Phil Isls Vol. III. pp.167–168)。如何なる程度の傳道が爲されたか不明であるが、恐らくマゼラン一行のと同程度のものであらう。

4、Phil. Isls. Vol III. p 300.

5、ibid

6、Phil. Isls. Vol VII p. 220. 222.

7、ibid. pp. 222–223.

8、Pastells, Historia. Tomo II p. CXLIII.

9、Adnarte, Historia. p. 29.

10、Phil. Isls. Vol. VII. pp. 223–224.

11、Phil. Isls. Vol. VI. p. 317.

12、Pastells, Historia. Tomo. III. pp. CIX–CX.

13、ibid. p. CX.

14、前者を代表するものはアントニオ・デ・リベラ(Antonio de Rivera)、後者を代表するものはペドロ・ロハス等であつた。(ibid. p. CXI)

15、ibid p. CIX.

16、Aduarte, Historia pp. 95–99. Phil. Isls. Vol. XXX. pp. 217–230

17、Pastells, Historia. Tomo. III. p. CIX

18、casita pequeña とあり。(Aduarte. p. 96)

19、Phil Isls. Vol. VI. p. 306. 總督ペラは若し支那人に斷髮を命ぜざれば支那人全部洗禮をうくるであらうと述べてゐる

(Phil. Isls. Vol VII. pp. 91–92)

20、Phil. Isls Vol. VII. pp. 243–244.

21、Pastells, Historia. Tomo. V. pp CCVII–VIII

22、Ferrando, Juan Historia de los pp Dominicos en las Islas Filipinas. Madrid 1870–1872. Tomo I. pp. 280–281

23、Phil. Isls. Vol. VIII. p. 97.

24、ibid p 100

25、Pastells, Historia. Tomo. V p. CCVIII.

26、Aduarte, Historia. pp. 463–464 Phil. Isls. Vol. XXXII. pp. 76–77.

27、Phil. Isls. Vol XXII. p. 151.

28、ルイス・ペレスの退職は一五九六年七月で以後同地に居住してゐた。

29、Morga–Retana. p. 225.

30、Phil Isls Vol. XVII. pp 210–211.

31、Aduarte, Historia p. 464 Phil Isls. Vol. XXXII. p. 77.

32、ibid p. 468. Phil. Isls. Vol. XXXII. p. 85.

33、Phil Isls Vol. XXXIX. p. 123.

34、Phil Isls. Vol. XXII p. 212

35、Phil Isls. Vol. XXIX. pp. 222–223.

36、Phil. Isls. Vol. XXXVI. p. 205.

37、Phil. Isls. Vol. L. p. 259 note.

38、Repertorio historico, Tomo. III. p. 297.

39、Phil. Isls. Vol. XX. p. 232.
40、Pinkerton, Collection of Voyages. Vol. XI. p. 83
41、Aduarte, Historia. p. 208.
42、Phil. Isls. Vol. XX. p. 238.
43、Aduarte, Historia. p. 99.
44、Phil Isls. Vol. XLVII. pp. 226–227.

第三節　商業中心地としてのパリアン

支那人が既に西班牙人比島占據以前より、貿易の爲比島諸地方に來航、其後開拓進捗と共に增大した事については前章に於いて度々述べた通りである。この支那貿易こそは比支關係の中樞を爲すものであり、比島側としてはその國の存立にも關する大問題に外ならなかつた。故に今こゝに之を詳述するは餘りに厖大であるから、その多くは之を省略し、唯一般貿易の狀勢の簡單なる敍述、及び支那貿易がパリアンを通じて比島一般の經濟事情に及ぼした影響を記すに止める。

比島内の開發と支那商船來航の數は略平行し、一五八〇年代は年平均二十隻程であつたが、一五九〇年代には三十餘隻に膨張し、十七世紀に入るや、四•五十隻の多きに達するに至つた。(1) 從つてこれと共にマニラを中心とする支那貿易も漸次發展した。先づ、支那船の來航の時期、及びその狀態について、モルガの記す所によれば、

可成多數の「ソマ」及びジャンク船—大船なり—が通常商品を滿載して大支那よりマニラに來航する。毎年三十乃至四十隻來航せんとしてゐる。一緒に商船隊、又は戰艦隊の形で來航はしないが、群をなして、普通三月の新月の頃、季節風又は定まつた天候に從つて來航する。彼等は廣東•漳州•福州の諸州に屬し、これらの諸州より出帆する。マニラ市への航海は十五日乃至二十日を要し、商品を賣却して、五月末及び六月の初めの數日頃、航海の危險なきやう、南風の吹き始むる以前の好季節に歸國する。(2)

と見えてゐる。而して彼等の積載する商品は時代により多少の變化はあるが、通じて見る時は生絲及び布類を第一とし各種の方面に亙る物質である。試みに

モルッカを見れば、當時の商品の內容を知る事が出來る。(3) 即ち主なる商品の名稱を擧ぐれば、

生絲、びろうど、毛織地、金銀絲、緞子、繻子、琥珀織、りんねる、麝香、安息香、象牙、床飾、掛物、どんす、卓子布、クッション、敷物、眞珠、紅玉、サファイヤ、壺、火藥、錫、鉛、硝石、麥粉、果實の砂糖漬、家禽、鷄、胡桃、果物、菓子、針、箱、椅子、ベンチ等。

其種類の多き事驚くべきものがある。換言すれば生活上の必需品とも稱すべきものである。勿論この中には生絲の如き、マニラを仲介地として日本に輸入されるものや、又メキシコ其他東洋諸國相互の仲介貿易品が、こゝに見られるのであるが、併し其大部分は比島に於いて消化されたものであつた。在住の西班牙人極めて少なく、土人は無智蒙昧にして生產力甚だ貧弱なる狀態にあつた比島としては、其經濟資源のすべてを支那に仰ぐの止むなきは蓋し當然といはねばならぬ。この事は獨り比島のみに止らず又時代を問はず、南洋殖民地一般に通ずる現象であつた。而も比島に於いては、時代進展と共に、或は日本より、又マカオ・シャム・モルッカ等より商船の來航による商品の補入は見られたが、これ

等は支那船による貿易と比較すれば問題とするに足らぬ少額のものであつた。而も比島支那間の貿易は西班牙人に對しては、皇帝フェリッペ二世の一五九三年一月十一日の勅令[4]により禁止されてゐたので一に支那人に仰ぐの止むなき狀態であつた。されぱこそ、

支那との貿易なくしては當島は維持し得ず。[5]

との言は、當時比島在住の西班牙人すべての一樣に痛感する所であり、これは西班牙領有三百有餘年を通して變らざる事實であつた。この事實を前提として對支那人關係のすべてが現はれてゐる事は特に注意せねばならぬ一事である。

以上の如き多量の支那物資流入に對し、比島側より支那に持歸らるゝものは、前述の仲介貿易による第三國の物資及びメキシコより年々送らるゝ銀、及び島内にても產出する金等であつた。初めの中は金が尊重されたが、後には殆んど銀のみとなり、かくして莫大なるメキシコ銀の支那流入となつたのである。例へば一五八六年頃、每年比島より支那に流出する銀は三十萬ペソに上つたが、特にこの年は五十萬ペソ以上に達したと[6]あればその大要を知ることが出來る。この銀は盡くメキシコより送らるゝもので、この時代も同樣、メキシコよりの

莫大なる援助なくしては到底比島殖民經營は成行かなかつたのである。この狀態改善の爲、又財源確得の爲、種々の手段が講ぜられたが、それについては後述する。尙この日本との仲介貿易について、及び金銀の流出現象については論外に屬し且既に先人の詳細なる研究があるからこゝには述べない。(7)

かくの如き支那貿易の對比島重要性は、そのまゝ比島に於ける支那貿易の中心地たるマニラのパリアンに移行される。このパリアンに對する比島政廳の對策の變遷については、第二章に於いて若干述ぶる所があつたから、本節にては、パリアンの生ずる莫大なる利潤について記すことゝするか、それに先立ち、支那商品販賣に至る過程をモルカによつて窺へば、

船舶到着し碇泊すれば、役人はそれを檢査に赴き、舶載の商品の登錄をする。同時に、マニラに於いて値する積荷の價格が、法により定められる。船舶は直ちに、陛下に對し、すべての品に三分の稅を支拂ひ、之が濟めば商品は直ちに他の役人によりチャンパに下され、パリアン又は市外の家屋・倉庫に引取られ、同處にて物品は自由に賣却される。

如何なる西班牙人・支那人、其他の人と雖も、自ら船に赴いて商品を買ふ事は

許されない。又商品か陸揚げされた時、それを暴力を以て奪つたり、買つたりする事は出來ない。[8]

にようて知らるゝが、かゝるパリアン創設以前に於いては、支那人の販賣方法は、マニラ市内の街路に於いて、又は商船内に於いて販賣するのみで、原則的には賣上終了すれば、直ちに歸國せさるを得なかつたのである。[9] それがパリアン創設後は、同處に止つて、定價によつて販賣する事になつたが、中に大販賣業者及び資金の豐富なるものは、一般の商人歸國後も、尚滯つて物品を翌年まで蓄へ、自由な時に之が賣却を行ふことを爲し、かくしてパリアン在住の支那商人は次第に其數を増すに至つたのである。[1] 支那人の比島貿易による莫大なる利潤については、其一例として一五九八年六月十九日總督ティョより皇帝フェリペ二世に上つた書翰の中に、

毎年貿易の爲、當地に來る支那人は八十萬ペソ若くは時として百萬ペソ以上齎す。彼等が當地にて過す十日間に、一〇〇パーセント以上の利益を得るが、今年は世評によれば、充分二〇〇パーセントなりといふ。彼等は多額の金を得て、自身の地に於いて欲するがまゝに賣却する。出帆の船は各ゝ繋船税とし

て、五〇〇ペソを支拂ふが、陛下に拂はるゝ關稅はドン・ファン・ロンキリョにより課せられたる三パーセント稅に過ぎない。(11)

と、その一端を述べてゐる。

既述の如く、一五八二年、總督ゴンサロ・ロンキリョがパリアンを建設した事情は、支那貿易に對する比島政廳の政策の一表現であつた。卽ち彼は、繫船稅の外に何等束縛うくる事なく、自由販賣を爲した支那貿易に對し、一五八一年より百分の三稅(卽ち三分稅)を課し財源補充の一端となし、支那貿易統制に一歩踏み出した。彼がパリアンを作つて支那人を居住せしめた事もかゝる目的に出たものなる事は疑のない所である。併し此は反面支那人にとつては壓迫であつたから、彼等は商品を隱匿するの法を講し、爲に罰せらるゝもの多く、一方西班牙人側は支那商品を不法に抑制し、勝手に廉價で買ひ、又は暴力を用ふる等の無暴を敢てしたので、支那商品は極めて少數の獨占する所となり、物價は從つて著しく騰貴した。例へば、一五八二年のサラサールの手紙によれば、

反對に、支那商品は著しき騰貴を示すに至り、以前當地にて十乃至十二トストン(一トストンは四レアル)の値であつた繻子一疋は、四十乃至四十五トストン

にて販賣せられ、而も見出されなくなり、非常に必要な教會でさへも、單なる飾を作る生絲すら、得る事か出來なかつた。同樣の事は他の總ての支那商品についても眞てあつて、此等は嘗ては街路を賣り步いても、無駄てあつたものである。(12)

と、支那品の約四倍に及ぶ著しい騰貴を物語つてゐる。かゝる騰貴の原因か一部西班牙人の不法買占による事は明かであるが、基く所、先の三分稅課稅がその遠因てある事は言ふを俟たない。換言すれば、對支那人貿易關係の一轉機を劃すべき問題なる事はサラサールが述ぶる如くてある。而してかゝる課稅をなしたる事情は思ふに、當時は殖民經營の基礎確立したとはいへ、外患內寇多く爲に經費の不足を見てゐたのである。此島の財政狀態が常に支出多くして、收入之に伴はなかつた事は後述する如く十七世紀に至るも解消せず、爲に年々巨額の補給をメキシコより受けてゐたものてある。この財政狀態と支那貿易の隆盛を考慮してゴンサロはかゝる課稅を行つたものであらう。併しかゝる負擔の增加は　前揭の事件の發生と共に他面、支那貿易を衰微せしむる結果となり、既に一五八二年には多數の支那人本國に歸り、(13)影響は直ちに支那人貿易により

維持さるゝ比島經濟生活を脅すに至つたのである。一五八六年のマニラに於ける市民會議の決議事項中に、

陛下は、ドン・ゴンサロ・ロンキリョにより課せられたる三分稅はマニラ市にては支拂はれざるやう命令あるべし。そは、この國が極めて新しく、且貧乏なればなり。又、市民は其の新しさが要求する幾多の問題に助力するも、此等の稅は全く、居住地及び國を增進し、富ましむるに助力とならざればなり。(14)

この外諸稅撤廢の決議をしてゐるのは、當時の比島の經濟狀態の極めて貧弱なる事を證するものであらう。併し乍らこれに對して、皇帝フェリッペ二世は、總督ゴメスに對する指令中にこの問題に觸れ、

朕は彼等(マニラ市民)を救ふ事を甚だ喜ぶもの乍ら、尙支出は甚だ多ければ、利益ある事により自己を救はざるべからず。故に上記の三分稅を徵收すること得策なるべし。(15)

とて課稅による利益を重んじてマニラ市民の獻策を斥けてゐる。

支那商品の暴騰が、三分稅の課稅と其れに伴ふ對抗策としての支那商人の商品隱匿策及び一部西班牙人の買占等に原因するが、これは延いては、創設後間

もなきパリアンの廢止論に展開して行つたのである。卽ち彼等支那人はパリアンを巧みに利用して、商品を賣惜しみ、適當に之を保管して利を收めるの策を講した事か、甚たしく西班牙人の反感を買ふに至つたのである。マニラ市民代表者として決議を本國に持參したアロンソ・サンチェスの携行したサラサールの覺書の中に、

> トン・ゴンサロ・ロンキリョはこの市全體の意向に反して、土人がパリアンと呼ぶ一生絲市場を建設した。同處にて支那商人は船荷を保藏して、其結果、すべての物資は甚しき高値に騰貴するに至つた。何となれば以前は物品保藏の場所なければ、直ちに賣却すれば、本國に歸國したからである。陛下若しパリアンを廢止を命ぜらるるなら、この市に大なる利益と惠みとなるであらう。(16)

又決議事項中にも、支那商人の小賣を禁じ、所有の店舗(卽ちパリアン内の店舗を指す)は之を西班牙人側にて保管する事とした項目(17)の見ゆる事は、支那商人の滯留による物品の暴騰を防禦する西班牙人側の對策と見るべきである。併し第二章に見ゆる如く、パリアンに對し何等對應の處置を見るに至らなかつた事は、一面西班牙人側の政策の敗北であると共に、反面支那貿易の比量に對する指導

的役割を裏書するものである。

叙上の如き見地よりのパリアン廢止論は、其後久しく續いた。比島當局としては支那貿易は存立に係る問題であつたから如何なる事情に於いても、その繼續は必要であつたが、物價の高騰には常に苦しみ、パリアン廢止を計畫したが、(18)遂に成功しなかつた。支那人の來航は大いに歡迎するも滯留は許さず、さりとて許さざれば貿易に影響するといふ苦悶に陷つてゐたのである。加へて、度々の支那人暴動は治安を齎す恐れあり、かゝる諸事情を綜合した結果、妥協點として、比島に必要なる人數だけ滯留を許し、他は直ちに本國に歸らしむ事とし、その限度を六千人と定めたのである。此間の事情をモルガの一五九八年六月八日の「群島諸事情」なる報告に窺へば、

三八。現在支那人が爲す如く、何等の組織なく、取引及び利益の爲にこの群島內を歩き廻り、地方を掠奪し、物品の値を高騰せしめ、惡習・惡德を土人に移入する事を堅く禁ずべきが必要である。彼等は又、一朝、事起つた時害をなし得るやう、港・湊の入口を偵察し、國內を踏査する。

三九。州知事、教師により保護さるゝ群島散在の支那人全部を追放するがよ

ろしい。それは、彼等か國から金を持出し、それにより不正を生せしめるからである。

四十。これらの支那人が西班牙人殆んど住せざる群島の諸町村にパリアンを所有する事は許さるべきてない。裁判官は自己の利益より、彼等を庇護し、マニラに於ける如く、報酬を彼等及ひ店舗より収める。この事は甚だ有害であり、不正であつて、少くとも、來航の船をして出來るだけ早く積荷を處分せしめ、乘組の者共支那に歸るを必要ならしめる。

四十三。支那人に對し、早く當島に來航するやう命令されねばならぬ。從つて五月の間に物資賣却せられ、船は歸途に就かるべし。この事は航海の安全から見ても、又物資の超高値を防止する點からも最善の事である。[19]

尙、かゝる支那人追放は實際行はれ、例へば、一五九四年には五千人、[20]一五九六年には一萬二千人歸國を命せられた。[21]前者は即ち、ゴメス・ペレスの暗殺事件に對する復讐であり、その結果はパリアンの市外移轉を見たのてあるが、それにも拘らず、比島政廳か積極的にパリアン廢止を實行し得なかつた所に彼等の苦惱を察知する事が出來ると思はれる。モルガに、上述のすべてを匡正の爲、次の事命ぜられた。即ち船にはかゝる種類の人を多く乘船せしめぬ事、若し犯せば殺さる。船が支那に歸る時は、此等支那商人を伴ふて歸る事、必要なだけの商人及びあらゆる取引に從事の職人のみマニラに、パリアンに滯留する事、彼等は書寫した免許狀を有すべき事とし、違反せば處罰に處せられる。この實行に當り、總務廳の審議官は毎年、若干の補助員と共に特に委任された。市廳の懇願により、審議官は常に、すべての仕事、職業に從事に必要なだけの支那人の滯留を許可し、他は支那に赴く船に乘せて歸らしめたが、その實行には多くの力と嚴格さが必要てある。(22) こゝにいふ必要な數とは、治安と財政の双方面よりの釣衡點である事は明瞭である。一六〇六年十一月四日、フェリッペ三世より發布された法令には、

支那人の數は、節制あつて、六千人を超えざる事は、マニラ市、ルソン島及び他のすべての諸島の治安確保の上に望ましき事なり。其數にて、國内奉仕に十分なればなり。若し其數增加する事あらば、以前經驗されたるが如き紛擾生ずべし。(23)

を規定したか、十七世紀の初頭、パリアン在住民は來航船ある時は常に二萬を

越してゐた狀態であり、一六〇三年の叛亂後もまもなく舊に復したのであるから、かゝる支那人制限の法令は到底實行し得なかつた事であらう。現にこの法が此後、一六二〇年・一六二二年と度々繰返されて發布された事はその不實行を示すものといはれやう。

一六〇三年の暴動で、パリアンは全燒したが、其の後引續き支那人渡航あるや、再建の事となつたが、其の際にも大司教ベナヒデス初め、教師方面で反對盛んであつたが、其理由とする所は、

一、比島の安全感脅かさるゝ事。

一、土人に惡習を傳播させる事。

一、物價を騰貴せしむる事。

がその主たるものであつた。(24) 而も此等は從來同樣省みられず、一六〇五年再建されたが、財務官ロトリゲス・ディアス・ギラールの皇帝に上つた反對意見は、

予は、若し制限せざれば、パリアンは甚だ大となるべしとの理由より、此等の店舖の建造に反對し、中止するやうせしめたり。今や叛亂前と同樣の大きさとなりたり。かゝる惡結果は、陛下が、市に對し、上記の公文書に明かな

る如く、これらの店舗より受くる收入及びそれにより受取らるゝ多額のジュカノトを許可した事實より生ずるものなり。この不正匡正の爲には、陛下は店舗の數を明白に制限し、一軒の店には正しき職業を持ち、且教徒たるべき一人のみ居住するやう命ずる事望ましき事なり。又船の數を制限すべき事宜しかるべし。(25)

と述べてゐるが、一方パリアンは其後益〻發展を加へ、加ふるに比島の治安も漸く治まるにつれ、こゝに二・三十年來抱いてゐた對パリアン感情、對支那人觀が一轉するに至つた事は注意を要すべきてあらう。卽ち從來、努めて支那人を壓迫し、束縛の方針をとつてゐたが、彼等の移住制限も到底實行出來ぬを痛感して、西班牙人側はこゝに反感思想を捨てゝ、努めて之を融和し、以て彼等の豐富なる經濟力を利用して比島の開發・進展の資たらしめたものゝやうである。微税俄に多きを加へたのもその一例てあらう。一六一九年リオス・コロネル(Rios Coronel)の執筆になる「比島改革案」の中に、

支那人との取引を維持し、又同國人にして當群島に居住のものを好遇する事は甚た重要なる事にして、この社會は彼等なくしては維持し得ず、(彼等は市

に必要なるすべての取引に從事したれば)彼等を優遇する事得策なり。然るに總督ドン・ファン・デ・シルバは彼等に對し國內滯留の許可に對し、年に八レアル銀貨九枚の支拂といふ甚だ重稅を課したる後、(併し之は物價すべて騰貴したれば、市民に課したる事となるも)外に個人の奉仕をもせしめ、これにより彼等は甚しく當惑したり。依つて彼は(コロオル)陛下に對し、總督が出來得る限り彼等を優遇し、許可稅以上に負擔なる個人奉仕を免除せしめるやう命令されん事を切望する。(26)

このコロネルの訴願により、フェリッペ三世は一六二〇年九月五日付の法令(27)にて、支那人優遇を命じてゐる。又、これと共に、一方永らく放擲の形であつたパリアンの布教も、パリアン敎會、即ちサント・レイエス (Santo Reyes) 敎會の設立により本格的傳道に入つたのも、一六一七年以後の事であるから、(28)直接の原因及び明確なる年月は記し得ないが、一六一五年頃より二〇年頃の間にかゝる支那人政策に一轉期を見るに至つた事は略〻察する事が出來るのである。

此の後はパリアンは終始比島政廳に對する財政上の資源化した有樣であつた而して其內、固定的なる諸課役については次に述ぶる如くであるが、其以外に臨時に獻金の形式を以て資金を融通せしめた事多かつた。例へば、一六三六年マニラ國立病院にて療養室建造に當り二千ペソの寄贈あり、(29)又一六三八年土人マニラ市より追放の際も、多額の援助をなした。(30)一六三四年六月三十日付の總督コルクェラの手紙によれば、マニラ城寨築造にも、費用捻出の爲、支那人に對し優遇すべき事を條件に四千ペソ獻納方を慫慂した處、喜んで之に應じたといふか(31)如き最も單的に事情を表現したものといへやう。其他、パリアン關係諸役人の俸給や、いやしくも支那人關係の費用はこれすべてを支那人より支拂はしめたものである。(32)其他パリアンの地代及び營業税の如きも徴收されたらしく、一五九六年頃新に作られたパリアンからは一年に四千ペソ餘の收益を得た事が記されてゐる。(33)尚パリアン其の他の在住支那人よりの援助を豐富ならしむ一策として、一六二二年にはパリアン財團が、其の後トンド財團が組織され、以てその充實を圖らしめた事など注意すべき財政方針といひ得るのである。(34)

支那人關係の諸税は種々見らるゝも、其中最も多額であり、重要なものは貢税(tributo)、及び關税ともいふべき支那商品に對する輸入税及び入國税の一種なる滞留許可税の三種である。

貢税、之は比島全島の各莊園(Encomienda)に屬する莊民より一律に、各納貢團を單位として年々課せられたもので、[37] 一五七〇年より徴收された。各納貢團は成員元より一定せず、且貢物も必しも金に限らず物品等を以てする事行はれ、金額又不定てあつた。在住支那人についても恐らく定住初期より徴收されたらしく、例へば一五八四年の納貢額二萬二千ペソの中には、支那人納貢の相當の額が加算されてゐた事と思はれる。[37] 一五九一年五月三十一日付比島莊園表中、トンドの條に、

以上の外に二人の教師を備へた他のドミニコ派の修道院あり。四十人の支那人教徒に教を授けてゐる。[37]

とあつて、その文末に納貢單位として四十と記してゐる事より、當時の支那人の納貢は一人一單位、換言すれば一家一人て成立する事を知るが、同時に一般上人の納貢が多く四人一單位なる事に比し、注意すべき事てあらう。然るに此事は一六三七年の執筆に係るグラウ・イ・モンファルコン(Grau y Monfalcon)の覺書中に、バイバイの支那人教徒の納貢單位は五八〇にて各單位毎に十レアル納むべ

きことの記事及び別項にマニラ在住支那人一萬四千人で納貢は各人につき、五レアルにて八二五〇ペソに上るとの記事あり、[38] 當時貢税が一人五レアルであつた事は他の史料よりも知られるから、[39] 相互比較する事により其の頃の支那人の納貢單位は一單位二人であつた事を知り、前述の一單位一人がこゝに二人に増加した事實を認める事が出來る。一六二七年六月十四日(十一月十九日)付、フェリノペ四世發布の法令には、教徒となつた支那人はその初めの十年間は納貢すべからず、其後に初めて上人同様納入すべしとあるのは、[40] 元より、教徒保護の立場より出た法案であらうが、如何なる程度實施されたか詳にするを得ない。比島第三代の總督フランシスコ・デ・サンテ (Francisco de Sande) の一五七六年比島事情報告には、

支那商品輸入税。 比支貿易も初期は全くの自由貿易で無關税であつた。

現在まで輸出入税、其の他の諸税存在しなかつた。予は非常の時に來島したが、人々貧しく且少數てあつたから敢て課税をしなかつた。予は利益あるに至るまては、税を論ずる事は尚早なりと思はる。これは少額たるに過ぎず、船によつて支那より齎さるゝものは大した物てはない。[41]

と、關稅賦課を尙早なりとしてゐる。彼は又翌年一五七七年六月八日の報告に此件に觸れ、依然支那船より關稅徵收は機に非ずとし、而も陛下にそれを報じたる結果、比島に對しては二十年間關稅其他の諸稅の免除が許されたと記してゐる。[42] 併し關稅の利は人の注目する所であつて、皮肉にも上記のサンデは、來航の支那船の積荷の量に準して繋船料として、一船につき二五ペソ、三〇ペソ乃至五〇ペソを徵收してゐるのであつて、次の總督ゴンサロ・ロンキリョの時にはその額三千乃至五千ジュカットに上つたと見えてゐる。[43] 而してこれと共に彼は愈〻貿易稅賦課を實施するに至つた。卽ち、一五八二年六月十六日の書翰に、別の書翰にて、既に西班牙、支那商品の輸出入稅として、三パーセントの課稅の事を報告せり。トネラーダ(tonelada)につき、十二ペソの繋船稅も又課せられたり。この莫大なる利益を考慮せば、これらの諸稅は甚だ穩當なり。この理由により、又將軍レガスピにより齎らされたる指令に、この國の住民より五パーセント、メキシコの商人より七パーセントの徵稅規定あり、その割合の徵稅も、安心して餘り遲延はされ得ぬ故、それを實施する事に決心せり。[44]

この内、輸出入稅賦課の起源については、一五八二年の執筆と思はるゝサラサ

ールの報告に、

昨年及び本年彼等は支那商人より三パーセントを要求せり。この事より後者に對する幾多の不正生じたり。(16)

とあれば、一五八一年に求むべきであらう。一五八四年の比島の財政報告によると、この支那・メキシコに對する輸出入税は、六千ペソに上り、全收入の約$\frac{1}{5}$に相當してゐた。

一五八九年八月九日の發布の法令に、

比島に於いて、軍費支拂の爲に、三パーセント税商品に課せられたり。朕はこの法の遵守せらるべき事、及びこの税より支拂はるる他の事に關し、廢止せらるべき事を命ず。(17)

と規定さるゝ事より本税は元來軍事費に充當せらるべきものであつた。抑も比島統治初期に於いて、その財政の窮乏の原因の一つは、實に幾度に亙る莫大な遠征軍費であり、その大部分が失敗に終つた事は益〻その財政狀態を惡化せしめたものであらう。モルガもその著に於いて、この問題に觸れ、この事無くんば、比島財政も持ち得るのであるが、この出費はメキシコよりの年々の補助にても不足であつた。而もかゝる缺損を冒して迄も比島經營をなさしむる所以のものは一に基督教傳道の爲であり、比島を根據としての全アジアの教化にあると述べてゐるの[48]は當時の西班牙人の對比島觀念を代表するものとして注意すべき言といふべきてある。而して敍上の支那商品に對する三パーセント税(三分税)の賦課に對し、初めマニラ市民の反對があつたが、皇帝は財源增加の立場から廢止反對を主張した事はゴメスに對する指令と共にテイヨへの指令中にも强調してゐる事[49]により明かである。故に本税は以後引續き課せられ、支那人の占むる貿易の利の莫大は遂に三分税のみにては不充分なりとし、之に增税をなす事となつた。一五九八年六月十九日、テイヨから皇帝へ上つた書翰に、支那人の利が二百パーセントに上り、三分税及び繋船税のみでは甚だ僅少なりとて、

> 彼等は上記の税をその利益に比例して拂ふべき事正當ならん。從つて少なくとも以上の外に三パーセント增加すべきなり。[50]

と加税の意を傳へてゐるが、一六〇六年十一月二十日發布の法令に、

> 比島に於いて支那人により同地に齎さるる商品に對し、徴收せらるる三パーセント税は更に三パーセント加へらるべきを命ず。[51]

と定め、こゝに支那商品輸入税率は六分と倍加されたのである。この時代の支那商品輸入税額を例示すれば、一六〇〇年前後には約三萬五千乃至四萬ペソに上り(三分税)[52]、一六〇八年頃は大略三萬八千二百八十八ペソ餘(六分税)[53]、二〇年頃には八萬ペソに高騰を見てゐる。[54]尚一六一九年以後はポルトガル人によるマカオ・マニラ貿易盛となつた爲、支那人によるそれは減少を見たが、一萬―二萬ペソの程度であつた。[55]

滯留許可税、入國税とも稱すべきもので、支那人か比島に入島、パリアン乃至他の地方に居住に對する比島政廳の許可制に對し年々支拂はれる税を意味するこの課税の起源を見るに、一六〇三年七月五日付、大司教ベナビデスよりフェリッペ四世に奉つた書翰に、

彼等(支那人)が當地に滯留の爲に與ふる各許可に對し、各支那人より、陛下に對する貢税以外に二レアルを徵收する。常に彼等は八千人乃至一萬人あれば、巨額の税なり(中略)。これらの二レアルは每年審議官により任命さるゝ人の俸給、其の他の諸件に支拂るやうすべきなり。[56]

と、滯留税として各人二レアル徵收の事を述べてゐるのが初見である。惟ふに、

政廳にては貿易の振興と治安維持の兩方面調節の爲、市政に必要なだけの支那人滯留を許可する事としたか、財政難に苦しむ當局はその財源捻出の爲、前述の如く輸入税率倍加をなすと共に、滯留者に對しては政廳より印刷した許可狀を各支那人に手交し、同時にそれに對する課税を考慮したものゝ如くである。併し乍らこの時は實際實施を見たか否か不明であるが、恐らく不實行に終つたのではあるまいか。この事は、滯留税に關する諸記錄が、この事を記すものなくして、總督ファン・デ・シルバの創設、又は一六一〇年若くは一六一二年とある事に依り想像される。一六〇八年の比島財政表にも本稅は算出されてゐない。而してその實現を見るに至らなかつた理由も判らないが、要するにその必要を見なかつたからであつて、同年秋の支那人大暴動などその原因と思はれる。

實施を見た滯留税の創始については、一六四四年のカバリェロ (Cavallero) の筆に、

すべての支那商人は一六一〇年以來、この國に滯留し得る爲に、「一般許可」と稱する許可制に對し、税(陛下の勅令で定められたる)として八ペソ五レアルを支拂つた。(58)

とて其創始を一六一〇年としてゐるが、一六二〇年八月八日總務廳よりフェリッペ三世へ上つた書翰中には、總督ファン・デ・シルバが一六一二年十一月十二日の法令で支那人滯留許可税發布したとあり、(59)一六一三年十二月二日、フェリペ三世の書にも、一六一二年滯留の支那人に對し、許可税として八ペソづゝ支拂はしめたと見えるから、(60)實際は兎も角、正式には一六一二年より徴收されたものであらう。

かゝる滯留許可制に基く課税實施は、當然その許可制を嚴重ならしめる結果となつたのであるが、その施行について、一六一四年一月十二日の法令によれば、

支那商人群島に滯留し得るが目的にて比律賓總督の發布する許可は、我が官吏の同意なかるべからず。責任も又これらすべてに歸せらるべきなり。其れより生ずる金額(各許可につき八ペソ)は我が國庫に納入せらるべし。特別の帳簿を其處に保存し、姓名及び符號を隱匿の事なきやう、明瞭に記入さるべし。(61)

と定めてゐるが、この法令は一六二五年十一月二十一日にも發布されてゐるから、中々充分には行はれ得なかつたやうに思はれる。一六二一年七月三十日付、

マニラの大司教ミゲル・ガルシア・セラノ(Migeul Garcia Serrano)よりの書翰に現在マニラ市内には國内に滯留の許可を得たる支那人一萬六千餘人あり。其以外にその數の約三分の一程、通常許可なくして滯留するものあり。從て、大略、十六年半以前、叛亂し我等に戰を挑みし時以上の支那人現にあり。[12]とて、此頃無許可のものすら、約五千人に上つた事を知るが、彼等こそ八ペソの税を支拂はぬものであるから、政廳としては相當苦慮したものと考へられる。

滯留許可税の額は、法令にも規定ある如く、當初は八ペソであつた(前掲文書に八ペソ五レアルとあるのは後世の記述より、恐らく思ひ誤つたものであらう)が、その總額は支那人多數の事故、巨額に上つたのである。然るに時の經過と共に、本税も又加重せられるに至つた。一六三六年六月三十日、總督ウルタド・デ・コルクエラが皇帝への書に、當島在住支那人は滯留許可として年々一レアル減九ペソを支拂つてゐるが、支那人等は多く政廳の許可なく地方に散住するに至つた故、これをパリアンに戻さしめんとしたが、支那人等の懇願で、再び散住せしめたが、其際條件として、從來の一レアル減九ペソの代りに十ペソ二レアルを納入せしめ、十ペソは國庫に、二レアルは許可狀印刷費及び、その仕事に從事する諸役人の費用に宛つる事とし、差引陛下は各許可につき、九レアルづゝの利を得ると記してゐる。(63)然るに一六四四年、マニラ總務廳の檢察官セバスチアン・カバリェロの「支那人許可制」と題する報告には、支那人は一六三〇年以來滯留許可税として八ペソ五レアルを納入したが、一六三五年コルクエラ總督就任後間もなく、支那人に對し、マニラを離れんとする者は、年に十ペソ納むべき事、卽ち規定の額に比し十一レアルの負擔てあると記してゐる。(64)元來本税が八ペソなる事は前述の如くであるが、今この二文を見れば、前者は之を一レアル減九ペソ卽ち八ペソ七レアルとし、後者には八ペソ五レアルとしてゐる。又コルクニラの新税を前者は十ペソ二レアル、後者は十ペソとしゐる。併し乍ら、惟ふに前記の八ペソ五レアル、八ペソ七レアルは、創設當時のものに非ずして、其後の增税の經過を暗示するものであり、又コルクエラの新税中、二レアルは雜費として宛てられたから、カバリェロは之を十ペソと記したものであらうと推察される。尙一六三七年執筆のクラウ・イ・モンファルコンの覺書の中には、各支那人八ペソにて一萬四千人より十一萬二千ペソ得られると見え、(65)又同人の一六三五年のには、各人九ペソ (Nine reals of eight) づゝ、三萬人より滯留税年額平均二十七萬ペソとあるも之[66]は年額と大體の在住人口より想像しての九ポソてあつて、實際果してかく課税されたか否かは疑問といはねばならぬ。十七・八世紀の文の記錄によれば、本税は二萬三千ペソ餘に上り[67]、重要收入を形成してゐた事を知るのである。併し、後世になるや、本税と貢税は共に人頭税に合一せしめられたもの丶如く、一七九〇年五月十四日の勅令て支那人頭税は年に六ペソと定め[68]られたが、一八二〇年頃には總額三萬ペソに達し[69]、フォアマンに見ゆる一八八八年の人頭税は二十三萬六千二百五十ペソの巨額に上つたのてある。[70]

以上の諸課税の外、政廳では臨時に國庫補助の意味で課税したものもあり、例へば一六四三年にはマニラ郊外バグンバヤ(Bagunbaya)地方要塞築造の爲、各支那人に六レアルづ丶の税を賦する事あり[71]、度々の獻金も結局は一種の税とも稱すべきものであつた。前述した所の、一六二二年四月八日付皇帝許可のパリアン財團は、各支那人をして毎年二回に亙り三トストンを拂込むものてあつて、次いでトンド財團も形成されたが、政廳では周圍の資金を豐富ならしめ、以て自己の資となさんとしたもの丶やうである。パリアン知事を初め關係役人の俸給、教化事業關係費用は之によつて補給されたものであつて其額は相當に上つ事であらう。一六二六年頃、支那人が、金庫を作つて年々各人十二レアルづゝ納入し、メキシコ船建造及び軍事費に充當せしめた事[72]も又政廳にとり、一金融機關となつたであらうと思はれる。

以上縷述した所より、比島開拓當初より、支那人が財政上に於いて、比島政廳に對して與へたる恩惠は莫大なるものがあつたと考へられる。少くとも全時代を通じ、毎年の收入中、支那關係の歳入はその二三十パーセント以上を占めてゐた事は疑ひない所である。實に彼等は比島の西班牙人にとり存在のすべてを負ふてゐるのであり、商業上の實權は彼等に全く握られてゐた。一六二八年八月四日付、總督タボラより皇帝フェリーペ四世への書翰中に、

俗人又は教師の西班牙人にして、支那人を通せずして、食糧・衣服・靴を得るものは一人もない。従つて顧客を持たぬ支那人は殆んとない。[73]

と、西班牙人と支那人との不可分關係を敍し、支那人間相互の間に極めて巧みなる連絡あつて、到底西班牙人の力を以てしては、それを斷つ事が出來ぬ事を記してゐる。支那人の取引に巧みなる事はこゝにも現はれてゐるが、先に述べた諸税の加重の如きも必しも收益は其れに件はなかつたのである。即ち支那人

は税高くなれば、物價を値上げせしむる爲、結局増税の負擔は西班牙人にふりかゝる事となるのであつて、[11]西班牙比島占據時代を通し、彼等の商業のすべては支那人の獨占に終つたか爲、結局に於いて萬事支那人の思ふが儘になつた感が深いのである。

註

1、極めて概算である。その詳細については他日を期したい。
2、Morga-Retana p 216　Phil Isls. Vol XVI. pp. 177–178
3、ibid. pp 216–217 Vol. XVI pp 178–180
4、Phil. Isls Vol XVII p 32
5、Morga-Retana p. 224　Phil. Isls Vol. XXIII. p 108
6、Phil. Isls. Vol VI p 269
7、小葉田淳氏。比律賓の金銀(南方土俗二ノ二)。岡本良知氏。一五九〇年以前に於ける日本フィリッピン間の交通と貿易(史學一四ノ四)。
8、Morga-Retana. p 218　Phil I sls. Vol. XVI pp. 181–182
9、Phil Isls. Vol. X p. 259.
10、Morga-Retana p. 218.
11、Phil Isls. Vol. X. p 179.

12、Phil Isls. Vol. V. pp. 238–239.

13、ibid. p. 240.

14、Phil. Isls. Vol. VI. p. 162.

15、Phil. Isls. Vol. VII. p. 147.

16、Colin-Pastells, Labor Evangelica Tomo I. p. 450 nota.

17、Phil. Isls. Vol. VI. p. 168.

18、例へばモルカ・テイヨ・サンテイバニェス (Santibañez) 等當時の首腦者皆同樣の意向を有してゐた。(Phil. Isls Vol X pp. 149–150. 259 Vol. XVI. pp. 194–195

19、Phil. Isls. Vol. X. pp. 81–82.

20、Pastells, Historia. Tomo III. p. CCCXV

21、Phil. Isls. Vol. IX. p 266.

22、Morga-Retana. pp. 224–225. Phil Isls Vol XVI. pp 195–196

23、Phil. Isls. Vol. XXII p. 157. 尙本法令の一六〇六年十一月四日付發布については、既に岩生氏も條文中の日本人三千人とある事より之を疑っておられる(呂宋日本町の盛衰、頁一八〇、註四四)か、他方支那人關係條項中の六千人の數については暫く之をおくも、後段にて支那人增加の原因を八ペソの滯留稅に歸せしめてゐる記事は、明に一六一〇年以後の事に屬する。併し原文を見るを得ぬ故暫く疑を存しておく。

24、Phil. Isls, Vol. XII. pp. 110–111

25、Phil. Isls Vol XIV. pp. 152–153.

26、Phil. Isls, Vol. XVIII. p. 308.

27、Phil Isls. Vol XXII. pp 156–157

28、Aduarte, Historia p 464

29、Phil Isls. Vol XXVI p. 293 本文には支那人頭領の寄附とあるも、代表としてパリアン財団資金より、融通したものであらう。

30、Phil Isls Vol XXIX pp 102–103

31、Phil Isls Vol XXVI p 140 同様の例として一六三四年八月十日、サラマンカ司教には、支那人、城壁強化に助力し、その費用としてパリアン財団の資金中より四万ペソを提供したと見えてゐる（Phil. Isls. Vol XXIV. p 328)。

32、例へば監督官としての財務官の一年八〇〇ペソの俸給、パリアンの裁判所判事、ドミニコ派教師二人の俸給、スサンタ・クルスの支那人教化に従ふ教師のそれも等しく支出せしめられた (Phil. Isls. Vol. XX p. 211, Vol XXVI p. 143)。

33、Morga–Retana. Apéndice p. 238 "tiendas y rentas" とある。又、idit p. 212

34、Phil Isls. Vol XXVI. pp. 143–145.

35、Barrows, David. History of the Rhilppines. New York 1926 p. 141

36、Phil. Isls. Vol. VI. p. 67

37、Phil. Isls. Vol. VIII. p. 100.

38、Phil. Isls. Vol XXVII p 82. 135 本文に八二五〇ペソとあるも八七五〇ペソの誤りであらう。

39、Phil. Isls. Vol XXII p. 287.

40、ibid p. 158

41、Phil. Isls. Vol IV. p. 88.

42、ibid. p. 107.

43、Colin-Pastells, Labor Evangélica. Tomo. I. p. 355 nota.

44、Phil. Isls. Vol. V. pp. 29–30.
45、ibid p 237.
46、Phil. Isls. Vol. VI pp. 47–49 全收入は三萬三千ペソであつたと見えてゐる。
47、Phil. Isls. Vol. XVI p 181. note
48、Morga-Retana. pp. 223–224.
49、Phil. Isls. Vol IX. pp. 229–230.
50、Phil. Isls Vol. X p. 179.
51、Phil Isls Vol. XVI p 182 note 尙彼土のテイヨの進言に對する皇帝の返言に、その提議を至當なりとしてゐる。(Letter to Tello Aug. 16, 1599. Phil Isls Vol XI. p. 131)
52、Phil. Isls. Vol. XIII p 238. Morga にも四萬ペソに上るとある。(Morga-Retana. p. 222)
53、Phil. Isls. Vol. XIV. p, 249.
54、Phil. Isls. Vol. XIX p 249.
55、Phil Isls Vol XXV pp. 143–144 には、一六〇六年以降一六三一年に至る關稅額か表示されてゐる。
56、Phil Isls Vol XII p 108
57、この居留許可證の如きものゝ創始期は不明であるが、モルカに記載見えるから恐らく十六世紀末頃から始められたものと思はれる。それに從事するものは總務廳の審議官を主任として若干の吏員を配した樣である。(Morga-Retana pp 224–225)。併し、この制度と課稅は同時には考へられなかつたらしく、課稅は本節に記す如く一六〇三年頃計畫された樣に思はれる。
58、Phil. Isls. Vol. XXXV p 185.
59、Phil. Isls. Vol XIX p 84

60、Phil Isls. Vol XVII p 238

61、Phil. Isls. Vol. XXII p 158

62、Phil. Isls. Vol. XX p 96

63、Phil. Isls Vol. XXVI pp 139-140 こゝに見ゆる諸役人の費用とは經費なる事は勿論であるが、外に若干報酬費が加へられてゐる樣である。一六三四年六月一日付、サラマンカの丁抵によると此役に從事したのはトノトの知事と若干の書記であつて、彼等には各許可狀につき一レアル四分一が宛かはれ、之は長らく實行されてゐたと見えてゐる(Phil. Isls Vol XXIV. p. 310)。然し本來よりのものではないやうである。

64、Phil Isls. Vol. XXXV. pp. 185-186

65、Phil. Isls. Vol. XXVII. p 135.

66、Phil Isls. Vol. XXV p. 50.

67、Phil. Isls Vol. XLIV. p. 290.

68、Phil. Isls. Vol. L. p. 65

69、Phil. Isls Vol. LI p. 120.

70、Foreman, The Philippine Islands p 117.

71、Phil Isls Vol. XXXV p 186 "little licence" と名付く。

72、Phil. Isls. Vol. XXII. p. 164.

73、ibid p 250.

74、Phil. Isls. Vol. XVIII. p. 308.

以上主として十六七世紀を中心とするパリアンの變遷、活動の狀態を種々の方面より、比島西班牙側の史料を用ひて概觀したが、極めて乏しき史料によつて多方面に亙り觀察した結果、甚しく不徹底な見解の羅列に終つた事を認めざるを得ない。殊に十七世紀後半の貿易に就いては、「群島志」以外殆んど參照すべきものゝなかつたのは甚だ遺憾とする所である。他日根本的史料の檢索により缺を補ふ積りである。尙支那側等よりの比島貿易の吟味、各華僑についての個別的研究、等殘された問題は甚だ多い。要は、之を一試石として華僑全般の綜合研究にあるのである。御敎示賜はらば幸である。尙最後に本稿執筆に當り岩生教授より多くの示教を得た事を感謝する。

（一三、五、二〇）

三佛齊補考

桑田六郎

三佛齊補考

自分が本學部史學科年報の第三輯に三佛齊考を書いてから二年を經過した。その間に依然として室利佛逝 Śrī-vijaya は學界の問題てあつた。而して色々意見が發表されたので、此の問題に關心を失はなかつた自分も絶えず興味を以て、それらの說を讀んで居た。又その間に三佛齊考に述べた自分の意見にも足らない所を發見したので、こゝに諸家の說を紹介すると共に、自分の考へも補足したいと思ふ。

一、G. Coedès, A propose d'une nouvelle théorie sur le site de S'rīvijaya (Malayan Branch, R. A. S. Vol. XIV, Part III. Dec. 1936)、

是はその前年1935十二月に書かれたものであるが、雜誌の發行が一年後になつて居るので、自分の三佛齊考には引用出來なかつたが、同氏は自分の三佛齊考を見られたので、前記論文の抜刷を寄贈された。是は僅か九頁の小論文で、內容は H. G. Quaritch Wales 氏が馬來半島中部の Takua Pa, C'aiya, Vieng Sa 及び Nak'ôn Si Th'ammarat (Ligor) を調査し、その結果を Indian Art and Letters (Vol. IX, No. 1) に發表したのに對する論評である。Wales 氏の説の興味は次ぎの二點にあるとした。一は Takua Pa, C'aiya 間の通路が印度文化の西より東への傳來の道で、支那史料に見える盤盤國も此の地である。二は C'aiya が S'ailendra 帝國の都であつたと云ふことである。Coedès 氏は Wales 氏が指摘する如く、馬來半島が一方は印度、他方には南洋諸島を控へ、兩者の間に relai の役をつとめたことは Pelliot 氏以來説かれる所で問題はなからう。然し同時に一般に南洋の各地方が先つ印度文化を受け、次いで印度文化の傳播の中心となつたことは事實で、Java 或は Sumatra か印度支那に對して此の役割をなしたことは、印度支那の碑文や爪哇の傳説にうかがはれ、C'aiya の遺物の中にも爪哇の影響があると認められるので、印度文化傳播上の C'aiya の役割は餘程限定して考へねはならぬと云ひ、第二の説に卽ち S'ailendra 帝國の中心を C'aiya に置くことに就いては、既に自分の三佛齊考に述べた同氏の説を反復した所か多い。Coedès 氏曰はく、S'rivijaya の問題は最近著しい變化があつた。同氏が一九一八年に S'rivijaya＝室利佛逝(che-li)-fo-che＝三佛齊 San-fo-tsi＝Zābag＝royaume de S'ailendra＝royaume de Palembang の説を出してから、Vogel, Krom, Ferrand 氏の贊成を得て十年を經たが、一九二九年に先づStutterheim 氏の S'ailendra 家を爪哇王朝とする說によつて一擊され、次いで一九三三—一九三四年に R. C. Majumdar 氏により、S'rivijaya のスマトラ王國は八世紀の末にその領土を馬來半島中部の Ligor まで廣め、その後久しからずして Jāvaka と云ふ卽ち支那の三佛齊て都を Ligor に置く S'ailendra 家によつて治められる國に absorb された。そしてこの Jāvaka と云ふ名はアラビアの航海者によつて Zābag の形で S'ailendra 家の全領土卽ち八世紀末より爪哇を含み、十一世紀にはスマトラ及びマライ半島全部に擴がつた全領土に適用されたと云ふ說を出したが、Wales 氏は此の Majumdar 氏の說を採り、その或る點は訂正したのである。卽ち七七五年の Wat Sema Mu'o'ng の S'rīvijaya の碑は、スマトラの S'rīvijaya の勢力がこゝに及んだのではなく、半島の Jāvaka 王國がその時已に S'rīvijaya を absorb して居て、S'rīvijaya の名を用ひたか、或は Javaka 王國もスマトラの S'rīvijaya と關係なく S'rīvijaya の名を用ひたのであらうと云つて居る。S'rīvijaya の名は如何ともあれ Wales 氏が S'rīvijaya を C'aiya にあてたのは一つは同地方の richesse archaéologique と、二つには C'aiya=Jaya; Sivic'ai=S'rīvijaya の比定を試み、又發音上 S'rīvijaya と三佛齊との類似を論じて居る。 Sivic'ai と云ふのは C'aiya の南にある小山の名である。 Majumdar 氏も Wales 氏も七世紀にスマトラの S'rīvijaya の存在を認めたが、その後の數世紀には是れに重要性を與へないのが吾々と違ふ點である。かくて問題は紛糾して來て、Stutterheim 氏も S'rīvijaya (Che-li-fo-che) をスマトラの Indragiri に置く說を出した。是は Oudheidkundige Vondsten in Palembang door F. M. Schnitger. Bijlage A.: Verslag over de gevonden inscripties door Dr. W. F. Stutterheim, Palembang, 1935, p. 4 に出て居る由 Coedès 氏の註に見えて居るが自分は是を未だ見ることが出來ないのは殘念である。唯 B. E. F. E. O. XXXV. p. 378–380 に Coedès 氏の前記の書物に對する書評がある。そこに引用してあるのによると Stutterheim 氏は Kedukan Bukit の刻文（三佛齊考四四三）所記 siddhayātrā は un pèlerinage entrepris pour obtenir quelque chose であるから Çrīvijaya jayasiddhāyātrā は le prince en question a accompli à l'endroit où a été découvert le document (Palembang) un pèlerinage nécessaire pour une victoire sur Çrīvijaya. と Palembang に un sactuaire があつて七・八及び十世紀に人々が彼等の entreprise に必要な Arabe, barakat; Malais, bĕrkat "blessing" を求めに行つたらしく思はれ又 Foucher は Suvarṇapure Çrīvijayapure Lokanātha (三佛

參考頁五七)と云つてあるが Palembang で發見されたのは佛像であつて Lokanātha 觀世音ではないと云ひ，次いで bien des faits indiquent que nous ne devons pas placer Çrīvijaya à Palembang, encore que cette région ait pu à une époque plus ou moins ancienne appartenir à ce royaume : car, comme on le sait, les donnèes Chinoises placent Çrīvijaya sur l'équateur, c'est-à-dire dans Indragiri. と云つて居る。碑文の文句に就いては Coedès 氏が B. E. F. E. O. XXX, 1930 に發表して以後色々論議されて居り，そのことは同氏の J. W. J. Wellan, Çrīvijaya (Tijdaschrift van het kon. Nedrl Aardrijkskundig Genotschap. 2de ser., deel LI 1934, p. 348–402) の書評中に記してある (B. E. F. E. O. XXXIII. p. 1002–1008) Wellan 氏の此論は自分は未だ見る機會を持たぬ。 Siddhayātrā の問題はその後 K. A. Nilkanta Sastri 氏が論じて居り，Huber, Majumdar, Coedès, Chhabra, Stutterheim 氏等の説を紹介し，その結論として siddhayātrā はインドネシアの刻文では必ず the acquisition of magic power of some sort or other に關して用ゐられる a technical term であり，その爲めに或る Ksetra (sacred spot) に至る pilgrimage も亦 Siddhayātrā と云はれる樣になつたと云つてある (J Gr I S. IV 2 p. 128–136) かくて Siddhayātrā の解釋は大體明かになつたが，問題は碑文の物語は室利佛逝王の siddhayātrā か或は他國の者の siddhayātrā が殘る。Coedès 氏は始めから室利佛逝王のことを云つたものとするので Çrīvijaya jaya を un victoire de Çrīvijaya と解釋せんとする(B. E. F. E. O. XXXV p. 380) Krom 氏も the siddhayātrā of the S'rī Vijaya was the journey (in a boat) for obtaining magical power と云つて居る(Hindoe-Javaansche Geschiedenis, 1931, p. 121)所が見方によつては是が室利佛逝を Palembang とする說に反對する論據になること Stutterheim 氏及び後に述べる Moens 氏の說の如くである。然し Sastri 氏は Stutterheim 氏が試みた新しい比定を證明するまでは Coedès 氏の May not S'rīvijaya signify also a victory of S'rīvijaya? の問に肯定的返答をしたく、Kedukan Bukit の碑文を a record commemorating the beginning of an expansionist policy in the history of the kingdom of S'rīvijaya として扱ひたいと云つて居る如く、室利佛逝を Palembang 以外に比定すべき適當な場所がないとすれば、吾等も亦 Coedès 氏の說に從はざるを得ぬ。即ち碑文は室利佛逝王自身の Siddhayātrā を記したものと見なければならぬ。次ぎに Stutterheim 氏の Palembang 佛像と Foucher 所記 Çrīvijaya の Lokanātha に關する說は一寸解し難い。と云ふのは Devaprasad Ghosh 氏が Two Bodhisattva images from Ceylon and Srīvijaya を J. Gr. I. S. IV, 2, p. 125–127 に書いて居り、兩者の類似を說明し、Majumdar 氏が

Palembang の觀音菩薩像を classic Gupta art の特色を持つと云ふ說を反駁し、共に Pallava School から來て居ると云つて居る。又 Stutterheim 氏は支那史料が室利佛逝を赤道に卽ち Indragiri 地方に置いて居ることを擧げて居るが、室利佛逝の位置を夫れ丈で決定するのは甚だ早計である。Coedès 氏は次ぎに Wales 氏の說に對する反駁を一通り記して居るが、大體自分が三佛齊考に引用せると大差がないので省略し、唯同氏が室利佛逝と三佛齊の關係に就いて J'ai écrit recemment à ce sujet ("On the origin of the S'ailendras of Indonesia," J. Gr. I. S. v. 1. n. 2) que l'identification du Che-li-fo-che avec le San-fo-ts'i n'était certaine ni phonétiquement, ni historiquement. Je dirai ici avec plus de précision : historiquement, les. deux termes succèdent l'un à l'autre ; phonétiquement, ils ne sont pas exactement superposables と云つて居る點に就いて述べたい。是は三佛齊が S'rīvijaya の音をうつして居るか否かにある。自分の三佛齊考頁一三三—一三四に述べた所であるが、自分の考への不足の點もあつたので重ねてこゝに述べたい。是には問題が二ヶ所ある。一は佛の字、一は三の字である。Ferrand 氏は室利佛逝が S'rīvijaya をうつすとして佛の字が vi をうつすのに疑問を抱いた。自分は三佛齊考では波斯人が vijaya を buza と云ふ風に訛つて居たのをうつしたのではないかと記して置いた。この考へは今でも變らぬ。宋史占城の條に淳化元年新王楊陁排自稱新坐佛逝國楊陁排と記し、景德四年の使者布祿釜地加の言に本國舊隷交州後奔於佛逝去舊所七百里とある。G. Maspero 氏は始めの記事を "Indravarman du royaum de Vijaya nouvellement établi" と譯して居る(Le Royaume de Champa p 127) 但し同氏は楊を揚として居るが發音は同じ。又後の記事の佛遊を佛逝の誤りとして居るのは同感である。Vijaya は同氏によると今の Binh-dinh である。自分はこの占城の佛逝も蒲姓の訛る所ではないかと思ふ。占城に回々教徒の在住するものか多かつたことは宋史の記す所てある。然し佛は又弼と同しく用ゐられる。若し佛逝の佛も弼と同じに用ゐたとすれば回々教徒の訛を考へる必要もないかも知れぬ。佛は入聲(t)であるが、この入聲を必要としない時に入聲を用ゐた例は他にもある。佛教大辭典から引用すると厥修羅、俱蘇洛 Kusūla 室灑 sisya 刹那 Ksana 畢舍遮 piśāca 跋難陀 upananda 跋(或伐)闍羅 ‖ 婆闍羅 vajra 弗沙迦 ‖ 捕沙、富數 pusya 達須 dasyu の例があるので入聲の問題は喧しく言ふには當らぬと思ふ。殊に次きの音が s 或 j の如き音てある場合は語尾(t)の入聲は次ぎの音が t d の如き場合に類似し音が assimilation する可能性がある様に思ふ。Coedès 氏も本論文にて Phonétiquement, *fo-ts'i* peut représenter vijaya, mais *san* reste embarrassant と云つて居る。三佛齊の三の字は Ferrand 氏も三 sam が如何にして S'rī をうつし得るかに疑を抱いた。L. Aurrousseau 氏の如きは S'rī の對音に釋或は式を充てる例があるので、三佛齊は式佛齊であつたのが弍佛齊卽ち三佛齊と誤つたのであらうと說いた(B. E. F. E. O. XXIII. p. 477–478)。然し是は杉本直治郞氏が云へる如く、二佛齊を式佛齊或は弍佛齊と書いた本もないので如何かと思はれる(新越國考頁四二)杉本氏は別に神物王名物名などの Honorific prefix として馬來語に San があり、Çrī を直ちに San に結び付けることは困難であるにしても、Arab 人が Çrī を Ser 又は Sar と轉訛して居る實例を介する時、それは全く不可能なことであらうか。蓋し純然たる梵名の對音室利佛逝か義淨の高僧傳南海寄歸傳に見え初め、梵語以外の要素を交へた名三佛齊が嶺外代答諸蕃志に至つて見え出すのは、印度文化が回敎文化の影響を受けて次第に馬來化して行く過程を反映したものと見られぬてあらうかと云つて居る。然し三佛齊の解釋に馬來化の過程を見る必要があるであらうか。杉本氏と同し様な見方は既に高桑駒吉氏の說に見えて居る。高桑氏は佛逝の對音は Vijaya てなく Bhoja てあるとし、梵語 Sri はマライ語 San にジャバ語 Sang に轉用されて居り、マライ年代記及びジャバの王名に例があるので三佛齊はマライ語 San Bhoja の對音てあらねばならぬと云ひ、Sarbaza の對音とするのを誤りとした(史學雜誌卅一編九五八—九五九頁)。然し是も San Bhoja と記したものがない。高桑氏は又 Sri Vijaya は王名族名朝名に用ゐて居る例はあるが、國名地名に用ゐて居る例はない、單に Vijaya または Sri Vijaya 王の國を云ふのであると解釋して居るが(同上頁九六一—九六二)是は今日ては最早や問題てない。自分は三の日本音から考へてサンなれば Ser をうつし得るので、それによつて三佛齊を回々教徒の Serbuza に當てて差支へないと三佛齊考頁一三四に述べたが、それは三の韻を餘りに無視した論とも思はれるのでその後再考を加へた。それはb音の前に來る子音はm音が多いことに氣が付いたことである。是は普通の英語・佛語辭典を見てもわかる。但しbで始まる語とその前に來る語が夫れ夫れ獨立した意味を持ちながら兩者結合した場合は此の限りではない。是は波斯語辭典等を見ても言へるので、恐らく發音上さうなるものと思はれる。時にはbの前にわざわざmが加はることがある。例へばタバコを波斯語ては tambūkū と云つて居る。Serbuza は S'rivijaya の轉訛であるから、Ser, buza は夫れ夫れ獨立した意味を持つ語であるか、それに氣が付かない時は是を Sam buza 卽ち三佛齊でうつすことも考へ得ると思はれる。Ser-buza を三佛齊でうつすことは、一見粗雜の樣であるか、次の音が b 音で始まるので m 韻の三となつたのではあるまいか。此の三佛齊か S'rīvijaya Serbuza をうつすとするのと然らざるとは三佛齊の問題に大影響がある。R. C. Majumdar 氏が三佛齊を馬來半島に置く樣になつた動機の一つは三佛齊が S'rīvijaya, S'erbuza をうつすことに G. Ferrand 氏が疑問を抱いたことにある。最近入手した R.C. Majumdar 氏の Suvarṇadvīpa, p. 221 には Except for the addition of a nasal sound in both Kan-to-li and San-fo-tsi, these two Names seem to correspond quite well with Kadāra and Zābaj. とある。是は氏の Les Rois Śailendra du Suvarṇadvīpa (B. E. F. E. O. XXXIII) の一節であるが、自分は氣が付かなかつた。此の中の Kan-to-li は梁書の干陀利で宋書には斤陀利とある。自分も三佛齊考頁六四て是を南印度の史料に出て來る馬來半島西岸の Kaṭāha, Kaḍāra に結び付けて考へた。この點 Majumdar 氏と一致するが、白分は年代の距りと義淨が羯茶を室利佛逝の領土と云つて居ない點に疑問を持つて居たが、最近足立喜六氏が根本一切有部百一羯磨の中に義淨が羯茶は佛逝に屬することを記せるを指摘したので(補考頁三〇一三一)、年代は大分接近したが、尙ほ百五十年許の距りが殘る。

然し同氏の三佛齊と Zābaj の相似に就いては異議がある。同氏は頻りに支那史料の三佛齊と回教徒の Zābag, Zābaj とが equivalent なることを論證して居る。是には自分も對譯上の點を除けば同意見である。發音上三佛齊と比較する場合に Zābaj を記し Zābag を記さないのは怪しい。Zābaj と Zābag との關係は G. Ferrand 氏が論じて居り、Zābag を古い讀み方、Zābaj を近代の讀み方となし Djawaga に還元して居る。最後の字 "jeem" が梵語の g をうつし、"zā" が dj をうつす例を示して居る(Relations, tome 1, p. 10)。"jeem" は今でもエヂプトでは garden の g の如く發音すると云はれて居る(A. Hussain, Arabic Self-Taught, p 10)。Zābag を正しい讀み方とするならば、是と三佛齊とは發音が似て居ない。又一方 Zābag は印度の Jāvaka に關係ありと思はれ、G. Coedès 氏も本論文に Zābag correspond phonetiquement au Jāvaka de la Peninsule, etc. と云ひ、R. C. Majumdar 氏も In this vague extended sense, Davāka. used in Samudragupta's inscription, may be regarded as the origin of the forms Jāvaka or Arabian Zābag. (Suraṛṇadvīpa, p 215)と云ひ、Ḍavāka, Sāvaka, Sāvaka, Jāvaka と Zābag と同

一視して居る。こゝに R. C Majumdar 氏の矛盾か認められる。即ち Zābag が本來印度の Jāvaka に本つくとすれは、Zābag か正しい讀み方てあることがわかるにも拘らす、Zābaj を以て三佛齊にあてるのは怪しいことてある。三佛齊とZābag か、その名のあらはれた時代及ひ國勢に於いて相似て居るとは云へ、三佛齊は Zābag の對譯てないことは以上述へた通り明白てある。然らは三佛齊は何をうつすか。是に對する答は簡單てある。即ち三佛齊は Serbuza をうつすのてある。然らば三佛齊は Srīvijaya 卽ち室利佛逝の後身であることは明かてある。然し室利佛逝と三佛齊は國勢か大分違ひ、三佛齊の王室は問題の Śailendra 家なので、R. C. Majumdar 氏は Śailendra Empire と云ふ言葉を用ゐて居る。Wales 氏は C'aiya の近傍の河と思はれる Girirāstra "royaume des Montagnes" を引用し、是が Śailendra "roi des Montagnes" の名を思ひ出させると云へるに對し、G Coedès 氏はシャムに於いては梵名の地名を重要視するのは輕卒て、後世(一八五一——一九二五)に作られる機會があつたと反駁し、最後に C'aiya は Mahārāja 國の中心としては片寄つて居ると論して本論文を終つて居る。思ふに R. C. Majumdar 氏が三佛齊＝Zābag＝Sailendra Empire の中心を Ligor 地方に置くのてすら北に片寄つて居て、マラッカ海峡を制するには不便と思はれるのに況んや C'aiya の如く尚ほ北方にあるものを三佛齊 Zābag、の中心とは到底考へられぬ。尚ほ Zābag に就いて論じたいことがあるが、それは他の章に譲る。(補考頁二四—三二)

二、W. F. Stutterheim, A Javanese Period in Sumatran History.

この書物は一九二九年の出版て、今更こゝに紹介するわけてはないが、拙著三佛齊考頁五五—五九に於いてこの書の内容に觸れたが、當時未だこの書物を入手出來なかつたので遺憾に思つて居た所その後入手したので三佛齊考引用の不備を補ひ、且支那史料が引用されて居るのを發見したのてこゝに再び論ずる次第てある。既に記した如く氏の論は Kēdoe 出土の銅版に記された Sañjaya 王以下の王名の中 Çrī Mahārāja Rakai Panangkaran を Kalasan の Çailendra 家の刻文に見える Çrī Mahārāja Kariyāna Paṇaṃkaraṇa に比定することから出發する。是より色々の推測が出るのてあるか、先づ氏は Nālandā plate (三佛齊考頁五六—五七)に記す所 Suvarṇadvīpa 王となつた Bālaputra の祖父 Yavabhūmi (＝Java) 王を Sañjaya 王に比定した。その理由は Yavabhūmi 王の名は heroic destroyer of enemies の意味であるが、是は Sañjaya、"All-conqueror" と synonym であると云ふにあるか、Bosch 氏はかゝる名は他にも例があるから此の比定は問題にならぬのみならず Sañjaya の Čangal の碑 (732 A. D.) と Nālandā plate (circa 860 A. D.) の間に三代を置くことは無理であるのを指摘した。 Stutterheim 氏の如く Čangal 碑を Sañjaya 即位の初めとし Bālaputra を末子と考へてもまた無理であり、或は Bosch 氏や P. Mus 氏の考へる如く Kĕrulak 碑文の同じ様な意味の名の王に比定する方がまだ可能性があるかも知れぬ。 Stutterheim 氏は次ぎに Kĕdoe 刻文所記 Sañjaya の次ぎの Panangkaran を Nālandā 銅版所記 Yavabhūmi 王の子にして、Suvarṇadvīpa 王 Bālaputra の父である Samarāgra に比定することになる、その論據として Samarāgra を本名、Panangkaran を食邑名として居るが、如何にせむ前記の如く年代の距りの過大なることに氏の説の無理な點は免れぬと思はれる。次ぎに Kĕdoe 銅版所記 Sañjaya の次ぎの Panangkaran と Kalasan 碑の Çailendra 家の Paṇaṃkaraṇa の比定であるが、是は年代は似て居るが三佛齊考頁五六にも述べた如く Kĕdoe 銅版刻文に Çailendra 家の名が少しも出て居ないのと、Panangkaran のみが Çailendra 家のものであるとするには何か他の證據はないものかと考へざるを得ない。それから氏は Vieng Sa 碑即ち Ligor 碑(三佛齊考頁五一參照)の兩面を共に七七五年のものとして居るか、A面卽ち Śrīvijaya の名を記すものは七七五年のものであるが、B面の Śailendra の名を記すものはA面より後のものであること R. C. Majumdar 氏の指摘する所て G. Coedès 氏も同意して居る(三佛齊考頁一三三)。Stutterheim 氏は又爪哇の Sañjaya 王統の Matarām 國の南洋に於ける優勢を説き色々論據を擧げて居るが、Ligor 碑の Śrī-Vijayendrarāja, Śrī-Vijayesvarabhūpati 及 Śrī-Vijayanṛpati を G. Coedès 氏は全て Śrī-vijaya 王となせるに對し、氏は始めの二箇は King over the Lords of Çrīwijaya と讀み、Çrīvijaya を外部から征服したものに適用されて居る樣に考へ、カンボヂャ國の Jayavarman II. が Kambujarājendra と稱せるを傍證に引いて居るが、P. Mus 氏の反對して居る如く、諸王の中の最高の王の意味に取るべきである。(B. E. F. E. O XXVIII, p 520–521) 然らば Mahārāja と大體同し意味になる。R. C. Majumdar 氏も Mus 氏の說に從ふと云つて居る(Suvarnadvipa, p 206) 所てA面を Śrīvijaya の碑B面を Sailendra 家の碑として、Śailendra 家は二つある。卽ち一つは爪哇に、一つは Śrīvijaya (Palembang) にある。A面と違ひB面には年代が記してないのであるが、是が何時頃のものであるかは重大なことである。Coedès 氏が爪哇の Kĕrulak 碑(762)と同時代と見て居るのに從へば、B面の Sailendra 家は爪哇の同王家である、何故なれば Srīvijaya の Sailendra 家は Nālandā plate (circa 850) の Bālaputra から始まるからてある。此のB面の王名 Viṣṇu を B. Ch Chabra 氏が Selngsing 發見の Viṣṇuvarman 指環印に比定したこと及び三佛齊に指環印使用の風習あることは三佛齊考頁五八に述へたか、R C. Majumdar 氏は此の比定に十分な根據がないとして贊成して居ない (Suvarnadvīpa, p 150)。Stutterheim 氏は尙ほ種々論究する所があるが、何しろ今より十年前の研究てあるから、こゝに仔細に紹介するのを避けるが、同氏が支那史料を用ゐた所に就いて述べたい。同氏は Çrīwijaya と Java の支那入貢表を作つた。その表は六七〇—七四二年間室利佛逝の入貢を記し、その間 Java の入貢を記さず。七六七—八七三年間 Java 訶陵の入貢續いて、室利佛逝の入貢かない。九〇四年以後 Çrīvijaya の入貢のみで Java の入貢がない。氏が此の表により語らうとする所は後に述べるとして先づ表の眞僞を調査すると、第一期の六七〇—七四二年(天寶元年)間に Java の入貢がないのは事實てない。天寶以前の訶陵の數回の入貢に就いては三佛齊考頁五二に記して置いた。又室利佛逝の入貢も702,728は夫れ夫れ701,727の誤りてある(三佛齊考頁四九)。第一期に訶陵か絶えて入貢しないのと數回入貢して居るのとは考へ方に影響して來る。第二期卽ち天寶以後久しく室利佛逝の入貢なく、是に反し訶陵の入貢頻繁なることは三佛齊考頁五〇及び五三に記して置いた。この閒の訶陵の入貢て氏の所記767,768は768,769の誤り、七一五年の入貢を脱して居る。同時に、佛齊考頁五三では元和十五年 820 太和五年 831 に闍婆の名で入貢したことが册府元龜に見えるの逸して居る。第三期は昭宗天祐元年 904 の佛誓の入貢後又暫し交通絶え、宋の建隆元年 960 以後三佛齊として頻りに入貢を始めたことは三佛齊考の第四章の示す通りて、此の間闍婆の方は、表には記してないか淳化三年 992 大觀三年 1109 の入貢及び建炎三年 1129 には闍婆國王として食邑を與へられ又紹興二年 1132 にも食邑を加へられたことが宋史闍婆傳に見えて居る。咸通以後淳化三年まで闍婆の入貢がないのがまた注目される、とに角 Stutterheim 氏には淳化三年以後の入貢が記してない。さて氏の表は不完全てはあるか、この入貢表によつて hegemony の alternation を觀察したのは面白い。是は自分が三佛齊考頁五三に示した觀察と偶然似て居る。氏は天寶以後 Çriwijaya の入貢なきを指摘し、所謂 Soematraansche periode in de Javaansche geschiedenis 說に一擊を與へたのてある。何となれば此の說に從へば當然當時 Çriwijaya が優勢なるべきに、入貢表による勢力の分布はその反對を示して居るからてある。是は正に Stutterheim 氏の勝利てあり、此の入貢表が如何に重要視すべきものてあるかが理解される。

第一期の天寶以前に於いて室利佛逝の入貢か訶陵より稍多きも夫れによつて室利佛逝の優勢時代とは斷じ難い。若しそれを天寶以後と同じ見方をするなら、それは Stutterheim 氏の誤つた表から生れたものにすぎない。第二期の天寶以後に就いては自分も Java が頻りに入貢するに反し室利佛逝か絶えて入貢しないのは何事かを物語るものて兩國の盛衰消長を示すものではあるまいかと推察したが(三佛齊考頁五三)此所では Stutterheim 氏と意見が一致する。卽ち爪哇軍の占婆侵入は(三佛齊考頁七〇)是は Stutterheim 氏も指摘して居るが、その證據の一つてある。この時期に佛逝國は亡びては居ないことは勿論で、唐書地理志に賈耽が佛逝國を質 Singapore Strait の南に記して居る。唯自分と Stutterheim 氏と意見の違ふのは、氏はこの爪哇の優勢を Sañjaya 王統の Matarām 國の隆盛に歸し、Sañjaya の Canggal 碑に "Conqueror of the countries of neighbouring Kings" とあり、Carita Parahyangan に同王の海外征服の物語りあり、又八世紀の初めに生れた Rakai Watukura が Dyah Balitung" = Prince of Biliton ・と稱したことなどを擧げて居る。然し Carita

Parahyangan の物語りはそのまま信じ難い種類のものであり、Rakai Watukula は Kĕdoe 刻文の Rakai Watukula であれば十世紀の初の筈、又 Canggal 碑の文句は修飾文句で必すしも事實を示すものではないらしく、事實としても程度の工合はわからぬ。是に反して自分は第二期の爪哇の優勢を Śailendra 家の隆盛と考へた(三佛齊考頁五三)それは Kalasan 及び Kĕrulak の碑を殘して居り、大乘佛敎の輸入、大伽藍の建立は此の時期に於ける同家の事蹟であり、同王家の沒落が九世紀の後半までに起つたとして(三佛齊考頁七三)それから Java の入貢が無くなることは表の示す通りてある。かく訶陵が頻りに入貢した時代と Śailendra 家の隆盛時代が一致するのみならず、Ligor 碑のB面が Java の Śailendra 家の刻文であるとすれば、Stutterheim 氏の Matarām 國隆盛說よりも自分の Śailendra 家隆盛說の方が安當の樣に思はれる。同氏は Sañjaya の發展を主張されるか、同王の Canggal 碑 732 の時代にはまた佛逝は唐に入貢して居るのてある。所て Śailendra 家と Matarām 國の Sañjaya 王統との關係てあるが、Stutterheim 氏の說の如く、Kalasan 碑の Kariyāna Paṇaṃkaraṇa と Kĕdoe 刻文の Rakai Panangkaran とが同一人物であるとすれば、Sañjaya 王統の中に Śailendra 家が混するわけてあるが、Kĕdoe 刻文には

Śailendra の名は絶えて見えない。此の點から見ても兩王の比定には疑問を深くせざるを得ない。自分は Kĕdoe 刻文は Śailendra 家に關係なく、Śailendra 家の沒落後中央爪哇に歸つて來た Sañjaya 工統の刻文であらうと思ふのである。又爪哇の Śailendra の沒落が九世紀の後半までに起つたとすれば、それを Nālandā plate (circa 850) の Çrīvijaya 王 Bālaputra と關係して考へると、その頃に爪哇の Śailendra 家の Śrīvijaya (Palembang) への移動とも云ふべきものが想像される。恐らく第二期の爪哇の Śailendra 家隆盛時代には Śrīvijaya は完全に同王家に征服されて居たのに相違ない。それが此の期に佛逝か絶えて唐に入貢しなかつた原因であらう又そこに Bālaputra か Śrīvijaya 王となり得た原因もあると思ふのである。即ち Śailendra 家は本國 Yavabhūmi からその屬領地に移動したわけである。第三期即ち爪哇では咸通860–873以後淳化元年 992 まで入貢がなく、室利佛逝は天祐元年 904 以後建隆元年 960 まで入貢か絶えて居るが、是は一つには五代の時期にあたるので入貢しなかつたか或は支那に交通しても記錄に殘らなかつたと云ふことも考へられる。殊に佛逝に就いてはさう考へられるが、爪哇の方はその上に國情上の原因があつたらうと思ふ。即ち Śailendra 家の沒落後再び同王家の時代の如き勢力に容易に回復しなかつたか或は勢力が東に片寄つて居た爲めに百年以上も支那との交通が絶えたのであらう。淳化元年 992 久し振りに入貢したのは Dharmmawangça 王で、同王が三佛齊を侵したことは宋史三佛齊傳の所記、當時漸く國勢を回復したと見てよい。

三、R. C. Majumdar, Suvarṇadvīpa, 1937.

是は四三六頁の書物で、內容は南洋各地に亙つて居る、それは Suvarṇadvīpa は、南洋諸島に廣く適用された名であると云ふ氏獨特の解釋から來て居る。こゝには勿論書物を紹介するのが目的ではないから、直接三佛齊に關する部分卽ち Book II. The Sailendra Empire に就いて論じたいが、第一章 The Śailendra Empire 第二章 The Struggle between the Śailendra and the Colas 及第三章 Decline and Fall of the Śailendra Empire の三論文は、皆 Greater India Society の雜誌第一・二卷に同題目で出て居るものであり、加之 Appendix は氏自ら Les Rois Śailendra de Suvarṇadvīpa (B. E. F. E. O., XXXIII), の一部 (p. 121–141) と斷つて居るので、それでは自分の三佛齊考頁一三二－一三六に述べた所であるから、こゝでは Zābag に就いて補足したい。 Majumdar 氏が三佛齊を Zābaj の對譯と見たこととの不可なることは已に補考頁一四に述べた。支那史料(宋代)の三佛齊か回教徒の Zābag であることは一般に認められて居る。然し三佛齊は宋の建隆元年 960 からその名を知られ、Zābag はそれより一世紀早く九世紀の中頃から卽ち Ibn Khordādzbeh や Sulaymān の記す所である。印度史料の Jāvaka か Zābag の原形であらうことも大體認められて居るが、Jāvaka の用例か分明して居るのは十三世紀になる(三佛齊考頁一二八―一二九)。Ibn Khordādzbeh の父は Tabaristan の知事であつたが、彼自身はバグダードに住み音學と文學を音樂家の Isḥāk de Mossul に學び、後に Directeur du postes として Irak に至り、八四四―八四八年間は Sāmarra に居た。Sāmarra に居た間に彼の道里記 Livre des routes et des provinces が著作された(Ferrand, Relations, I. 21)。從つて彼の極東に關して記す所が實際の見聞記でないことが注意すべきことである。從つて彼の所記に分明でない所少からず、傳寫の誤りと共に後世の學者をしてその解釋に苦しましめて居る。彼は先づ Titre des rois du monde の章に Le roi du Djāwaga s'appelle Pungawa; ...le roi de îles de la mer orientales, le Mahārādja と記して居るが、pungawa (indonesian pungawa<Skr. pungava) は Ferrand 氏の改定する所で、原文は分明せぬ所があり、Kern 氏は Al-Fatidjab 卽ち Pati-Djawa とした。次ぎの

東海諸島の王は國名がない。然し Route de Basra vers l'Orient の章に Le roi du Djāwaga est nommé le Mahārādja とある。C. Barbier de Meynard 氏は Le roi du Zabedj (il faut sans doute lire des Zendjes) se nomme Alfikhat; le roi des Nubiens, Kamil; le roi des Abyssins Nedjachy; le roi des îles de la mer orientale, Maharadja; le roi des Slaves, Kokad (J. Asiatique, Mars-Avril, 1865, p. 257) と讀んで居る。こゝに先づ不分明の點があるが、自分は Mahārādja と稱した東海諸島の王とは矢張り Zābag であらうと思ふ。彼は又 De (l'île de) Laṅgabālūs à l'île de Kilah, six journées de navigation. Cette île appartient au royaume du Djāba l'Indien. Elle renferme les fameuses mines d'étain kala'ī et des plantations de bambous. と記して居る。Langabālūs は Nicobar で Kilah, Kalah, は馬來半島西海岸であること概ね認められて居るが、足立喜六氏は是をスマトラ西海岸の Benkulen に比定する新說を提出した(史學雜誌四十九編四七〇頁)。然し此の地が錫の有名な產地であると云ふこと Ibn Khordādzbeh の所記であるのに是を無視したのは解し難いことで、馬來半島西海岸が今日なほ錫の產地であることは周知の筈である。Ibn Khordādzbeh は Bālūs の樟腦を傳へて居るが是はスマトラ西海岸の Barus であること論なく、Kalah の錫と Barus の樟腦は回々教徒によく知られて居た。

Ibn Khodādzbeh は Kilah が Djaba al-Hindī に屬すと云つて居るが是は解し難い。彼は De la (Kilah) aux îles de Djāba, de Salāhit et de Harladj, deux parasanges. と云ひ、次ぎに Djāba のことを記して居るので、彼の Djāba は印度の Djāba と南洋の Djaba と二通あることがわかる。然し Kilah が印度の Djāba に屬することは考へられぬ。是は Sulaymān の記す如く Zābag に屬すと見るべきであらう。Meynard 氏は Deux fars. plus loin est l'île du Djabah de Chelahet, nommé Maharadja と譯して居るが、是は誤解で Edrisi によつた說が正しいと思はれる (Ferrand, Relations, t. I. p. 28)。然し Harladj の解釋が出來ぬ、Djaba と重複するが是は訶陵と見るべきかも知れぬ。即ち Kilah–Sĕlahiṭ (Malay, Sĕlat)–Djāba の間が各 2 parasanges と云ふ意味かも知れぬ。とに角 Djāba と Zābag が別樣に記してあることが注意を要する。Ibn Khordādzbeh と違つて Sulaymān は商人でペルシアから印度經由支那に旅行したものであるからその所記は簡明である。彼は Laṅgabālūs から Zabag の屬國 Kalāh-bār に至り、それより Tiyuma 及び Kundrang を經て Čampa に行つて居る。彼は la situation (du Djāwaga) est à droite des provinces de l'Inde, et la région entière obéit à un seul roi. と云つて居るが Maharādja のことは記して居ない。又 Djaba もない。恐

らく彼は Zābag にも Djaba にも行かなかつたと思はれる。さて Zābag は發音上印度の Jāvaka から來て居ると信ぜられて居る。語尾の ka は辭書に a Taddhita affix much used in forming adjectives. It may also be added to nouns to express diminution, "deterioration or similarity (e. g. putraka, a little son; aśvaka, a bad horse or like a horse). とあるが、yavaka が barley と a sort of yavaka の兩方に用ゐられる所を見ると ka は餘り深い意味もなく用ゐられて居る樣にも見える。ka の附かない形と同意義の場合が少くない。Majumdar 氏は Samudragupta の刻文に見える Ḍavāka を Jāvaka の起原とするが(Suvarṇadvīpa p. 215)音が違ふ樣に思ふ。G. Ferrand 氏は太平御覽卷七八七に見える康泰の扶南土俗の諸薄を Jāvaka の訛と見た(Çrīvijaya, p. 153)。然らば梁書の諸薄は論なく、通典卷一八八太平御覽卷七八八文獻通考卷三三二に見える杜薄は誤りで、太平寰宇記卷一七七の社薄が正しとすれば(Pelliot, Deux Itinéraires, B. E. F. E. O. IV, 277–273) この社薄も同樣に見なければならぬ。是は隋時聞焉となつて居るが、出金銀鐵…出鷄舌香と記して居るのは康泰か諸薄之東南有北壚州出錫、諸薄之東有馬五洲出鷄舌香、諸薄之西北有薄歎洲上地出金、諸薄之西北有耽蘭之洲出鐵と關係がある樣に思はれる。阿育王の例から見て諸薄が Jāvaka をうつし得る様に思はれるが、一方泥縛矩羅 Devakula (唐禮言集梵語雑名天廟)阿濕縛 aśva (梵・雑・馬)薩縛悉底 svasti (梵・雑・吉)の例もあり、薄・縛共に藥韻て、従つて同韻の莫を用ゐた唐書訶陵傳の悉莫も śiva と讀み得。されは諸(或社)薄は Java の對音とも見得るのみならす、前に引用した如く回々敎徒の記録か Djāba と Zābag を區別して居る様に記して居ることは注意すべきてある。Mahārāja の稱號はジャバの Śailendra 家も、その後の Sañjaya 王統も用ゐて居り、八五〇年頃からは Śrivijaya の Śailendra 家も用ゐて居る。Śrīvijaya の訛りと思はれる Serbuza は Abū Zayd Hasan (vers 916) 所記に始めてあらはれる。三佛齊の名のあらはれたより半世紀早い。彼は是を Zābag 王統治下の地方の中に數へて居る。此の Abū Zayd と云ふ人は Sīrat の產で印度や支那に行つたことはないが東方に旅行した人々の話をきいて Sulaymān の話を完成しようとした者である(Ferrand, Relations. tome I, p 82)。彼が實際に東方に旅行して居ないことは注意すべきことて、彼が Serbuza = Zābag てあり、Serbuza 王は卽ち Zābag の Mahārāja であることを知らず、單に Zābag の領土內に Serbuza を增加した形になつたので、是は以後誤解の原因となつた。Sulaymān では Kalāh-bār が Zābag の屬國であると云へば、そこには問題はなかつたのに Abū-

Zāyd では Zābag の Mahārāja が Kalāh, Šerbuza, Rāmi (Lambri) を治めると云ふことになつたので、Zābag を何處かに求めなければならなくなつたと同時に Serbuza と Kalāh とか同格に見える樣になつた。勿論 Serbuza と Kalāh は共に Śailendra 家の Mahārāja の直轄地とすれば、同格てはあるが、Serbuza 卽ち Śrīvijaya が本來の都てあつた。此の Abū Zayd がその因を造つた誤解が Majumdar 氏の説にあらはれたのてある。卽ち氏は Zābag＝三佛齊を Serbuza の他に求め、馬來半島の Ligor 地方に是を置いた。それはこの地は後十三世紀に Tambralinga 王 Candrabhānu の君臨した地て、同王は印度の史料では Jāvaka, Çāvaka 王となつて居る（三佛齊考頁一二八－一二九）からてある。Ibn Sa'īd (1208 ou 1214–1274 ou 1286) は Zābag と Sribuza の Latitude と Longtitude とを夫れ夫れ、12°30′, 3°40′; 151°, 88°30′ とした。Majumdar 氏は是も氏の論據にして居るが、是は三佛齊考頁一三二に述べた如く、Ibn Sa'īd の Zābag に誤解がないものとすれば、それは Candrabhānu の Jāvaka をあらはして居るので、是を九・十世紀の Zābag に適用するのは怪しい。最近羯茶と佛逝に就いて新らしい史料を得た、それは足立喜六氏が根本説一切有部百一羯磨卷五の義淨の註を引き垂拱元年義淨か東天竺より歸る時羯茶は佛逝に屬して居たと云つて居、ることである(史學雜誌編四九號四頁一一)。　大正新脩大藏經二四卷、律部三、頁四七七を見るに卽是(耽摩立底國)昇舶入海歸唐之處從斯兩月汎舶東南到羯茶國此屬佛逝舶到之時當正二月…停此至冬汎舶南上一月許到末羅遊洲今爲佛逝多?國矣亦以正二月而達停至夏半汎舶北行一月餘便達廣府經停向當年半矣…又南海洲咸多敬信人王國主崇福爲懷此佛逝廓下僧衆千餘學問爲懷並多行鉢所有尋讀乃與中國不殊沙門軌儀悉皆無別若其唐僧欲向西方爲聽讀者停斯一二載習其法式方進中天亦住也とある。是を見ると義淨は耽摩立底より羯茶、末羅遊をへて廣府に歸つた樣に見えるか、實は佛逝に數年滯在して居るので、こゝは單に航程を記したに止まる(三佛齊考頁四〇—四一)。こゝに羯茶は佛逝に屬すとあるのは南海寄歸內法傳にも求法高僧傳に見えないことで、室利佛逝の研究に重要な史料を呈供するものである。卽ち是は Kalāh が Zābag の屬國であると云ふ九世紀中頃の回々教徒の記錄及び十一世紀始めに於ける印度史料の Kaṭāha (Kiḍaram) 及び Çrivijaya 王 Çri Māravijottungavarvarman (三佛齊考頁八八) と云ふ形式と相關係して來ると思ふ。然も印度史料で不分明てある Kaṭāha と Çrivijaya 卽ち羯茶と室利佛逝との主從關係も義淨によりて分明となるわけで、自分が兼ねて考へて居た所が事實によつて證明された。Abū Zāyd は又 Zābag の歴史の所傳として Zābag と Khmer との爭ひを記して居る。是は三佛齊考頁七〇に記した如く、八世紀に於ける Java 軍の占婆侵入及び九世紀に於ける眞臘 (Camdodia) の Jayavarman II. の Sdŏk kăk thom 碑の文と關聯して考へられたことであるが、是は爪哇の Śailenbra 家の活動と察せられ、室利佛逝の活動ではないことは、兩國の入貢表から考へられた兩國の勢力の工合からも云ひ得る。卽ち丁度爪哇は盛んに入貢して居るが佛逝は絶えて入貢して居ないので、佛逝は訶陵 Java に征服されたとも考へられる時期にあたるからである。從つて Abū Zayd の Zābag は此の場合は Java の誤りと思はれるが或は Zābag の中に漠然 Java を含めたか、何れにせよ是によつて逆に Zābag＝Java の論を引き出してはならぬのである。自分の考へでは Zābag, Srīvijaya の Saiendra 家は爪哇から來て居るので、同家が爪哇に榮えた時代の歴史が、Zābag の歴史としてあらはれたのかと思ふのである。Marco Polo や Ibn Baṭūṭā がスマトラを Java と云つたのは、當時爪哇の勢力が同島に及んで居たことに關係するであらうが、一面には回教徒の Zābag と云ふ名が早くから同島の東南部を中心とする三佛齊に適用されて居たことも關係しないであらうか。

四、J. L. Moens, Çrīvijaya, Yava en Kaṭāha (T. B. G. 1937, Deel LXXVII, Aflevering 3, p. 1–487).

此の說は G. Coedès 氏のと違ひ、R. C. Majumdar 氏のとも違ふ。然し三佛齊を馬來半島に置く點に於いては Majumdar 氏の說と似て居る。Moens 氏の說では Gerini 氏等の舊說が復活された所があり、中世の南洋に關する支那史料に對して殆んど全般的改正が示されて居る。是が氏の獨自の研究を表明するものであるが、同時に穩當を缺くと思はれる所が少くない。研究が五百頁に及ぶ大論文で、且各方面に亙つて新說を提唱してあるので、こゝには氏の論で基礎となつたと思はれる樣な點に觸れるに止める。然らば傍系の論は自然にそれによつて影響されると思ふ。Moens 氏は義淨所記末羅遊洲卽今改室利佛逝是及び末羅瑜國今改爲室利佛逝也を解釋するに、室利佛逝から末羅瑜に移動したと見做し、第一室利佛逝、第二室利佛逝を考へた。氏の論文では支那史料の同じ地名或は國名が時代により場所を異にすると考へた點が著しい。婆利に就いても六世紀の婆利と七世紀の婆利とに區別して居る。さて氏は Kedukan Bukit の碑文の所記の物語りを海外から來て Palembang を征服したことと解釋した。從つて室利佛逝は Palemdang を征服した後 Malaya に確立したと云ふ論になる。然し是は補考頁六—八に述べた如き碑文の解釋と異なり、全く政治的解釋で、碑文の siddhayātrā の意味を無視して居る樣に見受けられる。とにかく室利佛逝を Palembang 以外に求むることになり、Moens 氏は七世紀の第一室利佛逝 Çrīvijaya I. (7) を馬來半島東岸の Kelantan に置いた。その論據は、唐書に夏至立八尺表影在表南二尺五寸とあるのを、Gerini 氏か 2 feet 5 inches として計算し室利佛逝の位置を 5° 50′N とせるに本づく。Gerini 氏はこの緯度は Pulo Way or Weh にあたるので、是は室利佛逝 Sumatra の北端を示すものとしたが、Moens 氏は是を以て室利佛逝の都の位置とした。勿論是は Moens 氏の解釋の方が正しいのであるが、室利佛逝の都を Kelantan に比定したのには問題がある。然も唐書では此の測定を唐代の何時のものとも記さざるのに、Moens 氏は是を義淨以前卽ち末羅瑜遷都以前の舊地卽ち第一室利佛逝に於ける測定とした。然し是は餘りに獨斷である。義淨は八月中以圭測影不縮不盈日中人立並皆無影春中亦爾一年再度日過頭上若日南行則北畔影長二尺三尺日向北邊南影同爾と云ひ、明かに室利佛逝が赤道附近であることを示して居る。高桑駒吉氏は唐書所記室利佛逝の表南二尺五寸とあるは表北の誤りで、訶陵についても同じとなし、「思ふに新唐書の編者若しくは當時の支那人が赤道以北の夏至線以南にある南海諸國の夏至と室利佛逝及び訶陵の如き赤道以南にある國の夏至とを同一に考へたから是の如き誤を生じたのであらう」と云ひ、訶陵の北緯六度八分(高楠博士計算)を南緯六度八分とし、室利佛逝に就いては南緯五度三十八分四十秒(高桑氏計算)或六度十八分(坪井博士計算)を示して居るが(史學雜誌卅一編九五二―九五二頁)是は無理と思はれる。赤道以北夏至線以南にある南海諸國の夏至云々とは何の意味か了解に苦しむが、高桑氏の意味は恐らく南半球の回歸線を赤道以南の夏至線と見るべしと云ふにあるのであらう。然らば唐書の夏至は實は支那の冬至の日となる。自分は支那人は支那の曆表によつて居るのてその土地の實情には拘はらなかつたと思ふ。實情によるとすれば、年二度太陽が頭上を通過する赤道地方て支那曆の夏至は意味がない。∴要するに測定の正確は信用出來ぬが、この點高桑氏も同意見てあるが、唐書の夏至は矢弱り支那曆の夏至と見るべきてある。又一方訶陵に就いては唐書は二尺四寸の數字を擧けて居る。是も 2 feet 4 inches として計算して 6°8′ (Takakusu, I-tsing, p. xlvii) 6°29′ (Gerini, Researches, p. 483) の異なつた結果が出て、藤田博士は 6°8′45″ とされて居る(東西交渉史の研究南海篇頁一八)。然る時は訶陵は室利佛逝の北方にあることとなる。Gerini 氏は氏の計算の 6°29′N より考へて、訶陵を Kedah 河口附近の Gunong Gerīng or Geryang に比定した。Moens 氏は Gerini 氏の說に從つて居る。又唐書訶陵傳の王居闍婆城其祖吉延東遷于婆露伽斯城の婆露伽斯を Kedah の南方にて同じく半島西海岸の Bruas, Baruas とする Gerini 氏の說を採つて居る。此の東遷は唐書では年代を記さず、元史類編が天寶中と云へどその據る所を知らず。然るに Moens 氏は 742–755 即天寶中遷をそのまま採り入れて居る。婆露伽斯に就いては訶陵 Java 說をなすものにも明解がない。Ferrand 氏の Waruh Gresik 說も定說にはなりえないらしい。吉延は N. J. Krom 氏は Gajayana に比定したが (Hindoe-Javaansche Geschiedenis, 1931, p. 147–148) 天寶中遷移說に據りはせぬかを恐れる。唐書の吉延婆露伽斯は他書に見えぬのが難解の一因と思はれる。吉延は Kalasan 碑の Kaṛiyana Panamkarana の Kaṛiyana が最も接近した音と思はれる。夫れで婆露伽斯も Kalasan 附近の Paṇaṃkaraṇa の居城の名かも知れぬが刻文には見えぬ。さうすると闍婆城もその西にあつた Śailendra 家の舊城ではあるまいか。是を Sañjaya 王家の東遷と見るのは却つて如何かと思ふ。婆露伽斯は梵語 Bharukaccha の對音と見る說があるが是も刻文には見えぬ (Majumdar, Suvarṇadvīpc, p. 237, note, 1) 訶陵を馬來半島南部に置くと、唐書所記訶陵の西の墮婆登或婆登及び更に其の西の迷黎車は Moens 氏によると半島を北方に溯り Duawwatan, Mergui の比定となる。然し是れては東西てなく南北になる。さてこゝては訶陵の比定が要點となる。訶陵を馬來半島に置くことの不可なるは、藤田博士及ひ Pelliot 氏等により旣に說明されて居り(東西交涉史の研究南海篇頁一九)、今更 Gerini 氏の舊說を復活させるのは怪しい位である。賈耽が佛逝の東に訶陵を數へて居るのに Moens 氏は賈耽は Ceylon に行く道順を記して居るのであるから、その所記東は西の誤りであると斷じて居るのは我田引水の論と思はれる。要するに唐書所記の測影か正確でなかつた、卽ち測量の時日或は影の長さに於いて僞りがあつたのである。この測影は他の事情を無視してまでも、それに從はねばならぬ程の史料てはなかつたのである。Moens 氏は又宋書の訶羅單國治閣婆洲(三佛齊考頁三〇)の訶羅單を馬來半島東岸の Kelantan に比定する Gerini 氏等の說を採り、隋書所記の訶羅旦の北にあつた赤土國を馬來半島中部の Patalung (Pulo Tantalam の對岸) に比定し、赤土の北にあるべき狼牙須國を、その北の Ligor (Lâkon) に比定した。然し Ligor, Lâkon は新しい暹羅名 Nakhon Sri Dhammarat の Nakhon の訛りで、狼牙須とは發音上では緣が無い。

諸蕃志の凌牙須加、島夷志略の龍牙犀角、武備志航海圖の狼西加は爪哇の史料 Nagara Krĕtagama 及び Kedah の記錄 Marong Mahavamsa によつて Langkasuka の讀み方を敎へられ、その位置も Kedah 地方であることは、Pelliot 氏藤田博士以後大體認められて居る（三佛齊考頁一六一―一七）。唯問題は以上宋以後の凌牙須加 Langkasuka と宋以前の梁、隋、唐書、及び通典等の狼迦脩（或須）、義淨の郎（或朗）迦戌、玄奘の迦摩浪迦との關係である。藤田博士は西域記三摩呾吒條の有室利差呾羅國次東南大海隅有迦摩浪迦國次東有墮羅鉢底國を、南海寄歸傳の有室利察呾羅國次東南有郞迦戍國次東有杜和鉢底國と比較し、記の三國は傳の三國なること殆んど疑なからんと云はれて居る（東西交渉史の研究、南海篇頁九）。而して狼牙脩（或須）、郎（或朗）迦戌、迦摩浪迦は同時に宋以後凌牙須加 Lankasuka であると斷ぜられた。所が R. C. Majumdar 氏は S. Levi 氏の說（J R A S, 1906）卽ち迦摩浪迦を Mañjusrīmūlakalpa 所記 Karmaraṅga とし、Karmaranga は果物の名て馬來語 belimbing と同義であり、從つて Rajendra Cola の刻文にある Mevilimbangam は迦摩浪迦 Karmaraṅga であると云ふ說を引用し、Rajendra Cola 王の刻文には同時に Ilaṅgaśogam を記し、それが Laṅkasuka であるから、狼牙脩は Laṅkasuka てはない。前者は Ligor 地峽に置くべきてあると云ふ(Suvarandvipa, p. 72-75)。迦摩浪迦、郎迦戍を Ligor 地峡とする說は L. Finot 氏が既に Indo-china in the Records of Chinese Pilgrims (The Indian Historical Quarterly, June, 1926) に說いて居る。自分は西域記の迦摩浪迦を暫く除外し、狼牙脩、郎迦戍を考へた方が、少くも紛糾を免れることか出來ると思ふ。是は迦摩浪迦＝郎迦戍說に取つても、郎迦戍から迦摩浪迦に說き及んでもよいわけではあるまいか。狼牙脩(或須)郎(或朗)迦戍か馬來半島上であることは論の無い所。然し半島に於いても諸說がある。是を Nankası (Peguan name of Tenasserim) とする Ed. Huber, P. Pelliot 兩氏の舊說は餘り北に偏しすぎ、義淨の高僧傳により半島東岸にあるべきことと一致せず。Gerini 氏の說はこゝに問題とせず(藤田東西交涉史研究 南海篇頁八)、Ligor 地峽說に就きて述べると、狼牙脩は盤々國と爲隣(舊唐書)或接(唐書)と記されて居る。盤々は Groeneveldt の Pumpin (Bandon 灣西北岸 Chaiya の少し北)說があり、藤田博士も贊成され多く引用されて居るが、R. C. Majumdar 氏は Bandon or Ligor (Suvarṇadvipa, p. 76) 或は region round the bay of Bandon (ibid., p. 86) と稍漠然とした云ひ方をして居る。然らば盤々と狼牙脩は如何にも接近し、或は重複するかと思はれる。加之 Ligor は前に述べた如く、Nakhon の訛りで狼牙脩とは關係の無い狼名である。元來支那史料の隣接の用法は嚴格に近接の意味ではない。それで狼牙脩郎迦戍をもつと南に求め、宋以後の凌牙斯加 Lankasnka と結び付けるが、名稱の連絡ある點から見ても穩當と思はれる。Moens 氏の赤土 Patalung 說は高桑駒吉氏の赤土 Singora 說と似て居る。共に隋書所記赤土の南の訶羅旦國を今の Kelantan に比定する。高桑氏は Kelantan の原形を Kuala (馬來語河口、合流點) Sthāna (梵語所)とした(史學雜誌卅一編七〇七頁)。又同氏は宋書の呵羅單訶羅陀を同しものとし、呵羅單國治闍婆洲を、闍婆が馬來半島に勢力を擴張することは歷史に屢見えるので呵羅單國の使者が誇張して云ふたか或は支那人の誤傳かの孰れかてあらうと解釋した(同上)。然し Knala sthāna の結合に不審がある。sthāna は人に結び付く語の樣に思ふ。とにかく Kuala sthāna と云ふ語があつたとも亦それが Kelantan の原形てあることも分明せぬことてあり、治闍婆洲の解釋も甚だ不穩當に思はれる。呵(或訶)羅單(或旦)を呵(或訶)羅と單(或旦)と切り離して考ふるならば、呵羅或訶羅を唐代の訶陵に結び付けて考へ治闍婆洲をそのまゝ信ずべきではあるまいか。然らざれば闍婆も馬來半島に置くべきてあらう。單、旦は馬來語 tanah に音か最も似て居るが、こゝは矢張り梵語 sthāna, dvīpa, deśá の類で解釋すべきであらう。高桑氏は赤土が馬來半島各地にあるので赤土國の比定の鍵をその都僧祇城の名に求め、通典に僧祇城亦曰獅子城とあり、一方 Singora を Singanagara の縮まつたもの或は轉訛したもの、若しくは Simhala の轉訛 Singhala であるとし、是を獅子城とした(史・雜・卅一編九九二頁)。然し僧祇が果して sinhá "lion" の對譯てあらうか。佛教大辭典を見るに阿僧祇 Asamkhya, Aśamkhyeya (阿僧企耶) 僧祇及び僧祇部 Saṁghikāḥ 僧祇律 Saṁghikavinaya とあり、唯麻訶僧祇の條に Mahāsaṁgha とあるが、Williams 梵英辭典に Mahāsaṁghika とあり、前の僧祇部と對照して見れば Mahāsaṁgha は怪しい。是は大衆摩訶僧伽て摩訶僧祇の對音てはない。祇は音奇て獅子を云ふ僧伽の伽とは違ふ。通典の獅子城は隋書には無く後人の書き入れであり、然も正しい解釋てない。高桑氏の此の重要な點の考證が正確でない様に思はれる。赤土の都僧祇城が獅子城てないとすれば、高桑氏の Singora 說は據り所を失つて仕舞ふ。且つ赤土 Singora 說は Moens 氏の赤土 Patalung 說と同様に四周の說明が不十分てある。高桑氏は狼牙須を Kedah 附近の Lankasuka と認めて居る(同上四五七頁)。然らば赤土の南に何故狼牙須を記して居ないか。同氏は常駿が西に狼牙須國の山を望見して南下して雞籠島に達して居る雞籠島を Pulo Condore に比定した(同上四七〇―四七八頁)。從つて西望見狼牙須國之山は全然常駿の誤解と云ふことにされて居る。是れはこの文句を赤土國發見の重要な鍵と見た自分にとつては全く驚くべき見方てある。然しそれほどまでに雞籠島卽ち Pulo Condore 說を主張せねばならぬ理由がわからぬ。自分は雞籠島は Lingga 島でも差支へないと思つて居る。隋書によると於是南達雞籠島至赤土之界とあるから雞籠島は赤土の界或はその近くの樣に思はれる。從つて是を Pulo Condore とし赤土を馬來半島中部とするのは怪しい。隋書所記赤土の界より月餘至其都の月餘は信じ難い。話が横道に走つたが、Moens 氏の說では Çrīvijaya I, II 及び Laṅkasuka I, II と同樣に、婆利及 Kaṭāha に就いても P'o-li I (6), P'o-li II (7), Kaṭāha I (7), Kaṭāha II (Kaḍāram)＝San-fo-ts'i 三佛齊がある。Çrīvijaya II に就いては今少し後に述べたい。先づ婆利に就いて Moens 氏の說を見ると、P'o-li I (6) 卽ち六世紀の第一婆利はスマトラの Palembang に比定してある。同氏は唐書に婆利亦號馬禮の馬禮を Schlegel 氏の解釋に從へば、末羅瑜と解し得るのと、遺物の上から判斷して、此の婆利は Palembang でありとし、且その上に梁書の婆利も此の地であるとした。これが P'o-li I (6) てある。隋書は又其(婆利)東羅刹也と記せるが、 Moens 氏は羅刹を Celebes の東に置き、隋書の婆利を爪哇に求め、Muria 山の東 Paṭi に比定した。此の第二婆利の比定は同氏の Kaṭāha I. (7) (Keḍu) の爪哇比定の原因となつた。卽ち隋書所記婆利王姓刹利邪伽名護路那婆を Ganga 王朝の王名に見える Guṇārṇawa と讀み、Kathāsaritsāgara に見える Kaṭāha 王 Guṇasāgara と synonym となし同一エとした。同氏は Guṇārṇawa = guṇa + arṇawa とした が、arṇava "being agitated; foaming; restless; a wave, flood, stream; the foaming sea, の意味て、Sāgara が單に "the ocean" を指すのと稍〻違ふ。たとひ氏の云ふ如く synonym であつても人名として Guṇārṇawa と Guṇasāgara の二通りを持つことは如何であらう。又 Kathāsaritsāgara の此の物語りの年代は果して隋大業年間 605-616 と一致すると云ひ得るてあらうか、問題てある。同書は the Ocean of Stories の名で英譯されて居るが、內容は各種の物語りを集めたものてある。Moens 氏が Kaṭāha I. を爪哇に置いた他の理由に Suvarṇadvīpa を經て Kaṭāha に行くことが擧けられて居る。氏は Suvarṇadvīpa を以て Malaka を指すものと解して居るので、是は Malaka 海峽を通過して爪哇に行くことになる。Kathāsaritsāgara の譯者は Suvarṇadvīpa をスマトラと解して居るが、それは深い研究の結果ではない。幸に同書は Suvarṇadvīpa の都 kalaśapura に行つた話を記して居る。Kalaśapura は Moens 氏は patani に比定して居るが、是は册府元龜、通典、唐書の哥羅舍分、舊唐書の迦羅舍佛で、舊唐書は墮和羅の北とするも他は皆西とする。卽ち今の暹羅の西部にあるべきで藤田博士の Rajburi 說の當否は別としても、位置は大體明かであるから、この Suvarṇadvīpa は決して Malaka 地方ではない。Suvarṇadvīpa がかくの如しとすれば、Kaṭāha を爪哇に持つて行く必要はない。Coedès 氏等の云ふ如く、Kedah 邊で差支へないと思はれる。Moens 氏は第二 Kaṭāha (Kaḍāram) を馬來半島南端の Johore となし、亦それを三佛齊とした。如何にも Johore は Singapore 海峽を控へて居るので東西交通の要衝となり得る樣に思はれ、又そこに Sungei Kedaru と云ふ名の小河があることは氏の說く如くである。Johore は一見交通上の要衝であるが、そこに優秀な文化、有力な勢力が發達した證據は、氏の如く三佛齊をそこに比定しない限りに於いては無い。それには交通上の位置のみでなく、その土地自身の諸條件例へば地形とか住民とかが考慮さるべきであらう。G. B. Gardner 氏が Johore 河流域に於いて西方より傳來と思はれる古代トンボ玉を發掘した (J. R. A. S. July 1937, p. 467–470) この種のトンボ玉は西岸の Kuala Selingsing

一般南洋の土人が寶物として代々傳承する所で、諸蕃志・島夷志略・星槎勝覽・瀛涯勝覽にも是か貿易貨として利用されたことが記してある。それには琉璃珠・燒(或硝)珠と記してある(南方土俗卷二號二頁六—八)。又藤田博士の云はれた如く元の延祐四年にマラツカ海峽地方に貿易に赴く途中溫州に漂着した密牙古人(卽ち琉球宮古島人)が胡蘆の中に各色硝珠を持つて居た。從つてトンボ玉の存在丈ではそこに優秀な文化或は勢力の發展を主張し得ないと思はれる。加之トンボ玉の所有者たりしものは馬來人と思はれるが、然らば馬來人の移住と云ふことも考慮の中に入れる必要がある。換言すればこのトンボ玉が Johore に於いて西方の商人と取引きされたものであるか如何かを研究する必要があらう(補考頁七〇)。Moens 氏の Kaṭāha (Kaḍāram)＝Jehore 說は R. C. Majumdar 氏の說とも違ひ全く新說である。三佛齊 Johore 說も亦同じ。自分は先きに三佛齊が Zābag をうつすものではないことを述べた(補考頁一四—一五)。室利佛逝は唐代の用例で、三佛齊は宋代の用例であつて、時間的には區別されて居るが、うつす所は Śrīvijaya, Serboza より他には無い。支那の方で Zabag (< Javaka) の名を用ゐず專ら三佛齊の名を用ひ、印度の近くの海濱でも發見された(三佛齊考頁一一)。トンボ玉は臺灣の高砂族は勿論一

方では Śrīvijaya and Kaṭāha と云ふ他に單に Kaḍāram と云ふ場合のあるのは Śrīvijaya (Serboza) が支那に面し、Kaṭāha (Kaḍāram) が印度に面して居る爲めであらう、そして Kaṭāhạ (Kaḍaram) と Śrīvijaya (Serboza) とで一國をなして居た Zābag 卽ち Mahārāja の國の本據は矢張り始め Śrīvijaya = Palembang 後には Malayu = Jambi にあつたものと考へらる。明史は三佛齊卽ち舊港 Palembang と云ひ、琉球に殘つて居る歷代宝案中舊港·寶林邦 Palembang からの來文に三佛齊を冠して居るのは、三佛齊の本據が Palembang-Jambi 地方にあつたが故にその名が殘つて居るので、單に三佛齊の屬國であつたからと云ふのではない。明初洪武年間入貢の三佛齊諸王につきては定說かない。こゝに G. Ferrand, L'Empire Sumatranais de Çrīvijaya, p. 24–25. と R. O. Winstedt, A History of Malaya, p. 36 と本草所論 Moens 氏の論文 p. 456–457 の三氏の解釋を紹介すれは次の如くてある。洪武四年入貢の馬哈剌札八剌卜は Mahārāja Prabhu と讀むのに論はないか、六年入貢の怛麻沙那阿者は Ferrand 氏に解なく、Winstedt 氏は怛麻沙を Tumasik となし、シンガポールの王かとした。Moens 氏は Dharmāçra (ya) Haji と解した。Dharmāçraya は Jambi を流れる B. Hari と云ふ河の上流にある Malayu の古都てある。然し Tumasik も無理てあり、Dharmāçra(ya) Haji も Haji Dharmāçraya なればよいか、肩書 Haji の上に地名がつくのは怪しい。自分の考へては怛麻沙那は Dharma-sena であらう、是は辭書にも王名として出て居る。阿者は分明せぬが、建隆年間入貢の三佛齊王室利烏耶の烏耶と似て居る(三佛齊考頁八二―八三)。烏耶は梵語 aja かと云つたが、その説明を脱した。辭書に aja "epithet given in the Vedas to Indra, Rudra, one of the Maruts, Agni and the sun; in later works to Brahma, Vishnu, Siva and Kama. とある。或は馬來語 Aji "King" か。明史は次ぎに其國有三王七年麻那哈寶林邦遣使來貢八年正月復貢九月王僧伽烈宇蘭遣使…九年怛麻沙那阿者卒子麻那者巫里嗣明年遣使…封爲三佛齊國王とある。麻那哈寶林邦は Ferrand 氏以下 Mahārāja Palembang と讀んで居る。寶林邦の字は琉球の歷代寶案の宣德年間の來文にも三佛齊國寶林邦とあり同じ文字てある。然し麻那哈が果して Mahārāja てあらうか。僧伽烈宇蘭に就いては Ferrand 氏は Rockhill 氏の元史所記爪哇の使者昔里僧迦里也及び僧伽剌との比較を認めてたが讀み方はわからぬと云つて居るが、Moens 氏は Mĕnangkabau の Sang Ādityavarman の對譯とする。宇蘭が Varman をうつすのは如何かと思ふが、年代には無理はない。同氏は又建隆元年入貢の三佛齊王悉利胡大霞里

楦も Çrī Udayāditya (varman) と讀み、同二年三年及び開宝五年の室(或釋)利烏耶も Çrī u(da)ya(ditya) と讀んで居るが、大分無理に見える(三佛齊考頁八一―八三)。Kēdoe 刻文の Sang ratn Sañjaya の例により僧伽烈を Sang ratu とし宇蘭を王の本名としては如何か。洪武九年に怛麻沙那阿者が卒し、その子麻那者巫里が嗣ぐが、Ferrand 氏は Mahārāja wuli or Wuni? とし、Moens 氏は Mahārāja Maul(varmadeva) と云ふ馬來通有の王名に比定した。然し麻那者が果して Mahārāja であらうか。以上の如く王名の解釋は未だ十分でない。加之怛麻沙那阿者が九年まで生存するにも拘らず、七年八年に別の二王が入貢して居るの如何に解釋するか。明史は共國有三王と云へど一國に三王あるは常態ではない。元來三佛齊は室利佛逝の名殘りであるが、室利佛逝が末羅瑜を合併しても矢張り室利佛逝と云つて居た如く、三佛齊の中心が末羅瑜に移つても矢張り三佛齊と云つて居たと思ふ。中心が Palembang から Jambi に移つたこと及びその時期については自分は三佛齊考頁一一四―一一八に詳しく述へた。即ち宋代の或る時期に室利佛逝(三佛齊) Palembang と末羅瑜 Jambi とか主客顚倒したに相違ないことを主張した。事實爪哇では Kṛtanagara の遠征でも Majapahit の遠征でも三佛齊と云はず皆 Malāyu と呼んで居る。從つて後の三佛齊と云ふ名は、三佛齊を繼承した形になる Malāyu に對して傳統的に支那の方で呼んだ名にすぎない。三佛齊の名は同じくとも內容は違つて居るわけてある。Nāgarakṛtāgama を見ても Tanah ri Malāyu（スマトラ島の意）の主なる地名を列擧するに Jambi, Paleman,…, Dharmāçraya,… Manankabwa,… の順で Jambi が最先きに出て居り、又元史を見るに、世祖の南海經略に就いて元史本紀卷十一至元十七年八月丁丑の條に唆都請招三佛齊等八國不從とあるが、一般に本（或沒）剌由と云ひ、島夷志略も舊港 Palembang の他に三佛齊を記し、それが Jambi の Malayu であること藤田博士の言の如く、Moens 氏もそれを認めて居る。元史が三佛齊と云はず木剌由と云つたは當時南洋に於いて實際に行はれて居る通稱を用ゐたのであり、島夷志略が三佛齊と云ひ木剌由とは云はないのは宋代の名を傳統的に追つたのであらう。所が Moens 氏は義淨の末羅瑜を Palembang に比定した。是は前に述べた如く氏が唐書所記の娑利亦號馬禮の馬禮を Malayu と解したのと關聯して居る。而して氏の所謂第一室利佛逝 Çrivijaya I. (Kelantan) が義淨の時代に末羅瑜 (Palembang) を取り、六八三―六八五年間にスマトラの Kampar 河上流の Muara Takus に國を成したと云ふ。是を氏は第二室利佛

逝 Çrīvijaya II. (7) となす。同時に回々教徒の Sribuza (10) も是と同しとした。六八三―六八五年間とは室利佛逝の碑文 Kĕdukan Bukit (683), Talang Tuwo (684) Karang Brahi (685) Kota Kapur (685) を指す(三佛齊考頁四三―四六)。氏は Muara Takus の古い遺跡の他に色々理由を述べて居るが、義淨所記を見れば氏の説が成立しないことは容易にわかる。義淨の行程は廣府―佛逝―末羅瑜―羯荼―裸人國―耽摩立底 Tamralipti, Tamluk であり、無行禪師の行程は佛逝十五日程末羅瑜十五日程羯荼である。然らば佛逝は末羅瑜の東になければならぬのに Moens 氏の説では佛逝の東に末羅瑜があるので全く事實に反して居る。それから Moens 氏は十二世紀以後の Malayu を Batang Hari 河の上流の Dharmāçraya に比定した。氏は淳熙五年 1178 の入貢を最後として三佛齊は衰へ、それに代つて Malayu (Dharmāçraya) が現はれて來たと云ひ、同時に Malayu Zendt een afgezant, die den title draagt van Tchanpei (Jambi) と云ひ、Jambi を色港として居るは共に怪しい。三佛齊詹卑國の入貢は元豐二年 1079 及九年 1082 のことである。淳熙五年以後三佛齊が衰へて、Malayu が是に代つたとする見方は G. Coedès 氏と同じ。G. Coedès 氏は一一八三年の Jaya の佛像銘の王名はその後の Malayu 王名と似て居るので、その時分には Malayu の勢力か半島中部に及んで居たと見た。Moens 氏も此の見方に從つて居る。然し是に對し自分は反對し、元豐年間の三佛齊詹卑國の記事の中に Malayu の勃興を認むへきを主張した(三佛齊考頁一一四—一二一)。Coedès 氏及び Moens 氏の説の如くんは、三佛齊の最後の入貢と、Malayu の半島中部發展との間が僅に五年しか離れて居ない。それては餘りに短かすきるのである、再言すれば自分は三佛齊の入貢は前半は Palembang 三佛齊てあり、後半は Jambi 三佛齊卽ち Malayu てあつて、三佛齊の入貢か終つてから Malayu か勃興したのではないと云ひたいのてある。是か自分の三佛齊考の主要な論點てあつた。唯そこて云ひ落したのは Çrī-Rājēndra coḷadeva 王の刻文 1030(三佛齊考頁九七—九九)所記 le prospère Çrīvijayam と l'ancien Malaiyūr に就いてである。是は前者が Palembang で、後者が Jambi てあるか、その "ancien" を附加した意味は Jambi は Palembang に合併されたものである點に存すると思はれる。それて此の刻文は Palembang の繁榮を示すものであるから、Jambi(Malayu) の勃興(寧ろ再興)は刻文の一〇三〇年以後元豐二年 1079 三佛齊詹卑入貢の間にあるべきてある。次きに室利佛逝には古い刻文かあり、Coedès 氏によつて紹介されたか、Malayu にはそれが無い。十二世紀末馬來半島東岸 Bandon 灣南 Jaiya の Grahi 佛像銘 1183 に par ordre de Kamrateṅ Aṅ Mahārāja çrīmat Trailokyarājamaulibhūṣaṇavarmadeva, le 3e jour de lune croissante de Jyeṣṭha, mercredi, le Mahāsenāpati Gālanai (?) qui gouverne le pays de Grahi, invita le Mrateṅ Çri Ñāno à faire cette statue (Ferrand, L'Empire Sumatranais de Çrivijaya, p 125)とあり、この Mahārāja の名が Batan-Hari 上流の Suṅay Lansat の傍 Padang Ročo の野で發見された一二八六年の刻文所記 Bhūmi Jāva の Kṛtanagara 王から Amonghapāçalokeçvara 像を贈られ、それを Suvarṇabhūmi の Dharmāçraya に安置することになり、Bhūmi Malāyū の民は Çrī Mahārāja Çrimat Tribhuvanarāja Maulivarmadeva を始めとして皆喜んだことを記してあるのを始め、十四世紀後半の Adityavarman に關するものに類似がある (Ferrand, L'Empire Sumatranais, p. 126) 卽ち Pagar Ruyon 碑 (1356) に Çrīmat Çrī Ad[illegible]ādityavarma......rājendramaulimaṇivarmadeva mahārājādhirāja とあり、Padang Candi の Amoghapāça 像 (1347) には Malāyupura の都名見え、同王の墓石(1378)も Kubur Raja に發見されて居る。(ibid) Jaiya の刻文の trailokya は Padan Ročo (Dharmāçraya) 刻文の Tribhuvana と同意味 "lord of the three world" の語である。從つて馬來半島の Jaiya の刻文の Mahārāja をスマトラ

中部西方の Malayu の刻文の Mahārāja に關係させるのも無理もない。所て Coedès 氏は Jaiya 刻文を單に Malayu のものとした丈てあるが、Moens 氏は直に是を Dharmāçraya の刻文としたので、自然三佛齊の最後の入貢以後勃興したと同氏等の考へる Malayu は Dharmmaçraya 國とすることになつた。然し Jaiya 刻文と Dharmmaçraya 刻文の間には百年の距りがあり、三佛齊詹卑國の詹卑 Jambi を無視出來ないと思ふ。爪哇の Kṛtanagara 王は Malayu に出兵したのてあるか何所に向つたか分明せぬ。然し Dharmāçraya との關係が刻文て知られるので、王の出兵も Palembang, Jambi 方面ではなかつたか。そしてその時期に乘じて Dhermāçraya が勢力を得たのてはないかと思はれる。

然しその勢力は永續しなかつたらうと思はれるのは、十四世紀の中頃から、Manankabaw の地に Adityavarman が出て、又一方 Nāgarakṛtāgama に Jambi, Palembang か最先きに出て居るのてもわかるかと思ふ。從つて Moens 氏の說の如く Jaiya の刻文を Dharmāçraya のものとし Malayu (Dharmāçraya) をそこまて溯らせるのには贊成出來ぬ。以上は Moens 氏の說て室利佛逝、三佛齊に關係するものに對し私見を述べたのである。然し同氏は廣く南洋に關する支那史料に再檢討を加へ色々新說を提出して居るが、承認し難いものが多い。例へば金利毗逝（册府元龜等）を舍利毗逝の誤りとする Pelliot 氏以來の通說を排し、ホルネオ北部の Kinibalu（山名）に比定した。扶南は Mekong 下流域の國であるのに是を Menam 河西に置いたのは、唐書所記治特牧城俄爲眞臘所併益南徙那弗那城を解し、特牧を Dharmarājanāgara とし、眞臘に追はれて Ligor に逃れ都を那弗那 Navadharmarājanāgara と稱したと云ふ說には便利てあるが、Ligor に遷都する爲めには Ligor が扶南の領土てなくては出來ないことてある。然るに Mekong 河下流域の扶南が馬來半島に領土を持つことは困難てはないか。氏は又九世紀の第一渤泥をボルネオ西部の Pontinak に比定し、十三世紀の第二渤泥を Bruner とする。Krom 氏も渤泥を西部ボルネオに置くか、是は東部の Mahakam 河流域と同じく西部の Kapuhas (Kapoeas) 河流域に印度文化傳來の遺跡かあるからてある（Hindoe-Javaansche Geschiedenis, 1931, p. 75, Majumdar, Suvarnadvipa, p. 130）。然し Pontinak の古音譯が渤泥とは考へられぬ。渤泥は常に Bruner てあることは動かせぬ。Moens 氏は又杜婆（通典太平御覽）を杜婆の誤りと認めす Mindanao の古い町 Tabouc (Taubouck) に比定したのは金利毗逝と同斷。要するに支那史料の同一地名を二通に分ち異なつた地を指すとすることは、氏の論説の特色であるが、概ね失敗に終つて居るとしか考へられぬ。それはか ゝる見方が時間的に前後連絡のある支那史料に對して妥當でないからである。 この他印度との關係に於いて Cālukya 王 Pulakeçin II. の Kalinga 征服により Gaṅga-Kaliṅga 王朝の Gunārnava の婆利 P'o-li (Paṭi op Midden-Java) への移住、Sañjaya の先祖の南 Kaliṅga (Kuñjarakuñjadeça) から Kĕḍah (Chò-po 闍婆) への移住、Kĕḍah の Sañjaya の先祖と Ligor の扶南王族の浡𣏉及び室利佛逝 (Kĕlantan) への共同動作、室利佛逝 (Kĕlantan) の Malayu (Palembang) 占領による婆利(馬禮 Palembang) 王國の滅亡、Palembang 王室が Kaṭāha (Kĕdu) に移住し Çailendra 王朝を建設した等の說が出て居るが、地名の比定が獨斷であるので贊成し難い。最後に冊府元龜所記天寶元年入貢の佛逝國王劉滕未恭を Rudra Vikrama と讀んで居るのは贊成したい（三佛齊考四五〇）。

五、K. A. Nilakanta Sastri, Origin of the Çailendras (T. B. G. Deel LXXV, Aflevering. 4, 1935, p. 605–611.)

この論文は R. C. Majumdar 氏の Çailendra 家の印度起原說に Çailodbhava を引用して居るが(三佛齊考四六七)、是は山ではなく岩に關係する名で、岩から生れた者

てあるから Çailendra と違ひ、Çailodbhava と Gāṅga 王朝との關係も否定した。又 Majumdar 氏は Gāṅga 王朝が八世紀には Lower Burma を征服し、此れより急速に東方に發展したと考へたのに對し、八世紀に Burma を征服したものが、その世紀の末には馬來半島をへて爪哇まで發展することは不可能だと反駁して居る。これは爪哇の Çailendra 家の刻文 (Kalasan 778, Kĕrulak 782) と Burma 經略との間の連鎖が早すぎるのを指摘したのである。又 J. Przyluski 氏の The Śailendrawaṃśa (J. Gr. I. S. vol. II. No I, Jan. 1935) を論評し、その Indonesian origin 說に贊成せず、Sañjaya の Janggal 碑に見える Kunjara Kunjadeśa を南印度 Tuṅgabhadrā 河岸に比定したのを反駁した。Pryzluski 氏の Indonesian origin 說は三佛齊考頁七一―七二ては記さなかつたが、それはスマトラの Batak 族ては Batara guru が最も尊く而も最も高い所 Bandjar dolok に住んて居ると云ふが、是は恐らく an old Indonesian deity の印度名で、安南人の Tan-vien も山の神である。是は印度の Himavat, also called Śailendra. に當ると云ふのてあるが、Sastri 氏は何時 Batak 族かスマトラ北西部に住む樣になつたか或はその神話が何時から起つたか明確な智識を持たぬと云ひ贊成して居ない。Kunjara Kunjadeśa に就いては Sastri 氏は是は Pāṇḍyadeça て Pāṇḍya 諸王は古くから Agastya を崇拜し Kuñjara-darī, Kuñjaraparvata, Pothiyamalai は Agastya の住地であると云ひ、Canggal 碑文をよく研究すると爪哇の Çaivism, Agastya worship and perhaps even its kings は Pāṇdya から由来する、Pāṇḍya は印度から爪哇に移住した人民及び君主の故郷である。又明白に記してはないが Sañjaya 自身も Panankaran と同じく Çailendrawamça の一人であることは可能であると云つて居る。所が翌年同じ雑誌(J. Gr. I. S. vol III No 2, July, 1936) に Bahadur Chand Chhabra 氏の Kuñjarakuñja-deśa of the Changal Inscription と云ふ論文が出た。Chhabra 氏は Malayagiri の南部の Agastyamalai (6200 feet) が Kuñjaraparvata で、Tāmraparṇî 河に沿ふ地方が Kuñjaradarî, Kuñjarakuñjadeśa と決定して居り、此の地方の民が爪哇に移住したと云つて居る。日今は訶陵が Kaliṅga と關係する如く、南洋の末羅瑜は南印度の Malaya と關係あるべしと考へるので、此の説に興味を持つ。元来南洋に来た印度移住民は北印度から来たものと南印度から来たものと二通ある。それで Sañjaya 王家は南印度から、Çailendra 家は北印度から来たものとするのが穏當ではあるまいかと思ふ。

K. A. Nilkanta Sastri, Śrīvijaya, Candrabhānu and Vīra Pāṇḍya (T B. G. Deel LXXVIII,

Revering 2, 1937, p. 251–268）

是は Mahāvaṁsa に見える Jāvakarāja Candrabhānu と Jaiya 刻文の Tambraliṅga 國王 Candrabhānu と同一であると云ふ Coedès 氏所説に對する論評である（三佛齊考頁九二九）。Sastri 氏は先づ Vīra-Pāṇḍya 王の十年 1263 の刻文に taking the crown of the Śavakan together with his crowned head とあるのは單に Compelling the vanquished ruler to bow to the conqueror in open assembly の意味なることを指摘して居る，王の十年は從來一九六四年とされて居たもの。Sastri 氏は此の碑の記事は Kuḍumiyāmalai にある同王十一年の刻文に於て詳しく出てゐる同王の錫蘭征伐と同じ事實と考へた。碑の記事は後に述べる。此の碑と同じく同王の praśasti "eulogy" を記したもので錫蘭の役を記さぬものもあるが，何れも皆同王の屬國を列擧して居る。屬國の表は一二五七年の刻文から既にあり，その中には Kadāram の他に支那も入つて居る。それで Sastri 氏は此の屬國表を It will be seen that this is court-poetry, not history; the names of countries have been chosen with a view to euphony and metrical effects, and there is no attempt here to state facts と斷した。然らば是は十一世紀前半に於ける Rājendra Chola 王の刻文（三佛齊考頁九七一九八）と同一種類視すべきものではないことになる。從つて Vīra Pāṇḍya の Kaḍāram 征服といふことは史實と見るわけに行かぬ。又一二五七年の刻文に既に屬國に Kaḍāram を數へて居る上は、一二六三年の Śāvaka 王の屈服の爲めに Kaḍāram を屬國に數へたとも考へ得ない。此の點三佛齊考頁一二九の自分の考へに變更を加へる必要が起つた。Kaḍāram と Śāvaka との關係が碑文の上ではわからぬことになる。次ぎに錫蘭の歷史 Mahāvaṁsa によると Parākramabāhu II. の十一年及びその後の二度目の侵入は次の如くである。第一回のは In the eleventh year of the reign of King Parākramabāhu II. a king of Jāvaka, called Candrabhānu, landed with an army at Kakkhalā, on the pretext that they were Buddhists and therefore came on a peaceful mission. The soldiers of Jāvaka, who used poisoned arrows, treacherously occupied the passages across the rivers, and having defeated all those who opposed them, devastated the whole of Ceylon. But the regent Vīrabāhu defeated them in several battles and forced them to withdraw from the land (Majumdar, Suvarṇadvīpa, p. 197) 第二回のは Majumdar 氏は a few years later として居るが是は疑しい。Coedès 氏によると à une époque où ce roi ,,après avoir joui de la royauté durant de nombreuse années". (LXXXVIII, 16) avait déja à son fils Vijayabāhu la

— 59 —

direction des affaires. であつて Parākramabāhu II. の晩年と思はれる。Candrabhānu は Pāṇḍya 及び Cola で Tamil 兵の大軍を集めて援軍とし，Mahātiṭṭha に上陸，Padi, Kurunda 等を征服し Subha 山に向ひ，又そこに本營を置き，使を送り Je vais m'emparer de Ceylon; aussi ne vous prendrai-je pas (de force) la dent-relique du Muni. Donnez-la moi, avec le bol-relique et la royaute; sinon, préparez-vous au combat と云つたので，Vijayabāhu は le régent Vīrabāhu と計り大軍を以てこれを防ぎ遂に撃退した。Sastri 氏は Candrabhānu が Jāvaka から來たこと或はそこに歸つたと云ふ積極的な記述もなく，Jāvaka の侵入を外國種の暴君的支配者の掠奪によつて起る災禍の中に數へて居る所を見ると，Jāvaka は錫蘭の近くに根據を持つて居たものではないかと云ふ疑ひが起り，Chāvakachchēri (the Javanese settlement,) Chāvankōttai (Javanese fort) の名が Jaffna 半島の Nāvatkuli にあり，Jāvakakoṭṭe (Javanese fort) が本土にあるのは彼等の settlements の存在を示すもの，又錫蘭の史料で Candrabhānu は the leader of Jāvakas (Mahāvaṁsa and Pūjavalī), a Malabar King, called Chandrabhānu Rājah (Rājavalī), the Malabar king, Tambaliṅgama Rājah' (Rājāratnākari) と色々に記して居るが，local Jāvaka settlements がなかつたならば此の混雜は起らなかつたであらう。

又此の假設によれば、 Kuḍumiyāmalai 刻文所記 Jāvaka prince の説明も出來ると云つて居る。此の Kuḍumiyāmalai 刻文は Sastri 氏か本論文の末尾にその原文を引用せる如く、同氏の重要視するもので、本論文の論旨は此の刻文から生れて居る。此の刻文は Vīra Pāṇḍya の錫蘭遠征を詳しく記して居り、錫蘭の大臣の Vīra Pāṇḍya への訴へに始まり、錫蘭王の一人は戰場に殺され、他の一人は降服し、始め命を奉せず敵意を示した Sāvaka 王子も遂に屈服し The text is uncertain here and so far as I can make it out, the Śāvaka's son was presented with the anklet of heroes (Virakkalal), was taken round in a procession on an elephant, and was permitted to proceed at once to Anurāpuri because it was thought (by Vīra Pāṇḍya) that it was only proper that the son should rule the vast land of Ceylon formerly ruled by his father (p. 257) となつて居る。此の記事を見ると Jāvaka は Vīra Pāṇḍya の侵入の時既に Ceylon に或る勢力を持つて居た如く見え、 Mahāvaṁsa 所記 Candrabhānu の侵入と、 Vīra Pāṇḍya 王十年及び十一年の刻文の所記錫蘭侵入、 Jāvaka の屈服とは、 Coedès 氏考ふ如く關係あるものでなく、別箇の史實であるとする Sastri 氏の説が起るのも當然に思はれる。 Coedès 氏は Parākramabāhu の治世を 1240–1275 とする Wijesiṇha 氏の

說に對し、Jouveau-Dubreuil 氏の研究により十五年の短縮を加へ 1225–1260 とし、Jaiya 刻文(1230) の Candrabhānu の Parākramabāhu 王十一年及び晩年の侵入に可能性を與へた。然も第二回の侵入の年代を十六世紀始めに Chieng Mai で編纂された Jinakālamālinī (B. E. F. E. O, XXV, 1925, G. Coedès, Documents etc) と云ふ巴利語の歴史所記 le roi Siridharmarāja de Siridharmanagara と Rocarāja, prince thai de Sukhodaya とが、Braḥ Sihing (Phrā Sihing) と呼ばれる有名な佛像を齎らす爲めに使を錫蘭に出した歳 1256 に當てた。是に對し、Sastri 氏は十五年の改正を認めず、Geiger 氏の研究が錫蘭史の研究に科學的基礎を與へ又南印度史の立場から見ても十分滿足すべきもので Parākramabāhu II の治世は 1236–1271 であり、Candrabhānu の二回の侵入は一二四七年と一二七〇年頃であるとし、Vīra Pāṇḍya の侵入は兩者の間にあり、第一回の Jāvaka 侵入後 Javaka settlement が出來、Vīra Pāṇḍya の侵入の時は Candrabhānu の子供或は一族のものが是を治めて居たのであると云ふのである。又 Sastri 氏は語を足して Jāvaka settlement はもつと古く Candrabhānu の第一回侵入を促す原因の一つであつたかも知れぬと云つて居る。Jāvaka settlement は Sastri 氏の說の創意のある所で、その考への起原は Kuḍumiyāmalai 刻文にあると思ふ。Sastriの説によれは、Coedès氏かJaiya刻文のCandrabhānuのParākramabāhu晩年の侵入を可能ならしむる爲めに後者の在位年代に就き十五年丈古くする必要があつたが、今はその必要がなくなる。然らはSastri氏に從へは第二回の侵入者が誰れか、Sastri氏の說から見れは是は當然Candrabhānuではなくなり、Mahāvaṁsaが二回共Candrabhānuの侵入としたのと矛盾する。又このJāvaka settlementの結末如何についても說明がない。Parākramabāhu IIの在位年代に就いての議論は自分には勿論何れが是か判定出來ぬが、Kuḍumiyāmalai刻文の内容はCoedès氏の說に影響すべきことは認め得る所である。

六、杉本直治郎・羅越國問題(東洋史研究卷三、號三、頁四六―六二)　**同氏新出資料と羅越國問題**(山下先生還暦記念東洋史論文集)。

杉本氏の羅越國問題は自分の三佛齊考と起稿の時期を同じくしたので、それを參考するの便宜を得なかつたのは遺憾てあつた。新出資料と羅越國問題は最近の發表で、自分の三佛齊考の中て羅越に關する部分の論評が含まれて居る。同氏の論は要するに羅越をÔrang-LautのLautの對音とし、その位置をJohoreに比定するにある。自分の三佛齊考中の羅越に關する考察は自分でも不十分でのゐるのに氣付いて居た。それでこゝに自分の氣付いた點と杉本氏から與へられた教示によつて、現在の自分の考へを述べて見たい。賈耽は又兩日行到軍突弄山又五日行至海硤蕃人謂之質南北百里北岸則羅越國南岸則佛逝國と云つて居る。この軍突弄山は P. Pelliot 氏以來 Pulo Condore とされて居たが、G. Ferrand 氏の Saint-Jacques 岬說が出て杉本氏の贊成を得て居る。Sulaymān によると Kalābār 十日程 Tiyūma (P. Tiuman) 十日程 Kundrang 十日程 Campa 十日程 Čundur fūlāt——Chine の路順になつて居り、Čundur fūlāt は Čampa 占婆の北になつて居る。そして A Kundrang est une montagne élevée où quelquefois s'enfuent les esclaves et les voleurs と記して居る。Condore 島には一九五四呎の高山があり、奴隷や盜賊の逃げ場としては Saint-Jacques 岬よりも、大陸より五十哩離れた離れ島の方が適する樣に思はれる。賈耽の軍突弄が Condore をうつすに不適當であるかも知れぬが、Condore は現名でその原形は分明せぬが、語尾に ra, ru の音かあつたかも知れぬ。Condore に就いては、P. Pelliot 氏が Pulau Kundur, l'Ile des Courges que répond le nom de Cambodgien de Koṇ Tralàch (B. E. F. E O IV. p 219) と云つて居る。G. Ferrand 氏是を繼承して居る(Relations, p. 2)。所が H. Cordier 氏が Courge を pumpkin 卽ち南瓜と譯したので(Yule, Cathay and the Way thither, 2nd ed., II p 129)、是を引用した高桑駒吉氏は南瓜のマライ語は labu であつて Kundur ではない。坪井博士が Kundur なる語は Klinkert, Malaisch-Nederlandsch Wordenboek に載せあらす Kandul, Kendur ならはフラスコ形の水指を云ふと云はれたのを利用し、島の形から來た名稱とした(史學雜誌卅二編頁二二九—二三〇・四九一—四九二)。然し Klinkert の新マライ和蘭語辭典第二版を見ると Koendoer-kalabas of Kauwoerde と明かに出て居る。他の辭典も同樣で南洋協會出版の馬來語辭典新版にも Kundur 冬瓜と記してある。Pelliot 氏の courge は英語の gourd と同じく廣く cucurbit 屬卽ち葫蘆科を云ふのであつて單に南瓜のみの意味ではなかつたと思ふ。坪井博士は恐らく cucurbit を蒸溜器の意味の方に取られたと思はれる。Pelliot 氏は Pulo Condore を Kundur となすに就いて説明をして居ないが、それは Kundur の產地であるが故にと解してよからう。高桑氏の説には誤解があるので、若しその誤解がなかつたら、Pelliot 氏説に贊成されたか若しくは尙ほ島形説を主張されたか推測の限りでない。自分は Pelliot 氏の説を穩當かと思ふが、Condore, Kundur では軍突弄てうつす必要がないと云ふ説がある。それで自分は Condore の名の起原を梵語 **Kundara** ではないかと思ふ。是は

Kunda と同じく Vishṇu の一名で、Kunda は辭書に山名ともあるので、Condore 一群の島々が火山島であり、前記の如き高山があつて航海目標となつて居る點など考へると、Vishṇu の別名 Kundara が與へられるにふさはしいと思はれ、Kundara なれば賈耽の軍突弄でうつし又回教徒の Knndrang となるのにも無理がないではあるまいか。島夷志略の軍屯山も是れ、今 Konnon と呼ぶが、是は崑崙の訛り、崑崙は Condore の訛りてあらうことは自分の南洋崑崙考（臺北帝大史學科年報第一輯）に述べて置いた。Sulaymān の記事はその後頻りに回々教徒の地理書に引用されたが、Kundrang-Čampa-Čundur fūlāt の順は變らぬ。所がこの Čundur fūlāt は何處か分明せぬ。Ferrand 氏は Kundrang を Kundranga に還元したので、Condore 島に比島せず、Čundur を是にあてたのであるか、別に同岬は歷史上有名な所でもなく又そこに Kadrań の名がある譯ではない。こゝは Sulaymān 所記の路順に從ふべきものと思ふ。次ぎに賈耽所記茶人か質と呼ぶ海硤に就いては、杉本氏は是を新嘉坡海峽殊に舊海峽を指すものと解した。藤田博士は Marco Polo が Pentam から Malaiu に至る路を、Bintang と半島南端との間を過ぎ、更に新嘉坡島の北岸と半島との間卽ち舊海峽をすぎ、舊海峽を出て東南に向ひ約三十英里を航して Malaiur (Singapore) に至つたとされた(劍峰遺草頁七〇) 博士は島夷志略の暹國の條にある來侵單馬錫攻打城池云々と元史の暹國の條に以暹人與麻里予兒舊相讐殺云云とあるのを比較し、麻里予兒の本據は單馬錫 Tumasik 卽ち現今の Singapore 若くはその附近となると云はれた。前記島夷志略及元史の文を比較する時は、如何にも博士の說の如く考へられる。唯本據と云ふ言葉はあてはまらぬ。一二八六年(世祖至元＝三年)の B. Hari 上流の Dharmāçraya の刻文には Bhūmi Malāyū の名が見えて居る。卽ち Tumasik も Malayu と呼ばれたと云ふ位の意味で單馬錫卽麻里予兒である。然らば Marco Polo の Malaiur は何處か。是に就いて藤田博士の Marco Polo の航程に關する說明は如何にも不自然に思はれる。何の必要があつて舊海峽を迂回し殆んど新嘉坡島を一周せん許りにして Pentam (Bintang) から新嘉坡に至るのか。此の點解釋に困む。自分は Malaiur を矢張東南スマトラに求めたい。然しそれは Palembang でなく、Jambi であらう。爪哇の Kṛtanāgara 王の Malayu 出兵は丁度世祖が爪哇に孟琪を遣はした時期にあたる。そして當時の Malayu は Moens 氏は B. Hari 上流の Dharmāçraya と云つて居る。然し Jambi も無視することは出來まい。又、Palembang も Malayu の中に含まれてよいので、Marco Polo の Malaiur をハッキリ何處に比定し難いが、强ひて云へば Jambi に比定したい。Marco Polo は次ぎに Java the Less に行くのに Malaiur から記さず Pentam から記して居るので、Malaiur を單に傳聞を記したと考へ得。又六十哩航程の間の淺海は、單に島嶼の間を縫つて行くことを云つたにすぎないであらう。Ferrand 氏は是を Malaka に比定したが（J. A. Juillet-Août, 1918, p 99)、Malaka の歷史から見てその說は怪しい。Yule 氏はスマトラの Kampar に比定したが、(Marco Polo, II. p. 283) 是は歷史的背景がない。杉本氏は Marco Polo が舊海峽を通過したとする藤田博士の說を信し、又賈耽の質も舊海峽を指すやうに思ふと云つて居るが、是は自分には信せられぬ。島夷志略の龍牙門の條に門以單馬錫番兩山相交若龍牙門中有水道以間之とあり、單馬錫 Tumasik は Singapore 島で問題ないが、番に就いては藤田博士は Pulo Senang の別名 Bam をあてられた（東西交渉の研究南海篇頁五四）。島夷志略校注では Barn と記してある。Bam は誤植かも知れぬ。A. G. Findley 氏によると、Pulo Senang の別名は Barn で、この島は Singapore 海峽の眞中にある小島であるから、是を番に比定するのは當を得ぬ。自分は海峽の南側に Bintang, Battam, Boelang の島々が並んで居るので、是を漠然番にあてるか若しくは少し東に寄りすきるか Bintang (Pentam of Marco Polo) をあてたい。新嘉坡島と Battam, Boelang の間は島嶼散布し、Findley 氏の Directions によると Singapore 港の南にある St. John 島嶼の南側をすき Buffalo Rock を避け Coney 島上の Raffles 燈臺を右に見て西行すると記して居る(A Directory for the Navigation of the Indian Archipelago and the Coast of China, p 275) Marco Polo か舊海峽を通過したとする說が不自然であり、龍牙門が新嘉坡海峽とすれば、當時の交通路は自ら明白てある。尙ほ武備志末の航海圖を見るに淡馬錫 Tnmasik か半島の測に記され、針路がその南にあることも參考になるかも知れぬ。此の情勢を唐代まて溯らせは、賈耽の質は今日の新嘉坡海峽で、舊海峽てはないことになる。南支那海や印度洋を航行する中世の船舶が、何の必要があつて舊海峽を通らねはならぬか。そこに文化の開けた地てもあれば格別であるか、それも無い。Johore は久しく jungle の地てあつたと思はれる。Kalah, Kilah の如く特別な鑛產物錫があるわけてもない。

杉本氏は又 Gardner 氏が Johore て古代ガラヌ玉を發見し、それによつて同地方の東西交通の要衝たるべき說を引用されて居るが、俗に所謂トンボ玉の存在丈では分明せぬ。是は土人の先祖代々繼承するものであり、又馬來人の移住殊にスマトラの馬來人の半島移住は上代から近代に至るまで行はれて居たと思はれる點及び廣く彼等の移住性から考へ、最初に此のトンボ玉を西方の商人から獲得したものは馬來人と思はれるが、その馬來人が Johore に居たと云ふことは何によつて證明されるであらうか（補考頁四四―四五）。賈耽の質が新嘉坡海峽とすれば、質の北である羅越は新嘉坡島も含み得。而して却つて新嘉坡の方が交通の要衝に當つて居る。自分は回々教徒所記の S (orŜ) alāhat, S (orŜ) alāhit も新嘉坡海峽地方殊に新嘉坡島ではないかと思ふ。從つて羅越の中に新嘉坡島を含めると、高岳親王の御遺跡も、親王が特別に Johore に行かれる理由も無ささうに見えるので、新嘉坡島に求むべきては無からうか。羅越に就いて尚ほ杉本氏は Ferrand 氏の Lāwrī 說を繼承して居る。Ferrand 氏は Relations de voyages に於いて Lārwī, Lāzwī, Ladrī, Lāwzī を全て Lāwrī と改めた。是は印度の Lar (Guzerat) に關する限り、Lawr と訛つたものと見れば Lawrī に改むるのは當然て r と w とはよく似た字で、z は r に點がある丈である。然しこの名は又南洋にも用ゐられて居る。その場合 Ferrand 氏は何を標準にして改めたか。唯印度の例に倣ふのでは無意味である。それが Relations de voyages ては說明されて居らぬ。所が Ferrand 氏はその後是を羅越に比定した (Le K'ouen louen, J. A. 1919. p. 211) 結局羅越に比定するつもりて lawri に改めたのではなかつたらしいか、改めて見たら羅越に比定出来たと云ふことになる。所で Elle (l'île de Kalah) contient les villes de Fančūr, Djāwa, Malāyur, Lāwrī (Lāwzī) et Kalā (Dimaškī, vers 1325) 及び l'île de Kalah avec les villes de Fancūr, Malāyur, Lāwrī (Lārwī) et Kalah (Nuwayrī, mort en 1332) を見ると、杉本氏は Dimaškī の原文 Lāwzī を解決の鍵とされたが、それは羅越に比定する場合の解決の鍵である。自分は南洋の形勢から見て Fančūr＝Barus, Malāyur, Kalah と並び記さるる Lāwrī は、東西の史料に有名である藍無里(諸蕃志)南巫里南無力(元史)南浡里(瀛涯勝覽)等 Lamrī, Lāmurī, Lāmūrī ではないかと思ふ。似て居るので印度の Lāwrī と混同した樣である。Dimaškī は別の所に Ramnī 島のことを記して居る。Rāmī, Rāmīn, Rāmnī, Rāminī, Ramm は前記の藍無里に同じ。Dimaškī の書は編纂物であるから重複は止むを得ぬであらう。賈耽の羅越と似た名に島夷志略の羅衞がある。音が似て居るのみならず、志略の南眞臘之南と云ふ書き方は唐書地理志の陸眞臘南水眞臘又南至小海其南羅越國と似て居るので、羅越即羅衞と考へることによつて、その賓加羅山即故名也の賓加羅山を新嘉坡に比定して見た

（三佛齊考頁一〇一—一〇二）。　又馬來年代記により新嘉坡は永樂の初めに朝貢する滿剌加より古いから、島夷志略にその名があつてもよいと考へた。然し實加羅では字數も足らず、龍牙門の記事が新嘉坡のことと思はれるのと重複し、又實加羅山故名也の解釋が出來ぬ。杉本氏は Joan Nieuhoff の Embassy from the East India Company に滿剌加の古名として Jakola を記して居ることを Gerini 氏から借用された。然し自分は J. Ogilby の英譯本も又それより古い Jean le Carpentier の佛譯本(1665)も見た所、佛譯本の頁五六に滿剌加の記事があるが、Jakola と云つたことは記して居ない。Gerini 氏は Ogilby の譯本を直接見たのではなく Dennys, Desiriptive Dictionary of Brit. Malaya, p. 280 に引用されて居るのを見た丈であるから、そこに誤りがある樣に思はれる。然し不幸にして自分は現在 Dennys の辭書を見る機會を持たない。自分は是は誰かの Malacca=Takola of Ptolemy 說が混入して居るのではないかと想像する。Gerini 氏はこの Jakola を滿剌加の西北六十哩にある地名 Jugra に結び付け、支那史料の重加羅に比定したが、是は同氏の閣婆訶陵に關する誤解の延長てある。重加羅は島夷志略に杜瓶之東曰重迦羅とあり、Tuban の東南 Surabaya 地方にあつた Janggala 國てある。諸蕃志は戎牙路と記して居る。杉本氏は Gerini 氏の Jakola と Jugra との關係を認め、是を羅衛の實加羅にあて、Malacca の西北六十哩にある Bukit Jugra を實加羅山とした。此の山は現在 Percelar Hill とも云ひ、海岸から三哩はなれて居るが、晴天の時は卅五哩の沖から眺められ重要な leading mark て、位置は北緯二度五十分にあること Findley, A Directory, p. 25 に見えて居る。杉本氏の實加羅 Jugra 說は一應尤もと思はれるが、Crawfurd, Dictionary of the Indian Islands 及び S. Skeat and Blagden, Pagan Races of the Malay Peninsula, v I. p. 87–89 によると Ôrang Laut の住民範圍は相當廣く半島西岸は Junk Ceylon 迄まで及んで居る。始め滿刺加王に、後に Johore 王に臣屬したと云つて居る所を見ると、羅衛 Ôrang Laut の比定さるべき範圍も相當廣い。且つ武備志航海圖を見ると、滿刺加の次ぎに假五嶼、綿花嶼、吉令港、吉那大山、吉達港、獨掛頭山、苓那思里、打歪、その近海には綿花淺、九州、棋榔嶼、龍牙交椅、苦力由不洞を記して居る。假五嶼は西洋朝貢典錄に假王之嶼とあるが王は五の誤り。五嶼は滿刺加の東南五哩餘の所にある Water Islands と思はれる。Water Islands は五箇の小さい島と Pulo Bessar 大島とを云ひ、後者に良水があるので Water Islands の名が付けられたので五小島を五嶼と云つてよい。是に對する假五嶼は分明せぬが、矢張り滿剌加から西北五哩の地にある Tanjong Kling 即ち Kling 岬に至る海岸にある小さい島嶼を云ふのであらう。綿花嶼は西洋朝貢典錄に古貝之嶼とあるから、Tanjong Kamuning の名が比定される。是は今 Port Dickson のある所の岬である。吉貝は原音をうつし、綿花は吉貝を意譯したのであらう。航海圖は綿花嶼の沖に綿花淺を記して居るが、是は此の岬の沖に長く續き航海者を恐れさせて居る Bambek Shoal に相違ない(Findley, Indian Archipelago and China Directory, p 30-35)。

武備志航海圖、西洋朝貢典錄及び東西洋考に滿剌加よりスマトラ北部(マラッカ海峡に面する)の阿魯 Aru に至る針路及更數が記してある。更數は各違つて居るが、東西洋考は滿剌加から綿花嶼まての方向を乾とし、そこから先きを辛戌とし、航海圖は阿魯の方から始めて綿花嶼までを乙辰或辰巽とし、綿花嶼からを辰巽として居る。方位圖は上の如くてあるから、滿剌加から西北に進み綿花淺の

北
子 癸 丑 艮 寅 甲 卯 乙 辰 巽 巳 丙 午 丁 未 坤 申 庚 酉 辛 戌 乾 亥 壬
東　南　西

外側から西北西に變じ海峽を斜めに横斷して阿魯に行つたわけである。今の地圖によると Langat まで行つて西に轉しさうに見えるが、前記綿花嶼綿花淺の比定に誤りなくば、さうてない。次ぎに航海圖の吉令港の吉令は Pulo Colong, Klang, or Callam 及び Klang (or Callang) River の名をうつす。その次ぎの吉那大山に就いては、Findley, Directory, p. 22 によると Selangore の東南七哩の所に Bukit Jerom があり、Hill of Selangore とも呼ばれるが、是は二〇〇呎の小山で、更にその南五或六哩の所に False Percelar Hills と云ひ、七六六呎と九三六呎の二つの山がある。吉那大山は Bukit Jerom てはなく、False Percelar Hills てあらう。吉那は吉令と同じ樣にも思はれ、又馬來語て bukit より高い山を云ふ所の gunong の音譯とも見える。吉達は Kedah 九州は Pulo Sembilan (Perak 河口沖)檳榔嶼は Pulo Pinang 龍牙交椅は Lankawi 苦力由不洞は Pulo Butong 獨掛頭山は Takuwatung 荅那思里は Tenasserim 打歪 Tavoy てある。されば武備志航海圖には Parcelar Hill, or Bukit Jugra は出て居ない。然し島夷志略に羅衛の風俗を記し文身爲禮と云つて居る。文身の風は Perak 以南に住む Sakai 族に盛んで、他の土人はその影響を受けたものと云はれるが、大體早くから無くなつたものらしい。唯 Langat 地方の Besisi の如きは face-painting が尙ほ時々見られたと云はれる。文身が face-painting をも含むか如何か分明せぬ。又 Sakai 以外の土人が何時から文身を止めたかも分明せぬ。Ôrang Laut には今文身の風はない。志略は一方に文身の風を記し、一方に以紫縵纏頭繁溜布以竹筒實生蠟爲燭織木綿爲業煮海爲鹽と云ひ稍、開けた風俗も記して居る。是は恐らく海岸の稍開けた部族の中に文身の古風が殘つて居たとも見へるが、或は滿剌加の北方では Sakai 族が泥じて居たのではないかとも思はれる。とにかく羅衛の名義は Ôrang Laut でも內容は海岸地方も含んで居た。そして實加羅山の問題を除外して考へると、羅衛の名を適用さるべき區は相當廣い。同樣に唐代の羅越も質の北と云ふ文句に拘泥して單に Johore のみとするのも如何かと思はれる。然し東北から來る支那人の最初接する Ôrang Laut は Singapore 海峽地方のものであると考へねはならぬから、羅越の名がその地方に適用されるのも無理とは云へない。それて杉本氏の羅衛を羅越と同じく Ôrang Laut としても、羅衛を Malacca 方面に比定して、羅越と區別する說は可能の樣に思はれる。唯實加羅卽ち Jugra 說は尙ほ考慮の餘地があり、又 Malacca の故名が Jɛkola であることも確定せねば、志略の實加羅山卽故名也の解釋にし難い、又 Jako's の故名か Jupta として殘るとしても、Jugra と滿剌加は大分距つて居る。自分は爪哇史料の Wurawari を羅越、羅衛に當てた(三佛齊考頁一〇三—一〇五)。然し是には誤解かあつた。松岡氏譯の Fruin-Mees 大人の爪哇史頁六〇に「西方?に君臨するヴィジャヤ王」とあるのを自分は室利佛逝王と考へた、それは同頁にヴェンカー侯・ヴラワリ侯とあるに對し王號を稱する故であつたか、N. J. Krom 氏の Hindoe-Javaansche Geschiedenis, 1931 を見ると、この Wijaya は Wĕngkĕr の vorst としてある。然る時は自分の Wurawari に對する考へも變はつて來る。Wurawari は爪哇の Dharmmawangça (991–1007), Airlangga (1019–1042) 兩王と互に相襲うた國である。Rouffaer 氏は是を Johore 河流域に比定し、Callenfels 氏は Çriwijaya に比定した。然し Krom 氏は是は地名として爪哇にもあり、ein Javaansch potentaat であつて、"Haji" の肩書を持つことは Dharmmawangça より下級であることを示す (Hindoe-Javaansche Geschiedenis, 1931, p. 241) と云つて居るが、分明に Wurawari の場所を指定して居ない。又 Haji は三佛齊王の肩書にもあること支那史料に見えて居る(三佛齊考頁八九)。自分は Wurawari は爪哇王にとつて强敵であつた點に於いて、爪哇の一土侯とは考へ難いと思ふ。さうすると自然三佛齊を想起するのである。宋史に淳化三年 992 本國(三佛齊)爲闍婆所侵及其國(闍婆)與三佛齊有讐怨互相攻戰と記してあり、Callenfels 氏の説の起る所以も考へられる。同氏の説は Oudheidkundige Verslagen（考古學報）1919 に出て居るが、此の雜誌は不幸にして未だ見ることが出來ぬ。宋史を見ると闍婆の入貢は極めて少く、三佛齊とは比較にならぬ。それを見ると闍婆は勢力三佛齊に及ばず、三佛齊に抑へられて居たのかと思ふ、淳化三年の闍婆の入貢は Dharmmawangça が三佛齊を破つた勢ひで入貢したものらしいが、同王は一〇〇七年に Wurawari の侵入を受けて戰死した。それから大觀三年 1109 まで入貢して居ない。自分は Rouffaer 氏の Wurawari 及びその都 Luarām の言語的解釋を信ずるとしてもそれに當る淡港は元明の史料に各所に見えて居るので、それが必ず Johore 河流域で無ければならぬことに分明せぬ點あることは三佛齊考でも述べたが、已に Wijaja を三佛齊と考へたために、Wurawari を三佛齊とする Callenfels 氏の説を採りえなかつた。杉本氏の指摘は受けなかつたが、自分の誤解の因はこゝにあつた。要するに Wurawari＝淡港＝Palembang＝三佛齊となるべきであらう。從つて羅衛とは關係がなくなり、羅越、羅衛＝Ôrang Laut 説には妨けをしないことになる。自分は Ôrang Laut

は國をなさざるを以て羅越、羅衞に比定するを欲しなかつたが、Wurawari が三佛齊となり、越衞の發音は Malāyu の省略とも致し難いとすれば、結局 Ôrang Laut に歸するてあらう。最後に J. L. Moens 氏が Johore 河の東方に Sungei Seleyut 及びこの河口の東方に Bukit Seleyut あり、又河の東西を Seleyut kanan, Seleyut kiri と呼べる Seluyut なる名を羅越に比定したが（T. B. G. D LXXVII, Af, 3, p. 337 この說は問題になるまい。

附　三佛齊考正誤表（年報第四輯所載）補記

五頁三行	Eastera(誤)——Eastern(正)
一三頁一二行	行末に「費信の赤土は武備志航海圖に小葛蘭と甘巴里頭 Cape Comorin との間にある第一赤泥 Red cliffs(Hob. Job. P. 758) を指すのであらう」を入れる。
一四頁七行	僧祇城(誤)——僧祇城(正)
一九頁五行	aftre——after
一三頁九行	僧祇奴——僧祇奴
二三頁一二行	諸簿——諸薄
二五頁四行	永徵——永徽
二九頁一二行	Ibon——Ibn
三三頁八行	永徵——水徽
四三頁三行	650——605
四九頁八行	僧祇——僧祇祇の誤
同右　一五行	僧祇——僧祇
五三頁三及五行	同右——同右
同右四行	抵祇の誤——抵祇の誤
同右八行	僧祇祇の誤——「祇の誤」を削る
同右九行	「他書に見えぬ」の次ぎに「元和十五年十月、太和五年二月闍婆の名にて入貢して居る（册府元龜卷九七二）」を加へる。
五五頁十行	rakı pikatan——rakai pikatan
五七頁三行	Bālapptra——Bālaputra
五七頁一一行	比定せんとしたが——比定したが
同右一二行	理で——理である。 Bosch 以下削除。
五九頁一一行	Māharadīa——Mahārādja 又その次ぎに「Le roı du Djāwaga

est nommé le Mahārādja」を加へる。

八三頁一四行　「戊申」の次ぎに(戊辰—宋會要稿)を加へる。

八四頁一四行　「從來」以下十三行「と思ふ」まで削除。代はりに Laufer 氏の barnū,barnūn 說がある (Sino Iranica, p. 495)」を加へる。

八六頁一行　「載す」を「載せ」と改め次ぎに「且その前に注に宋史是年三佛齊國貢佛經納青木函云云とあるが是は日本國の誤り」を加へる。

一〇二頁二行　Sujarah——Sajarah

一二二頁五行　「同じ。」の次ぎに「從之まで是と同じ文が宋會要三年十二月十二日の條に見える」を加へる。

一二三頁七行　「三年の入貢は」の次ぎに「前記の他に」を加へる。又「丁未長編卷四一九」の次ぎに「が記されて居るが、前記のものと關係が分明せぬが、同じものか」を加へ、「で」を削除。

一一〇頁十及十一行　「然し東埔寨…抱く」を削除。

一三〇頁二行　Rāma Gambeng の次ぎに (Rām Khamhen) を加へる。

一三四頁一行　「如何にも」の次ぎに「亘、勘誤で」を加へる。

一三四頁七行　Bansur 訛——Bansur と訛

一三五頁一二行　Bandor——Bandon

一三九頁一六行　Reinand——Reinaud

一四〇頁十行　L. Empire——L'Empire

一四一頁一一行　東西交通史——東西交涉史

一四二頁一行　Commerical——Commercial

一四三頁四行　T'oung Pas——T'oung Pao

一四四頁三行　stutterheim——Stutterheim

同右三及四行　A javanese period in sumatran

補記㈠　三佛齊考頁一一〇に白荳蔲の産地に就いて記したが、南洋協會昭和十二年出版第三回南洋年鑑頁六七七に暹羅の産地を、頁三五四に柬埔寨の産地を次の如く記して居る。卽ち白豆蔲（又は小豆蔲——暹名クラワーン）は暹羅の諸地に發見される蘘科の數種より産し野生樹並に栽培樹の孰れよりも採取される。主産地はパーチンブリー、チヤンタブリー、パターニー、ウドーンの四州にてパーチンブリー州の小面積及びチヤンタブリー州にては Amomum Krervanh を栽培し、下表中ベスト、カルダモン(白豆蔲)の大部分は本種より採取される。又野生種（本種は小面積の栽培を見る）より本品を採取して居る。栽培は林中にてなし、下生を清掃して樹間に栽培する。次ぎに白豆蔲(ベスト、カルダモン)野生白豆蔲(バスタート、カルダモン)の輸出表がある。佛領印度支那農業の部に白荳蔲——柬埔寨のプルサト、老撾のホロベン高原等に於いて産出し、大部分支那に仕向けられると記して居る。而して馬來半島では一七九八年彼南で始めて肉荳蔲が栽培されたと云ひ、(頁九二五)蘭領印度では肉荳蔲は丁香胡椒と等しく葡人、蘭人の最も早くより注目せる商品であるが、現在に於いてはその栽培は昔日の面影はない。然し乍ら栽培の中心は香料群島の名に反せずハンダ、ナイラ、アイ及びルンの各島であり、他に爪哇セレベス、メナト、スマトラ西海岸、タパヌリ及びアチエーの諸地方にも産する。又セラム島西部並に北部ニウギネアよりパプア種の肉荳蔲が輸出されると記して居る(頁一三七八)。

補記㈡　前記論文校正中に W. F. Stutterheim 氏の Note on a newly found fragment of a four-armed figure from Koṭa Kapur(Bangka) と題する論文を Indian Art and Letters, vol XI No. 2, 1937, P. 10—109 に發見した。是は室利佛逝の碑文(三佛齊考頁四二)の近くで發見された圓筒形の帽子を戴き馬來人らし

い顏をした石神像の上半身に就いて論じたもので、同氏は像はスマトラ或は爪哇の彫刻とは明白な關係を示さず、却つて六・七世紀のクメルの Viṣṇu 像と著しい類似を示して居ると斷じ、碑文が梵語でなく古い馬來語を Pallava 文字で書いてあることと關係し、クメル藝術の及んで居る馬來半島との關係を推察し、室利佛逝の半島傳來說例へば Moens 氏の說（補考頁三四）に贊成する樣に論じて居るが、Moens 氏說の不可なることは既に論じた所、然し干陀利を室利佛逝の前身ではないか、又干陀利を後の羯荼 Kedah に比定しては如何かと云ふことも論じた(三佛齊考頁六四・補考頁一三)。されどハンカ島の碑文及石像の馬來形を以て室利佛逝の半島起原說を證明せんとするは如何かと思ふ。何となれば義淨の頃に室利佛逝は半島とスマトラに跨つて居たから(補考頁一三)、半島・の影響が同國內のハンカ島に及ぶことは考へ得る所である。

彙報

昭和十二年度史學科講義題目

東洋史概說(二) 桑田教授
東洋史概說(二) 青山助教授
南洋史概說(二) 岩生教授
地理學概論 小野講師
西洋史概說(二) 菅原教授
史學概論(二) 菅原教授
國史特殊講義(二) 中村教授
(近世政治社會史)
國史講讀(二) 中村教授
(各時代の古文書)
國史特殊講義(二) 小葉田助教授
(社寺領の研究)
國史講讀(二) 小葉田助教授
(神皇正統記)
東洋史特殊講義(二) 桑田教授
(綴耕錄)

東洋史特殊講義(二) 青山助教授
(元史)
南洋史特殊講義(二) 岩生教授
(蘭印に於ける日本人)
和蘭語(二) 岩生教授
(初步)
南洋史特殊講義(二) 箭內講師
(日比交涉史)
南洋史演習(二) 箭內講師
(西語)
土俗學・人種學概論(二) 移川教授
土俗學・人種學・講讀及演習(二) 移川教授

昭和十三年度史學科講義題目

史學概論(二) 菅原教授
國史概說(二) 中村教授
(鎌倉時代以前)
國史概說(二) 小葉田助教授

(足利時代以後)

東洋史概說　前半(二)　桑田教授

東洋史概說　後半(二)　青山助教授

西洋史概說(二)　菅原教授

土俗學・人種學概論(二)　移川教授

國史特殊講義(二)　小葉田助教授

(武家時代の文化)

國史演習(二)　中村教授

(古事記の研究・德川幕府の政策)

東洋史特殊講義(二)　桑田教授

(唐時代史・資治通鑑使用)

東洋 特殊講義(二)　青山助教授

(元史)

南洋史特殊講義(二)　岩生教授

(近代臺灣史の諸問題)

南洋史特殊講義(二)　箭内講師

(比島初期對外關係)

南洋史講讀及演習(二)　岩生教授

(蘭領東印度史)

土俗學・人種學特殊講義(二)　移川教授

(論文講讀)

西語(二)　(科外)　箭内講師

(初步)

移川教授の渡歐

移川子之藏教授は昭和十二年四月初旬臺北を出發し五月八日より數日間佛國パリにて開催された國際人類學、民族學會 (Congrès International des Sciences Anthropogiques et Ethnologiques) の準備評議員會に出席され歸途和蘭ハーグ市の國立文書館を訪はれ十七世紀蘭領時代臺灣關係史料を採訪され八月無事歸學せられた。

菅原教授の歸朝

菅原憲教授は昭和十一年二月七日神戸港解纜學術研究の爲獨逸・佛蘭西・米國に渡られたが無事研究を終へ

れ昭和十二年十月二十四日歸朝された。

昭和十二年度卒業生氏名及論文題目

昭和十二年　史學科卒業生及びその卒業論文題目は次の如くである。

南洋史專攻

比律賓に於ける基督教の傳道事業に就いて　少名子正義

臺灣史料刊行計畫

臺灣史料調査室では移川教授のハーク國立文書館より將來された蘭領時代臺灣關係史料ライカ原板約二萬五千枚を擴大復製すべく目下計畫中である。

史料調査室現況

昨年度は支那事變の爲、野外調査を充分に行ふことが出來ず、唯僅かに新店溪大嵙崁溪附近、蘭陽地方、桃園臺地、觀音山山脚の調査を行つたのみであつた。

史學科研究年報既刊目次

第一輯　（昭和九年五月）

ジヤガタラの日本人　村上直次郎

「長崎代官」村山等安の臺灣遠征と遣明使　岩生成一

米國人の臺灣占領計畫　庄司萬太郎

「パツ」を周る太平洋文化交渉問題と臺灣發見の類似石器に就いて　移川子之藏

第二輯（昭和十年六月）

ジヤガタラの日本人補遺　村上直次郎

南洋日本町の盛衰(一)　岩生成一

歴代寶案　青山公亮

鎌倉時代に於ける博奕の社會的考察　中村喜代三

足利時代明錢輸入と國內流通事情　小葉田淳

明治七年征臺の役に於けるル・シヤンドル將軍の活躍　庄司萬太郎

臺灣パイワン族に行はれる五年祭に就いて　宮本延人

第三輯（昭和十一年九月）

三佛齊考　桑田六郎

日明交通史上の所謂永樂宣德兩要約の疑問と其眞相　小葉田淳

南洋日本町の盛衰(二)　岩生成一

（暹羅日本町の盛衰）

近代日暹交渉史年表稿　岩生成一

第四輯（昭和十二年十月）

「足利後期の」遣明船通交貿易の研究　小葉田淳

南洋日本町の盛衰（三 完）（呂宋日本町の盛衰）　岩生成一

皇明實錄に見えたる明初の南洋　桑田六郎

鴉片戰爭と臺灣の獄　松本盛長

和蘭ハーグ

國立文書館所藏臺灣關係文書目錄

Stukken Betreffende Formosa 1622—1663

(uit de overgekomen Brieven van de Kamer
Amsterdam der Oost Indische Compagnie)

in Het Algemeen Rijksarchief,
Den Haag, Neederlands.

「和蘭ハーク」國立文書館所藏臺灣關係文書目錄

本目錄は，和蘭ハーク市の國立文書館(Het Algemeen Rijks-archief)所藏に係る蘭人臺灣依據時代に於ける臺灣關係文書類の全部を網羅せるものであつて，西紀1622年より1663年の期間に亙るものである。

こゝに收錄せる文書はフォリオ大の紙に，インキを以て草書體に書かれた報告書・外交文書・書翰・日誌等各般のものを含み，當時に於ける臺灣の政治・經濟・外交・布教・民俗等を知る上に於て，極めて重要なものであつて，臺灣史の初期に關する最も信憑に値する唯一の史料と言つてよい。

和蘭の文書類は，1918年及び1928年公布の法令(Staatsblad no 177, 378)に基き，(一)政治關係文書，(二)州及び市關係文書，(三)水路港湾部關係文書の三つに大別し，夫々所管部署を定めて管理されてゐるが，臺灣關係の文書は，第一類に屬する文書中植民地關係の部に包含され，ハーグ國立文書館の管理下に在る。

極東方面に關するものは，西印度方面のものと合せて，一緒に此部門中に置かれ，更に之が，(イ)東印度會社文書(1594—1603)，(ロ)合同東印度會社文書(1602—1796)，(ハ)東印度會社に關する政府委員(1790—1795)及び委員會文書(1795—1796)，(ニ)1862年及び1863年ハーク移管の印度，錫蘭，希望峰等に關するバタヒヤ政廳文書，(ホ)同印度並に支那に於ける和蘭商館の文書，(ト)日本に於ける和蘭商館(1609—1860)並に1887年迄の東印度諸島植民地に關する文書類に區分され，年代順に綴られてゐる。

主として此最後の部類中に，臺灣關係文書は含まれてゐるけれども,一括されてゐる譯ではなく，雜然と年代順に，他地方のものと共に，尨大なる文書類中に散在するのである。文書名が臺灣 (Tayouan, Taioan, Formosa) でなく，日本 (Japan)，支那 (China)，バタヴィヤ (Batavia)，暹羅 (Siam)，柬埔塞 (Cambodja)，安南 (Quinam)，東京 (Tonquin, Toncquin, Tonckin Noorderquartieren)，マニラ (Manilha)，印度 (Suratte, Choromandel, Coromandel)，波斯 (Persia, Persien)，及び其他の文書類中にも臺灣關係のものが見出される事も屢々ある。

目錄中 Boek とあるは，文書の綴册を意味し，Folio は各文書を示す。地名や一般文字の綴方か，一定して居らず現今のそれとは，可成相違するものがあるけれども，却て之か文書の特色でもあり，統一すべきものでないと思推するから，訂正は全然試みてない。

臺灣關係文書全部は昨年五月，筆者渡歐の砌，影寫を計畫し，文書館の好意により十月之を完成，現に臺北帝國大學文政學部史學科の所藏するところとなつてゐる。枚數にして約二萬五千に上る。之か出版に先立つて目錄を世に贈る次第である。(13•6•13)

移　川　子　之　藏

STUKKEN BETREFFENDE FORMOSA

(1622—1663)

(UIT DE OVERGEKOMEN BRIEVEN VAN DE KAMER AMSTERDAM DER OOST INDISCHE COMPAGNIE.)

Y 1623 **Boek II** (*Kol. Archief 989*)

(ongefolieerd)

1. Origineele missiven van den Commandeur Cornelis Reijersz. aen den Gouverneur-Generael Coen in datis 10 September en 8 October 1622.
2. Copie-journael van den Commandeur Reijersz. 10 April-8 September 1622
3. Copie-instructies voor Cornelis Reijersz. in dato 9 April 1622.
4. Translaet uyt de copie van seecker placcaet door den gouverneur van de provintie Hochien uytgegeven tot antwoordt van het versoeck van den handel door den Commandeur Reijersz. gedaen.
5. Copie-missive van Jan van Meldert, Jacob Constant ende Doede Florisz. Croes aen den Commandeur Reijersz. in dato 9 Augustus 1622
6. Origineele missive van Cornelis van Neyenrode, uyt het schip Groeningen leggende in de baey van Teysinkitt aen den Gouverneur-generael Coen in dato 3 January 1623.
7. Copie-sententien die over eenige misdadigen in de Piscadores gepronuncieert ende geexecuteert zijn t'zedert 18 October 1622-16 Augustus 1623

B.B. 1624 **Boek II** (*Kol. Archief 992*)

(ongefolieerd)

8. Copie-resolutien genomen bij Cornelis Reijersz. ende sijnen breeden Raedt in 't schip Zierickzee in de Piscadores van 12 September -2 Maert 1623 (Drie laatste resolutien genomen in den Engelschen Beer in de riviere van Chincheo.)

C.C. 1624 **Boek III** (*Kol. Archief 993*)

TAYOUAN.

(ongefolieerd)

9. Register van het gepasseerde op de custe van China onder 't beleyt van den Commandeur Cornelis Reijersz.

10. Copie-resolutiën genomen bij den Commandeur Reijersz. ende sijnen raet t'sedert 11 April 1622-5 October 1622.

11. Copie-sententiën alsvoren t'sedert 9 Mey-18 October 1622.

12. Copie-resolutiën ende missiven bij d'Ed Nieuwenrode, Jan Hendericxz. Sael ende den Commandeur Reijersz. genomen ende Geschreven van 22 October 1622-8 February 1623

13. Copie-journael van den Commandeur Reijersz. van 10 April 1622-1 January 1623.

14. Copie-journael van de reijse door den Commandeur Reijersz in 't landt van China tot in Hockchiew gedaen van 5 January-5 Maert 1623, mitsghaders vervolch van 't ghemelte journael tot 4 September 1623.

15. Copie-missive van drie mandorijns regerende in de provintie van Chincheo in de stadt Hiockien.

16. Copie-missive van den Gouvreneur van de provintie van Hockchieuw aen d'onse in Pehouw geschreven (11 Nov 1622)

17. Advertissement door den Toutock aen d'onse in Pehouw geschreven.

18 Translaet eener missive door Toma Toutock, overste ofte admirael van de zeestrandt aen d'onse in Pehouw geschreven.

19. Translaet eener missive, van Conbon Toya Hocseo aen d'onse in Pehouw geschreven. (18 Jan. 1623)

20. Translaet eener missive van Conbon, gouverneur van Hocksieuw, aen den Commandeur Reijersz. (22. Feb. 1622)

21. Twee copie-missiven van den Commandeur Reijersz aen den Gouverneur-generael in datis 20 November 1622 en 5 Maert 1623.

22. Descriptie van de stadt Soollangh, gelegen op 't eijlandt Liqueo Pequeno westelijck van de custe van China (3 Maert 1623)

23 Copie-resolutien genomen bij den Commandeur Reijersz ende sijnen raet t'sedert 17 Maert-23 September 1623.

24. Copie-missive van den Commandeur Reijersz. uyt de Piscadores aen den Gouverneur-generael in dato 26 September 1623.

25. Copie-missive van den oppercoopman Christiaen Francx uyt de Piscadores aen den Gouverneur-generael in dato 26 September 1623.

26. Extract uyt het journael gehouden bij d'Ed. Christiaen Francx van 20 Aug tot 10 September 1623.

27. Translaet eener missive door den nieuwen Totocq Tham Soatsia geschreven aen den Commandeur Cornelis Reijersz. in dato 24 Augustus 1623.

28. Twee copie-missiven van den Commandeur Reijersz. aen den nieuwen Totocq in datis 25 en 27 Augustus 1623.

29. Twee translaet missiven van ditto Totocq aen den Commandeur Reijersz. in datis 27 en 28 Augustus 1623.

30 Copie missive van den Commandeur Reijersz. aen ditto Totocq in dato 28 Augustus 1623

31. Translaet van de antwoorde van den Totocq in dato 1 September 1623.

32. Antwoorde van den Commandeur Reijersz. op ditto missive in dato 3 September 1623.

33. Copie-missive van den Commandeur Reijersz. in dato 4 September 1623.

34 Translaet van eene Chineese missive aen den Commandeur Reijersz. (2 Juny 1623)

D.D. 1625 Boek II (*Kol. Archief 995*)

TAYOUAN.

35 Origineele missive aen de camer Amsterdam in dato 12 December 1624. (Fol. 40)

36. Copie-missiven aen den Gouverneur-generael in datis 5 November en 12 December 1624. (Fol. 41—54)

37 Copie van de instructie van den Geuverneur-generael voor d'Heer Martinus Sonck ende den raedt in Pehouw in dato 11 Juni 1624. (Fol 55—72)

38. Copie-resolutien bij den raedt in Pehouw genomen van 4 Augustus-16 November 1624 (Fol 73—83)

39. Copie-missive van d'Ed. Martinus Sonck aen den Toutock van Aymoy ende Conbon over de provintie van Hocheo in dato 12 Augustus 1624. (Fol. 84)

40. Translaet van de missive van den Toutock van Aymoy aen den gouverneur Sonck, ontvangen 22 Augustus 1624. (Fol. 85)

41. Translaet van de missive van den Gouverneur van 't Chineese fort aen gouverneur Sonck, ontvangen 23 Augustus 1624. (Fol 86)

42. Copie-missive van d'Ed. Martinus Snock aen den gouverneur over de Chinese macht in Pehou in dato 24 Augustus 1624 (Fol. 87)

43. Commissie ende rapport van Gerrit Fredericxsz. de With ende Jan Hendricksz Sael aengaende haer besendinge aen den Chinesen Gouverneur in dato 24 Augustus 1624. (Fol. 87a—88)

44. Translaet van de missiven van capn China aen gouverneur Sonk ende Pedro China; translaet van de missiven van Siompijn en capn China aen gouverneur Sonk. (Fol. 89—90)

45. Extract uyt seeckere missive van sr. Nijenrode aen Commandeur Reijersz. geschreven. (Fol. 91)

46. Translaet van de Chineese missive van den Toutocq van Aymoy aen gouverneur Sonck (Fol. 92)

47. Copie-missiven van den Commandeur Cornelis Reijersz. uyt Pehouw aen den Gouverneur-generael in datis 20 February en 25 January 1624. (Fol. 249—256)

BATAVIA.

48. Translaet wt seecker Chinees boecxken door den Commandeur Cornelis Reijersz. van Tayouan gebracht nopende de compste van de Nederlanders op de custe van China, anno 1622 (Fol 437—455)

TAYOUAN.

49. Originele missive van Pieter Jansz Muyser uyt Tayouan aen den gouverneur-generael in dato 4 November 1624. (Fol. 497—509)

50. Originele missive van Pieter Jansz. Muyser uyt Tayouan aen de camer Amsterdam in dato 4 November 1624 (Fol. 501—502)

F.F. 1626 Boek.II (*Kol. Archief 997*)

TAYOUAN.

51. Copie ende originele missive van den gouverneur Martinus Sonck aen den Gouverneur-generael Pieter de Carpentier in datis 19 February en 3 Maert 1625. (Fol. 228—236)

52. Memorie van de goederen noodich voor de vloote op de cust van China. (Fol. 237)

53. Lijste van de vivres, amonitie van oorloge, coopmanschappen et die op vertreck van de schepen Groenigen ende Purmerend in Tayouan bevonden zijn. (Fol. 238)

54. Lijste van 't getal der persoonen, victualie, ammonitie van oorlogh etc. daermede diverse schepen ende jachten in vloote na Manilha vertrocken sijn. (Fol. 239—243)

H.H. 1626 Boek IV (*Kol. Archief 999*)

JAPAN.

55. Copie-missive van Cornelis van Nijenrode uyt Firando aen den gouverneur Martinus Sonck tot Tayouan in dato 26 October 1625

TAYOIAN.

56. Originele missive van Pieter Muyser uyt het Wapen van Seelandt op de cust van Luconia ofte Manilha aen den Gouverneur-generael De Carpentier in dato 22 Mey 1625.

57. Originele missive van Pieter Muyser uyt het Wapen van Seelandt onder d' eylanden van Maccau aen Gouverneur-generael De Carpentier in dato 2 July 1625.

58. Originele missive van Jan Pieters. Reus uyt het schip Orange op de cust van Luconia aen gouverneur Martinus Sonck in dato 24 Mey 1625.

59. Copie-resolutiën genomen op de tocht van Manilla t'sedert 27 January 1625-22 Mey 1625.

60. Journael van den tocht gedaen van Tayouan naer de baey van Manilla en de custe van Luconia mette scheepen 't Wapen van Zeelandt, Noort-Hollant ende Orange, mitsgaders de jachten den Haen, Fortuyn en Victoria onder 't commandement van Pieter Jansen Muyser van 27 January-22 Mey 1625.

61. Vervolch van het journael van den heer Commandeur Muyser sedert 't vertreck van 't schip Noorthollant van 22 Mey-2 July 1625.

62. Vervolch van de resolutién t'sedert 25 Mey- 1 July 1625.

63 Cort verhael van de voyagie gedaen met 't jacht Victoria naer de cust van Manilla in 't afwezen van de Vloot van 27 January-26 February 1625.

64. Copie-missive van Pieter Muyser uyt 't Wapen van Seelant geanckert onder d'eylanden van Maccau aen gouverneur Martinus Sonck tot Tayouan in dato 24 Juny 1625.

65. Copie-sententie getrocken onder Pieter Muyser van 12-24 Maert 1625.

66 Copie-missive uyt het Wapen van Seelant aen gouverneur Martinus Sonck in dato 22 Mey 1625.

67 Copie-missive van Gerrit Fredericxsen de Witt uyt Tayouan aen den Gouverneur-generael Pieter de Carpentier in dato 29 October 1625

K.K. 1627 **Boek** III *(Kol. Archief 1002)*

68 Extract uyt de missive, door C. van Nieurode uyt Japan naer de Piscadores aen den Commandeur Reijersz. geschreven in dato 9 November 1623 (Fol. 19—20)

69. Placcaet, daerbij den oppersten regent van Hocheo door sijne onderregenten alle Chineesen verbiet, met de Nederlanders in Pehou ende Packan (alias Tayouan) coophandel te drijven. (Fol. 23—24)

TAYOUAN.

(ongefolieerd)

70. Copie-missive van den Commandeur de Witt yut Tayouan aen den Gouvern. generael Pieter de Carpentier in dato 13 Maert 1626.

71. Copie-missive van Gerrit Fredericksen de Witt uyt het jacht Erasmus ter reede van de revier van Chincheo onder 't eylandt Lesou aen den Gouverneur-generael in dato 4 Maert 1626.

72. Copie-missiven van Commandeur de Witt aen diverse persoonen soo up Tayouan als op de Coste van China.

73. Translaet van de missive van een chineesch mandorijn uyt Aymoy aen Commandeur de Witt in dato 77 Maert 1626.

74. Copie-resolutiën in Tayouan genomen van 16 November 1625-11 Maert 1626.

75. Copie-missive van Gerrit Fredericx. de Witt uyt Tayouan aen den Gouverneur-generael in dato 15 November 1626!

L.L. 1628 Boek II (*Kol. Archief 1004*)

(ongefolieerd)

76. Copie-missive van Pieter Muyser uyt het schip Woerden, geanckert in de haven van Tayouan aen den generael Pieter de Carpentier in dato 14 November 1626

77. Originele missive van Pieter Muyser uyt Tayouan aen de camer Amsterdam in dato 25 July 1627.

78. Copie-attestatie van Serebeo, capiteyn van de Japanse joncken present in Tayouan, in faveur van de Nederlanders.

79. Copie-missive van Pieter Nuyts uyt Tayouan aen den Gouverneur-generael in dato 22 July 1627.

80. Copie-missive van Joannes van der Hage uyt Tayouan aen den Gouverneur-Generael in dato 29 October 1627

81. Descriptie van David Pessaert ende Vincent Romeyn aengaende des vijants macht in Cambodja, wegens haer fort ende macht op 't eylandt Formosa.

82. Copie van 'to kort verhael van den commandeur de Witt om tot den Chinesen handel te geraeken, in dato 4 Maert 1626 aen den Gouv.-Gen. 1 Pieter de Carpentier gesonden

83. Verhael van 't gepasseerde op de custe van China ende den Chinesen handel door den commandeur de Witt op Batavia overgegeven.

84. Copie missive van Pieter Nuyts ende Pieter Muijser uyt Miacco aen den Gouverneur-Generael in dato 7 Sept. 1627

85. Copie-missive van Pieter Nuyts uyt Miacco aen den Gouverneur-Generael in dato 7 Sept. 1627.

86. Copie missieve van Pieter Nuyts uyt Miacco aen van Nijenroode in dato 14 Sept. 1627.

L.L. 1628 Boek II (*Kol. Archief 1004*)

(ongefolieerd)

87. Copie-missive van Pieter Nuyts uyt Firando aen Commandeur de Witt in dato 11 Augustus 1627

88. Copie-missive van Van Nieu(en)roode uyt Firando aen Nuyts in dato 28 Sept. 1627.

89. Copie-missive van Cornelis van Neyenroode uyt Firando aen commandeur de Witt in dato 21 Oct 1627.

M.M. 1628 Boek III (*Kol. Archief 1005*)

(ongefoliëerd)

90 Copie van de resolutien, genomen bij Martinus Sonck (Zal. ..er), in de Piscadores ofte Pehou ende op Tayouan of Formosa; beginnende 4 Augustus 1624-27 Augustus 1625, tot dat overleden is, mitsgaders bij den commandeur G.F. de Wit ende den Raet in Tayouan van 19 Sept. 1625-18 Nov. 1627.

N.N. 1629 Boek I (*Kol. Archief 1006*)

TAYOUAN.

91. Originele missive van Pieter Nuyts uyt het fort Zeelandia aen den Gouverneur-Generael in dato 23 Maert 1628. (Fol. 118—119)

92. Copie-missive als voren in dato 26 Maert 1628 (Fol. 120—121)

93. Copie-missive als voren in datis 17 en 20 Februari 1628. Copie-missive aen Icquan in dato. . .Maert 1628. (Fol. 122—127)

94. Copie ende originele missive van Pieter Nuyts aen den Gouverneur-Generael in datis 28 Febr. ende 15 Maert 1628 (Fol. 128—134)

95. Originele missive van Pieter Nuyts uyt Tayouan aen Gouverneur-Generael Pieter de Carpentier in dato 28 Febr. 1628. (Fol. 135—140)

96. Cohier inhoudende copiën van in Tayouan ontfangen missiven, geschreven van 28 Augustus-27 November 1627. (Fol. 141—154)

97. Copie-missiven van Cornelis van Neyenroode uyt Firando aen Nuyts in Tayouan in datis 17 Febr. en 5 Maert 1628. (Fol.155—156)

98. Reeckeninge van Simson, Chinees koopman, anno 1627. (Fol. 157)

99. Notitie van de cassa. (Fol. 158)

100. Notitie der retouren uyt Japan afgesonden. (Fol. 159)

101. Memorie van Nuyts over des Compagnies standt in Japan, hangende van d'issue onser legatie aen de keizerlijke Majesteiten op ons vertrek naer Tayouan aen d'Ed. Heer Cornelis van Neyenroode gelaeten, 1 December 1627. (Fol. 160—161)

102 Cohier inhoudende copiën der afgesondene missiven, instructien, commissien, memorien, etc ; 13 July-2 December 1627. (Fol. 162—184)

103. Cohier, inhoudende copiën, van in Tayouan ontfangen missiven geschreven van 28 Augustus-7 December 1627. (Fol. 185—198)

104 Discours, inhoudende de Klachten over de Tirandesen door sinjeur Neyenroode ons behandicht. (1623—1626) (Fol. 199—208

P.P. 1629 Boek III (*Kol. Archief 1008*)

BATAVIA.

(ongefoliëerd)

105. Copie-missive van Pieter Nuyts uyt Tayouan aen Antonio van Diemen, tot Batavia, sonder dato.

106. Copie-missieven van Pieter Nuyts uyt fort Zeelandia aen ... ende aen den Gouverneur-Generael, beyde in dato 4 Febr 1629

107. Copie van 't accoordt, getrokken tusschen Pieter Nuyts ende Icquan, overste Mandorijn van Aymoy op Tayouan in dato 1 October 1628.

108. Copie-acte van persuatie door Pieter Nuyts gedaan aen de Japonneezen over haer vertrek naer Japon, 17 Junij 1628

109. Copie-eysch van de Japonders in Tayouan aen gouverneur Pieter Nuyts overgelevert in de stadt Zeelandia, op 2 July 1628

110. Copie van het verzoek der Japonnesen wegen haer vertiek naer China in dato 15 Juny 1628.

111. Copie-missiven van den predicant Georguis Candidius uyt Sinckan aen den gouverneur-generael coen in datis, Feb en 20 Aug 1628

112. Copie-resolutien, getrokken in't fort Zeelandia ende in de rivier van Chincheo, van 3 July tot 1 October 1628.

113. Copie-missiven van Pieter Nuyts uyt Tayouan aen Cornelis van Nijenrode, Pieter Mujiser ende van Santen, sedert 16 Juny-21 Augustus 1628.

Q.Q. 1630 Boek II (*Kol. Archief 1010*)

TAYOUAN.

114. Originele missive van Hans Putmans uyt 't casteel Zeelandia aen de Kamer Amsterdam in dato 15 September 1629; met copie-missive van 28 Sept. 1629. (Fol. 33—43)

BATAVIA.

115. Caerte van Tayouan. (Fol. 229)

116. Origineel rapport von Pieter Nuyts uyt de stadt Zeelandia op Formosa aen bewinthebberen ter vergaderinge van XVII, in dato 4 Aug 1629. (Fol. 321—386)

117. Copie van een kort verhael uyt welck voor oogen ende ten oordele gestelt wert ofte d'oncosten, die de compagnie tot vervolg van den Chinesen en Japonschen handel te lijden heeft, oock soodanigen avancen geeft, dat de lasten daeruyt niet alleene overwonnen, maer oock daerenboven goede somme jaerlijcx bij denselven geprospereet, ofte wel, dat de macht ende contanten daer toe noodich, op andere plaetsen met meerder avantagie gebruyckt connen werden, te presenteren aen d'Ed. Heeren bewinthebberen, den Gouverneur-generael en de Raden van India, bij Pieter Nuyts gedaen in Zeelandia op Formosa, 10 Febr. 1629. (Fol. 391—397)

118. Copie-resolutien, genomen in Tayouan. (Fol. 398—404)

119. Originele missive van Pieter Nuyts uyt Zeelandia aen den Gouverneur-Generael Coen in dato 14 Augustus 1629. (Fol. 405—431)

R.R. 1631 Boek II (*Kol. Archief 1012*)

BATAVIA.

120. Extract uyt eene missive van den predikant Candidius, uyt Tayouan naer Batavia geschreven in dato 14 September 1629 (Fol. 5)

121. Copie-missive als voren in dato 27 Maert 1630. (Fol. 6)

R.R. 1631 Boek III (*Kol. Archief 1013*)

TAYOUAN.

122. Copie-missiven van Hans Putmans aen Antonio van Diemen en aen Jacques Specx, beyde in dato 5 October 1630. (Fol. 331—345)

123. Originele missive van Hans Putmans aen de camer Amsterdam, in dato 4 October 1630. (Fol. 346)

124. Copie-missive van Hans Putmans uyt 't jacht Texel, geanckert liggende in de riviere Chincheo voor de stadt Amoy, aen de Gouverneur-generael Jan Pietrsz. Coen, in dato 24 Febr. 1631 (Fol. 347—359)

125. Copie missive van Nicolaes Couckebacker uyt Tayouan aen den Gouverneur-generael in dato 27 Maert 1630. (Fol. 360)

126 Copie-missive van Hans Putmans aen Paulus Traudenius, in dato 20 Febr. 1630. (Fol. 361—362)

127. Copie missive van Hans Putmans uyt het jacht Domburch, geanckert liggende in de riviere Chincheo, aen den Gouverneur-generael Jan Pietersz. Coen, in dato 19 Maert 1630. (Fol. 363)

128 Copie-instructie voor de coopluyden Gedeon Bouwers ende Paulus Traudenius, mitsgaders den raet van 't jacht Slooten, in dato 5 Oct. 1629. (Fol. 364—365)

129. Memorie van de coopmanschappen, resterende uyt 't op 9 Febr. 1630 verongeluckte jacht Slooten. (Fol. 366)

130. Copie-resolutién, genomen bij Hans Putmans ende sijnen raedt in de stadt Zeelandia ende in 't jacht Texel, van 2 October 1629-14 Febr. 1630. (Fol. 367—375)

131. Daghregister van het gepasseerde met het jacht Domburch int ontdecken van 't Spaansche fort Quelang(h), etc 19 July tot 5 Oct. 1629. (Fol. 376—382)

132. Copie-missiven aen Hans Putmans van diverse persoonen, meest Chineesen, van 1 Oct. 1629-7 Febr. 1630. (Fol. 383—388)

133. Extract uyt het daghregister van Putmans van 1 Oct. 1629 tot 22 Febr. 1630. (Fol. 389—400)

184 Copie-missiven van Hans Putmans aen Chineese autoriteiten 't sedert 3 Sept. 1629-4 Febr. 1630 (Fol 401—407)

135. Copie-missive van Hans Putmans aen den Gouverneur-generael Jan Pietersz. Coen, in dato 10 Maert 1630, uyt het jacht Dombuich, geanckert liggende in de rivier Chincheo. (Fol. 408—411)

136. Copie-missiven van Hans Putmans uyt het jacht Bommel, zeylende omtrent 3 mijlen bonoorden Tayouan, aen den Gouverneur-generael Jacques Specx in dato 5 Oct. 1630. (Fol. 412—423)

137. Copie-resolutien des comptoirs Tayouan van 27 Febr tot 30 Sept 1630 (Fol. 424—437)

138 Extract daghregister van't gepasseerde in Tayouan van 22 Febr —29 Sept 1630. (Fol. 438—446)

139. Copie-instructie voor den ondercoopman Paulus Traudenius waernaer hij sich binnen Amoy aen landt liggende sal hebben te reguleren, in dato 24 Maert 1630; item voor Nicolaes Coeckebacker, vertreckende met het jacht Dombuich naer de riviere Chincheo, in dato 23 Mey 1630; item voor den ondercoopman Abraham Duycker in dato 28 Juny 1630; item voor de raetspersoonen van de jachten Wieringe ende Assendelft, (seylende naer de Piscadores), in dato 16 July 1630 (Fol. 447—453)

140. Copie afgesonden missiven van Putmans, van 23 Maert—5 Sept 1630. (Fol 453a—472)

141. Copie ontfangen missiven van Putmans, van 2 April—26 Aug. 1630 (Fol. 473—497)

142. Daghregister van het gepasseerde op de custe van China, gehouden bij Abraham Duycker, van 2 July—12 Sept 1630 (Fol 498—505)

143. Copie-missive van Hans Putmans uyt Tayouan aen den Geuverneur generael Jacques Specx in dato 28 Dec. 1630. (Fol. 506—509)

144 Accoort tusschen de gecommitteerde van Gouverneur Putmans ende den Raedt in Tayouan ende den Grootmandorijn van Amoy getroffen, in dato 3 December 1630. (Fol. 510)

145. Memorie van de coopmanschappen voor 't patria ende den inlandschen handel, in voorraedt bij het comptoir Tayouan berustende. (Fol 511.)

.S. 1632 Boek I (*Kol. Archief 1014*)

TAYOUAN.

146. Copie-missive van Hans Putmans aen den Gouverneur-generael Specx, in datis 20 en 22 Febr., 6 en 17 Maert 1631. (Fol. 445—461)

147. Copie-missive van Gedeon Bouwers uyt het jacht Wieringen ter reede onder Luyssow, op de custe van China, aen Gouverneur generael specx, in dato 24 Maert 1631 (Fol. 462—463)

148. Origineele missive aen den Gouverneur-generael Specx, in dato 10 October 1631. (Fol. 464—485)

149. Copiën van afgaende missiven van 23 April-22 Sept. 1631. (Fol 486—510)

150. Copie resolutiën in de riviere Chincheo en Tayouan gearresteert, van 14 October 1630-3 Maert 1631. (Fol. 511—525)

151. Copie resolutiën in Tayouan gearesteert, van 15 Maert-4 October 1631. (Fol. 526—544)

152. Memorie ende instructie voor de oppercoopluyden seigneur Gedeon Bouwers ende Paulus Traudenius, midtsgaders den Raedt van den jacht ten Wieringen ende Assendelft; item voor den schipper Tijs Hendricxsen Quast gaende om de Noordcuste van China te ontdecken. (Fol. 545—551)

153 Informatie van het gene uyt verscheiyde perzoonnen, ingeborene van het landt, omtrent Manilha verstaen hebben. (Fol. 552—554)

154. Certificatien. (Fol. 555—556)

155. Copie-missive van den oppercoopman Jan Carstens aen den Gouverneur-generael Jaques Specx, in dato....October 1631 (Fol. 557—563)

156. Interrogatorium, waerop gehoort is Jacob Compostel, gewesen oppercoopman op 't jacht Beverwijck. (Fol 564)

157 Notitie van de bevindinghe der restanten, die in Tayouan overmeten ende gewogen sijn. (Fol 565)

158 Interrogatorien ende attestatiën. (Fol. 566—570)

159. Extract uyt het daghregister van het gepasseerde op de custe van China, van 24 Febr.—5 Maert 1631. (Fol. 577—578)

160 Alsvoren van 6—24 Maert 1631. (Fol. 579—582)

161. Extract uyt het daghregister van het comptoir Tayouan, van 6 Maert tot 4 Oct. 1631. (Fol. 583—597)

S.S. 1632 **Boek II** (*Kol. Archief 1015*)

TAYOUAN.

162. Origineele missive van Hans Putmans aen de camer Amsterdam, in dato 10 October 1631. (Fol. 339—343)

163. Informatie omtrent Manilha. (Fol. 344—345)

164. Accoort tusschen den Gouverneur Putmans ende den Mandorijn Iquan, getroffen, 13 Febr. 1630. (Fol. 346)

(Ongefolieërd.)

165. Origineele missive van den Heer Generael Jaques Specx, aen Hans Putmans, gouverneur in Tayouan, in dato 31 July 1631.

166. Originele missive van Pieter Nuyts aen Bewinthebberen, in dato 30 Sept. 1631. Met bijlagen. (Fol. 380—439)

167. Dito In dato 28 Dec. 1631. (Fol. 473—480)

T.T. 1633 Boek II (*Kol. Archief 1017*)

TAYOUAN.

168. Originele missive van Hans Putmans uyt het jacht der Goes liggende ter reede onder het eylandt Lissuw in de riviere Chincheo, aen de camer Amsterdam, in dato 14 Oct. 1632 (Fol 197—200)

169. Copie-missive als voren aen Gouverneur-generael Specx, in dato 14 Oct. 1632. (Fol. 201—207)

170. Copie van twee missiven door Iquan, den eenen aen den Heer Putmans ende den anderen aen den oppercoopman Traudenius geschreven. (Fol. 208—209)

171. Copie van twee missiven door Hans Putmans aen Iquan geschreven, in dato 24 Aug en 5 Sept. 1632. (Fol. 210—212)

172. Copie resolutien, genomen bij Putmans ende sijne presente raeden; in Tayouan ende elders genomen van 15 Oct. 1631-17 Sept. 1632. (Fol. 213—229)

173. Extract daghregister, gehouden in Tayouan, van 15 Oct 1631 tot 14 Oct 1632 (Fol. 230—238)

174. Factura (Fol 239—241)

175. Copie-missive van gouverneur Putmans uyt het jacht der Goes, ter reede onder Lissuw in de rivier Chincheo, aen Gouverneur-generael Specx, in dato 9 Nov. 1632. (Fol 381—389)

V.V. 1634 Boek II (*Kol. Archief 1021*)

TAYOUAN.

176. Register der papieren. (Fol. 194)

177. Originele missive van Hans Putmans uyt het jacht ter Goes ter reede van Lissuw in de riviere Chincheo, aen Gouv. gen. Jaques Specx in dato 9 Nov. 1632. (Fol. 195—197)

178. Cognossement. (Fol. 195)

179. Twee copien transport van den heer Putmans aen Nicolaes Couckebacker, 1 Januari 1633. (Fol. 199—203)

180. Balance van den Heer Putmans boucken, 1 Januari 1633. (Fol 204—205)

181. Slot van den Heer Putmans boucken, 1 Januari 1633 (Fol 206—207)

182. Extract uyt het daghregister van het comptoir Tayouan, sedert 8 Oct. 1632-17 Januari 1633. (Fol. 208—212)

183. Translaet-missive van den Mandorijn Iquan aen den Gouv.-gen., ongedateert, ontfangen 6 Nov. 1632 onder Lissuw. (Fol. 213—214)

184. Copie-missive van Pieter Bonnius aen den gouv.-gen. Jaques Specx, in dato 18 Januari 1633. (Fol. 215)

185. Cognossement. (Fol. 216)

186. Copie missive van Hans Putmans aen den gour. genl. Jaques Spex in dato 18 Januari 1633. (Fol. 217—219)

187. Copie-resolutie bij gouvern. Putmans ende den Raedt in Tayouan van dato 28 Januari 1633, op het vertrek van Willem Jansen genomen. (Fol. 220—222)

188. Twee recipissen van de contanten uyt den Arent en Kemphaen gelicht. (Fol. 223—224)

189 Eysch van verscheyde noodlijckheden voor Tayouan. (Fol. 225—226)

190. Originele missive van Hans Putmans uyt het jacht Catwijck liggende ter reede in de baye Tangsoa, aen de camer Amsterdam, in dato 30 Sept 1633. (Fol. 227—234)

191. Copie van ontfangene als afgesondene Chinese missiven sedert 15 Febr.-25 Febr. 1633 (Fol. 235—239)

192 Inventaris. (Fol. 240—242)

193. Factura. (Fol. 243—244)

W W 1635 Boek II (*Kol. Archief 1025*)

SIAM.

194. Copie-missive van d'Ed. Hans Putmans naer Siam, in dato 4 Oct 1633 (Fol 357—358)

195. Copie-missive uyt Tayouan naer Siam geschreven in dato 6 Nov 1633 (Fol. 367)

196. Copie-missive van Joost Schouten naer Tayouan, in dato 3 Juny 1634; Copie-missive van vóor Sangora an den commandeur Bruyn in dato 5 Juny 1634. (Fol. 497—498)

197. Copie-missive van Joost Schouten naer Tayouan in dato 26 July 1634; copie der memorie van Chineese coopmanschappen voor het comptoir Siam (Fol. 512—515)

TAYOUAN.

198. Register der papieren. (Fol. 520—521)

199. Eysch van verscheyde noodlijckheden. (Fol. 522—523)

200. Cognossementen. (Fol. 524—525)

201. Restanten in Tayouan op 18 Febr. 1633. (Fol. 526—527)

202. Copie-missive aen d'Ed. Gouverneur commandeur ofte overhoofden, comende met de schepen van Battavya naer Tayouan, in dato 31 Mey 1633. (Fol. 528—530).

203. Memorie van de reele effecten, die op 31 Mey in het comptoir Tayouan bevonden sijn te resteren (Fol. 531)

204. Copie-missiven van den president Nicolaes Couckebacker aen Iquan als andere in Amoy. (6 April, 27 Mey 1633) (Fol. 532—535)

205. Copie-missive van den Mandorijn Iquan als andere in Amoy, aen den gouverneur Hans Putmans ende den president Nicolaes Coeckebacker. (Fol. 536—539)

206. Copie van de bij gouvern. Hans Putmans ontfangene missiven van 31 Mey—16 Aug. 1633. (Fol. 540—546)

207. Copie van de naer Tayouan gesondene Chinesche missiven ontfangen van 24 July tot 1 Oct. 1633. (Fol. 547—553)

208. Copie van verscheydene missiven bij den gouverneur Putmans afgesonden van 9 July—2 Sept. 1633. (Fol. 554—563)

209. Copie van verscheydene afgensonden missiven aen de Chyneesen, van 29 July—19 Sept. 1633. (Fol. 564—571)

210. Daghregister van het comptoir Tayouan sedert 10 Maert tot 31 Mey 1633. (Fol. 572—577)

211. Copie resolutien van 18 Juny—28 Sept. 1633. (Fol 578—591)

212. Daghregister van de voyagie naer ende op de cust van China zedert 2 Juny—2 Oct. 1633 (Fol. 592—620)

213. Copie-resolutien van 7 Juni—4 Aug 1633. (Fol. 621—623)

214. Copie-instructie ende memorie aen de cruycende jachten gegeven in datis 5 en 11 July en 18 Aug. 1633 (Fol 624—628)

215. Factura. (Fol. 629—630)

216. Memorie van 't gene voor Quinam voor schenckagie verleent is in dato 2 July 1633. (Fo. 631)

217. Notitie van 't gene in Quinam vercocht ende gelaeten is. (Fol. 632)

218. Memoire ende notitie van 't gene in Quinam voor generale Compie te verrichten is (Fol. 633—636)

219. Extract uyt het daghregister van 't jacht Brouwershaven, sedert 19 Aug—7 Sept. 1633. (Fol 637—640)

220. Copie daghregister des schips Middelburch, sedert 22 Aug tot 22 Sept. 1633. (Fol 641—645)

221. Extract uyt het daghregister van 't comptoir Tayouan van 7—15 Sept. 1633. (Fol. 646)

222 Memorie van de veroverde goederen per de fluyt Warmont naer Tayouan versonden in dato 20 Ang 1633. (Fol. 647)

223. Copie-inventaris der comptanten ende coopmanschappen sedert 12 July—1 Sept. 1633. verovert. (Fol. 648—651)

224. Memorie van de veroverde goederen ende provysiën daer 't jacht den Camphaen meede verdreven is in dato 30 Sept. 1633. (Fol. 652)

225. Copie-missive aen den Gouverneur-generael Brouwer in dato 30 Sept. 1633. (Fol. 653—668)

226. Copie-resolutien van 21 July—3 Sept. 1633. (Fol. 669—677)

227. Copie-missive van Willem Jacobszoon Coster ende Claes Jansen Bruyn aen den Gouvrn.—generael Brouwer in dato 30 Sept. 1633. (Fol. 678—679)

228. Copie-missive van Gedeon Bouwers aen den Heer Antonio van Diemen in dato 21 Oct. 1633 (Fol. 680—683)

229. Copie-missive van Gedeon Bouwers aen den Gouvern.—Gen. in dato 21 Oct. 1633.. (Fol. 684)

230 Copie-missive van d'Ed. Paulus Traudenius aen den Gouv.-gen. Brouwer, in dato 24 Oct. 1633. (Fol. 685—693)

231. Copie-extract daghregister van 22 Aug.—23 Oct. 1633. (Fol. 694—699)

232 Copie-missive van den gouverneur Hans Putmans uyt 't jacht Catwijck, leggende in de baye van Tangson, aen de presente vrienden in Tayouan ofte Piscadores in dato 2 Oct. 1633. (Fol. 700—703)

233. Memorie van de comptanten, coopmanschappen, etc., uyt het schip Middelburch voor de vloote gelicht in Aug. 1633. (Fol. 704)

234. Extract van het daghregister in het jacht Bredamme gehouden over 't verongelucken van 't jacht Catwijck in dato 13 Oct. 1633. (Fol. 705—706)

235. Copie-resolutiën in Tayouan genomen van 3 Sept.—20 Oct. 1633. (Fol. 707—714)

236. Vier attestatiën. (Fol. 715—718)

237. Reeckeninge van de jonque Coupan, gaende van Tayouan naer Batavia in dato 27 Sept. 1633. (Fol. 719.)

238. Cognossenment. (Fol. 720)

239. Twee gelijcke memoriën van de ingeladen goederen in 't jacht Brouwershaven, in dato 20 Aug. 1633. (Fol. 721—722)

240. Reeckeninge van oncosten van het schip Middelburch in dato 30 Sept. 1633. (Fol. 723)

241. Extract van het daghregister gehouden bij den schipper Pieter Teunissen wegen 't verdrijven beoosten de custe van Formosa met 't jacht Assendelft, 't sedert 23 Aug.—24 Sept. 1633. (Fol. 724—727)

242. Memorie van de contanten, coopmanschappen, etc, die noch in 't schip Middelburch voor Tayouan sijn berustende. (Fol 728)

243. Copie-missive van den coninck van Quinam aen den Gouv-Gen. (Fol. 729)

244. Attestatie. (Fol. 730)

245. Copie van de instructie bij Paulus Traudenius aen den raedt van 't jacht Sloterdijck in Quinam gelaeten op 15 en 16 July 1633. (Fol. 731—732)

246. Copie-missive van Paulus Traudenius aen de overhoofden van 't schip ofte jacht, dat in Quinam sal mogen comen 't arriveeren, in dato 15 July 1633. (Fol. 733)

247. Memorie van de juncke ende prijs bij „Warmondt" door die van Quinam aengehaelt. (Fol. 734)

248. Aenwijsinge van den handel in Quinam. (Fol. 735—737)

249. Copie-resolutiën getrokken op de voyagie naer Quinam van 25 Juny—15 July 1633. (738—742)

250. Daghregister gehouden op de reyse naer Quinam van 2 Juny tot 15 July 1633. (Fol. 743—751)

251. Copie-missive van Adriaen van Liesvelt aen den gouverneur-generael Brouwer, in dato 23 Oct. 1633. (Fol. 752)

252. Copie-missiven van den oppercoopman Paulus Traudenius aen den gouvern.-gen. ende de resp. opperhoofden van de jachten ende joncquen in de Piscadoris, in datis 29 Aug. en 5 Sept 1633 (Fol. 753—755)

253. Copie-instructiën in Tayouan verleent van 13 Maert tot 28 Juny 1633. (Fol. 756—759)

254. Copie-resolutiën, getrokken van 10 Maert-23 July 1633. (Fol. 760—766)

255. Memorie van alle de persoonen, die met de Quinamse joncque op de custe van China sijn gestrandt. (Fol. 767)

256. Monsterrolle van 't verongeluckte jacht Sloterdijck. (Fol. 768)

257. Monsterrolle van 't verongeluckte jacht Broeckershaven. (Fol. 769)

258. Factura. (Fol. 770—771)

259. Register der papieren. (Fol. 772)

260. Copie-missive aen den Gouv^r.gen^l. Jacoby spex, in dato 1 Febr. 1633. (Fol. 773)

261. Memorie van de restanten in Tayouan op 18 Febr. 1633. (Fol. 774—775)

262. Copie-missive van gouvern, Hans Putmans aen den Gouvern.-gen. Brouwer in dato 30 Sept 1633. (Fol. 776—787)

263. Copie-missive van den opercoopman Paulus Traudenius aen den gouverneur-generael Brouwer, in dato 23 Oct. 1633. (Fol. 788—795)

W.W. 1635 Boek III (*Kol. Archief 1026*)

TAYOUAN.

(Ongefolieerd.)

Register der Papieren.

264. Originele missive van Hans Putmans uyt het fort Zeelandia aen de camer Amsterdam, in dato 28 Oct. 1634. (Fol. 1—14)

265. Extract daghregister weegens het gepasseerde op de custe van China als 't comptoir Tayouan van 5 July 1633-26 Oct. 1634. (Fol. 15—72)

264. Copie-missive aen diverse Mandorijns van 't coninckrijck van China, onder verscheyden tytels versonden, 12 July 1634. (Fol. 73—74)

267. Sommarium van de coopmanschappen in 't zuyder mousson anno 1634 naer Japan versonden. (Fol. 75)

JAPAN.

268. Copie-missive van president Couckebacker aen gouvern. Putmans, ongedateerd. (Fol. 177—183)

X.X. 1336 Boek I (*Kol. Archief 1029*)

TAYOUAN.

269 Extract-daghregister des Comptoirs Tayouan van 28 September 1634-20 October 1635. (Fol. 230—251)

270 Origineele missive van Hans Putmans uyt het fort Zeellandia aen de Camer Amsterdam in dato 23 October 1635. (Fol. 252—261)

271. Copie-authenticq van de reckeninge van gouverneur Putmans. (Fol. 262—263)

272. Sommarium van de cargasoenen naer Japan versonden. (Fol. 264)

273. Memorie van de resteerende porceleijnen in dato 19 September 1635. (Fol 265)

274. Register van de papieren naer Amsterdam gesonden. (Fol. 266)

275. Register van de papieren becomen uyt Tayouan. (Fol. 306)

276. Twee copie-missiven ende origineele missive van Hans Putmans uyt 't fort Zeelandia aen den Gouverneur-generael Henrick Brouwer, in datis 3 November 1634, 20 February en 9 Maert 1635. (Fol. 307—332)

277. Copie-missiven als voren in datis 28 September en 3 November 1634. (Fol. 333—352)

278. Copie-missive als voren in dato 28 September 1634. (Fol. 353—365)

279. Copie-missive als voren in dato 23 Maert 1634. (Fol. 366—367)

280. Origineele missive als voren in dato 19 September 1635. (Fol. 368—375)

281. Copie-missive van Paulus Traudenius uyt het schip de Galjas ter rede in de Piscadores aen Gouverneur-generael Henrick Brouwer in dato 6 October 1635. (Fol. 376—377)

282. Factura's en cognossementen. (Fol. 378—385)

283. Memorie van de resteerende porceleijnen (Fol. 386)

284 Sommarium van de cargasoenen naer Japan versonden. (Fol. 387—388)

285. Copie-missive van Hans Putmans aen den Gouverneur-generael in dato 15 November 1635. (Fol. 389—391)

X.X. 1636 Boek II (*Kol. Archief 1030*)

286. Copie van twee missiven naer Tayouan ende aen d'Ed. Claes Bruyn, commandeur over de navale macht voor Patany in datis 3 en 5 Juny 1634. (Fol. 18—19)

287. Copie-missive van Joost Schouten naer Tayouan in dato 26 Juny 1634; memorie van de Chineese coopmanschappen voor Siam geeischt; copie-instructie voor den schipper Minne Willemsz. Caertecoe ende raet van het schip Huysduynen gaende naer Tayouan in dato 26 July 1634. (Fol 28—31)

288. Copie van de ordre door den gouverneur Putmans over 88 Chineesen naer Siam gegeven in dato 31 December 1634 (Fol 109)

289. Copie-missive van Joost Schouten naer Tayouan in dato 1 Augustus 1635. (Fol. 155—157)

290. Copie van d'instructiën aen de schepen warmont, Huysduynen, Buren ende Daman op haere respective reijsen naer Japan ende Tayouan medegegeven in datis 30 en 31 July 1635. (Fol. 160—161)

Y.Y. 1637 Boek I (*Kol. Archief 1031*)

291. Daghregister, gehouden bij den Commandeur Theunis Jacobsz Engels op sijn voyagie naer Spiritu-Sancto, de Piscadores ende Batavia van 1 Juny-19 July 1636. (Fol, 1540—1550)

Y. 1637 Boek II (*Kol. Archief 1032*)

292. Origineele missive van Hans Putmans uyt het schip Banda aen de Camer Amsterdam in dato 2 Augustus 1637. (Fol. 1—18)

293. Memorie ofte advijs bij Hans Putmans op sijn vertreck van Tayouan naer Batavia in handen van Johan van der Burch gelaten. (Fol. 19—34)

294. Ampliatie van voorstaende memorie van Hans Putmans, gegeven in 't fort Zeelandia 10 November 1636 (copie). (Fol. 35—62)

295. Corte verclaringe van Hans Putmans in wat voegen den Tayouansen handel voor eenige naeckenae. (Fol. 63—79)

296. Copie-missive van Hans Putmans uyt het fort Zeelandia tot Tayouan aen president Nickolees Couckebacker in dato 15 Augustus 1636. (Fol. 80—98)

297. Copie-resolutien getrocken op de voyagie van Batavia naer 't Patria bij Gouverneur Hans Putmans en sijnen raedt van 30 December-27 July 1637. (Fol. 142—160)

TAYOUAN.

298. Copie-missive van Gouverneur Hans Putmans aen den Gouverneur-generael in dato 18 January 1636. (Fol. 214—224)

299. Copie van de instructie door gouverneur Hans Putmans aen den Heer Majoor en Senior Abraham Duycker naer Quinam medegegeven, in dato 21 February 1636. (Fol. 225—231)

300. Copie-missive van gouverneur Hans Putmans aen den Gouverneur-generael Hendrik Brouwer in dato 25 February 1636. (Fol. 232—238)

301. Cognossement en factura (Fol. 239—245)

302. Copie-missive van den oppercoopman Abraham Duycker uyt de baye Thoron aen den Gouverneur-generael Handrik Brouwer in dato 13 Maert 1636. (Fol. 246—251)

303. Origineele missive van den gouverneur Hans Putmans aen de Gouverneur-generael Anthonio van Diemen in dato 7 October 1636. (Fol. 252—282)

304. Origineele missive als voren in dato 8 October 1636. (Fol. 283)

305. Copie-missive van gouverneur Jan van der Burch aen den Governeur-generael en raden van India in dato 9 October 1636. (Fol. 284—285)

306. Origineele missive van Hans Putmans aen den Gouverneur-generael Van diemen in dato 10 October 1636. (Fol. 286—287)

307. Copien-missive van Jan van der Burch naer Batavia in dato 5 October 1636. (Fol. 288—323)

308. Als voren in dato 19 November 1636. (Fol. 324—333)

309. Origineele missive van Van der Burch naer Batavia 14 November 1636. (Fol. 334—364)

310. Copie-missive van Van der Burch naer den Gouverneur-generael in dato 14 November 1636. (Fol. 365—369)

311. Copie-missive van Van der Burch naer Batavia, 16 November 1636. (Fol. 370—371)

312. Copie-missive van Van der Burch aen president Couckebacker in dato 28 Augustus 1636. (Fol. 372—374)

313. Oaghregister bij Jan van der Burch op sijn voyagie van Batavia

naer Tayouan gehouden van 3 July-6 Augustus 1636. (Fol. 375—385)

314. Copie-resolutién, op voornoemde voyagie genomen. (Fol. 386—391)

315. Inventaris van de veroverde goederen door Commandeur van de Burch. (Fol. 392—396)

316. Inventaris van de veroverde goederen uyt de Prince overgenomen. (Fol. 397—398)

317. Reecqeninge van cleijnicheden, bij uytroep vercocht. (Fol. 399—400)

318. Attestatie. (Fol. 401—402)

319. Daghregister des Comptoirs Tayouan van 14 Maert-4 October 1636. (Fol. 403—455)

320. Memorie van de Spaense jonckx ladingh. (Fol. 456—457)

321. Origineele missive van den ondercoopman Crackow uyt de Piscadorés aen Gouverneur-generael Van Diemen in dato 14 October 1636. (Fol. 458)

322. Copie-missive van den oppercoopman Abraham Ducker aen den Gouverneur-generael in dato 7 October 1636, met origineele appendix van 15 November 1636. (Fol. 459—478)

QUINAM.

323. Copie-missive van den Quinamschen Cnoinck aen den Gouverneur-generael ende den gouverneur Putmans, getranslateert (Fol. 479—480)

324. Diverse copien als voren. (Fol. 481—490)

325. Copie-missive van president Couckebacker uyt de Piscadores aer den Governeur-generael Authonio van Diemen in dato 5 Augustus 1636. (Fol. 503—509)

Y.Y. 1637 Boek II (vervolg) (*Kol. Archief 1033*)

TAYOUAN.

326. Missiven van Robertus Junius aen Bewinthebberen in dato 5 September 1636 en van Rebertus Junius ende Assuerus Hogesteijn an den Kerckenraedt tot Batavia van 27 October 1636. (Dit stuk was verkeerd gepagineerd, weshalve 1337—1339 op 1356 volgt; bovendien volgt 1356 op 1351 zonder dat daartusschen iets ontbreekt.) (Fol. 1308—1356)

Z.Z. 1638 Boek I (vervolg.) (*Kol. Archief 1035* bis)

TAYOUAN.

327. Origineele missive van Jan van der Burch naer Batavia in dato 5 October 1636. (Fol. 682—721)

328. Cognossement. (Fol. 722)

329. Memorie, hoe ende op wat wijse de Lameijers op de schepen onder dese vloote verdeelt sijn. (Fol. 724)

330. Memorie van diverse coopmanschappen, die op 30 September 1636 voor Batavia als 't Patria zijn bevonden te Berusten bij 't comptoir Tayouan. (Fol. 725—726)

321. Generale memorie der coopmanschappen gesonden met diverse schepen naer Batavia anno 1636. (Fol. 727)

332. Memorie, in wat voegen verscheijde postjens met 't comptoir-generael zijn vereffent. (Fol. 728)

333. Mmorie der coopmanschappen uyt de Piscadores als van Tayouan naer Japan gesonden. (Fol. 729—730)

334. Alsvoren. (Fol. 731—732)

335. Copie-factura. (Fol. 733)

336. Memorie ende taxatie van goederen gecomen uyt Quelangh. (Fol. 734)

337 Register der papieren naer Batavia gesonden op 16 October 1637. (Fol. 735)

338. Origineele missive van Jan van der Burch aen de Heeren XVII ter Camere Amsterdam vergadert in dato 16 October 1637. (Fol. 736—743)

339. Origineele missive van Jan van der Burch naer Batavia in dato 17 October 1637. (Fol. 744—781)

340. Sommarium der coopmanschappen van 8 October 1636-3 Maert 1637 naer Batavia, Siam, Cambodja, Quinam en Toncquyn versonden. (Fol. 782—783)

341. Memorie der coopmanschappen naer Japan versonden. (Fol. 784)

342. Copie-resolutien, genomen bij den gouverneur ende den Raet van Tayouan, van 10 Nov. 1636-1 Oct. 1637. (Fol. 785—834)

343. Daghregister des comptoirs Tayouan van 1 Nov. 1636-17 Oct. 1637. (Fol. 835—913)

344. Originele missive van Jan van der Burch naer Batavia, in dato 12 Dec. 1637. (Fol. 914—921)

345. Daghregister van de fluyt "de Keyser", innecomende van Tayouan na Batavia, in de baye Pandorang, op de custe van Champa verongeluckt; 28 Oct.—29 Dec. 1637. (Fol. 922—931)

346. Factura. (Fol. 932—934)

347. Copie-missive van Jan van der Burch naer Batavia, 14 Nov. 1637. (Fol. 935—938)

348. Daghregister, gehouden op de voyagie naer Pangsoya, gedaen door den gouverneur van der Burch met een crijgsmacht van 140 koppen soldaten, van 26 Nov.—1 Dec. 1637. (Fol. 939—942)

349. Eysch ende conclusie met verscheyde verificatien bij den Heer fiscael Mr. Sijmon van Alphen gedaen, genomen ende geexhibeert contra Claes Luydenssz. van Guarde ende Henrick Henricksz. van Tonningen, gevangen soldaten (Fol 943—958)

JAPAN

350. Eysch van de coopmanschappen voor 1637 (?) uyt Taycuan gerequireert. (Fol. 968)

351. Copie-resolutien, genomen bij Duyker ende sijnen Raet, concerneerende 't oversteecken van Quinam naer de custe van China ende Tayouan, van 20 Aug. en 1 Sept. 1637. (Fol. 994—995)

Z.Z. 1638 Boek II

JAPAN

352. Copie-missive van president Nicolaes Couckebacker uyt Firando aen Johan van der Burch, in dato 20 Nov. 1637. (Fol. 90—93)

353. Copie-missive als boven, in dato 1 Dec. 1637. (Fol. 94—97)

Z.Z. 1638 Boek II (*vervolg*).

354. Copie-missiven van Jeremias van Vliet aen gouverneur Johan van der Burch in Tayouan, in dato 9, 14, 21 Mey en 17 Juny 1637. (Fol. 564—570)

355. Copie-missive van Van Vliet aen gouverneur van der Burch, in dato 6 July 1637. (Fol. 572—580)

A.A.A. 1639 Boek II

TAYOUAN.

356. Originele missive in dato 17 Oct. 1638. (Fol 487—514)

A.A.A. 1639 Boek III

357. Register der papieren op 13 Dec. 1638 na Amsterdam gesonden.

358. Originele missive in dato 18 Nov. 1638.

359. Sommarium der versondene coopmanschappen.

360. Extract uyt de negotie-boecken.

361. Memorie, waerbij gesien can worden, wat grooter winste de Compagnie uyt incocpen van verscheyde coopmanschappen souden toegebracht sijn, wanneer de goederen in gelijcke quantiteyt ende deucht in het voorleden iaer waren ongecocht.

362. Copie-missiven na Batavia, in datis 17 Oct. (fragment), 4 Nov., 4 en 13 Dec. 1638.

363. Copie-daghregister 't sedert 18 Oct. 1637—14 Dec. 1638.

364. Copie-resolutien 't sedert 24 Oct. 1637—14 Dec. 1638.

365. Extract uyt het daghregister van Johan van Linga, geduerende sijne reys tot Pymaba, 22 Januari—12 Februari 1638.

B.B.B. 1640 Boek I (*vervolg*).

SURATTE.

366. Copie-missive van den gedeputeerde Jan van der Burch uyt Tayouan aen directeur Barent Pietersz., in dato 25 Nov. 1638. (Fol. 1174-1175)

367. Copien-missiven van gouverneur Jan van der Burch aen commandeur Caen in dato 25 Nov. 1638; van gouverneur van der Burch aen Barent Pietersz., 25 Nov. 1638; van commandeur Caen aen Barent Pietersz., 24 Januari 1639. Mitsgaders 2 copie-factura's. (Fol. 1176—1183)

TAYOUAN.

368. Copie-missive van gouverneur van der Burch naer Batavia 9 Januari 1639. (Fol. 1323—1343)

369. Scheepsinstructie door den gouverneur van der Burch aen den schipper commandeur Stuyvesandt op de Souratsche voyagie meegegeven. (Fol. 1344—1354)

370. Copie-missive van gouverneur van der Burch aen commandeur Caen ,25 Nov. 1638. (Fol. 1355—1363)

371. Twee copie-missiven van gouverneur van der Burch naer Batavia, in datis 8 en 15 Februari 1639. (Fol. 1364—1400)

372. Copie-missive van gouverneur van der Burch naer Batavia, 16 Febr. 1639. (Fol. 1401—1404)

373. Originele missive van gouverneur van der Burch naer Batavia, 12 Maert 1639. (Fol. 1405—1417).

374. Copie-missive van gouverneur van der Burch naer Batavia, in dato 16 Febr. 1639. (Fol. 1418—1421)

375. Factura's. (Fol. 1422—1435)

376. Copie-inventaris van de joncque Mdidelburch. (Fol. 1436—1437)

377. Cognossement. (Fol. 1438)

378. Ontbreckt. (Fol. 1439)

379. Factura's. (Fol. 1440—1441)

380. Extract uyt de negotie-boecken van 't comptoir Tayouan. (Fol. 1442—1443)

B.B.B. 1640 Boek II

JAPAN.

381. Originele missive van president Caron aen gouverneur Johan van

der Burch, in dato 26 Oct. 1639 (Fol. 174—184)

Reys van Couckebacker van Japan naer Amsterdam.

382 Rapport aen den Gouverneur-generael van Diemen ende de Raden van India, nopende Couckebackers besendinge naer Tonckin ende gedane visite des comptoirs ende verderen omslag uyt Tayouan, gelegen op 't eylandt Formosa, 8 Dec. 1639 (Fol. 222—315).

383 Daghregister gehouden op de voyagie van Nicolaes Couckebacker naer Toncquyn ende Tayauan, 16 Juny—7 Dec. 1639. (Fol 316—406)

384 Copie-resolutiën, bij Couckebacker ende sijnen raedt getrocken, gedurende de reyse uyt Indië tot in Nederlandt, 25 Dec. 1639—15 July 1640. (Fol. 407—420).

TAYOUAN.

385. Register der papieren, naer Batavia gesonden 4 Nov 1639 (Fol 421—423)

386. Originele missive van Jan van der Burch naer Batavia, in dato 4 Nov. 1639. (Fol. 424—547)

387. Attestatie nopende den wieroock, die voor myrrha is gesonden (Fol. 548)

388. Memorie van d'ontfangene goederen uyt het schip Breda. (Fol 549)

389. Copie-daghregister, gehouden bij d'overhooffden van de Gallias, 't sedert 25 Mey—21 July 1639. (Fol. 550—561)

390. Memorie der coopmanschappen, naer Japan gesonden (Fol. 562—568)

391. Copie-missiven van gouverneur van der Burch naer Japan anno 1639. (Fol. 569—620)

392. Copie-memorie voor den sergeant Jan Barentz. op desselfs vertrek naer Lamay. (Fol. 621)

393. Memorie van d'artillerie daer 't fort zeelandia ende d'appenditien van dien mede versien is. (Fol. 624—626)

394. Copie-ordre voor den schipper Marten Gerritsz de Vries waer naer hem op zijn vertreck na Tamsuy ende Quelangh te reguleeren hadde. (Fol. 627—631)

395. Daghregister, gehouden bij schipper Marten Gerrtsz. de Vries op de tocht van Tamsuy ende Quelangh, van 7—20 Sept. 1639. (Fol. 632—641)

396. Copie-ampliatie op de instructie aen de coopluyden verleent, dienende voor den coopman Cornelis Caesar ende Cornelis de Potter. (Fol. 642—648)

397. Requeningh wegens het incomen van de jacht. (Fol. 649—658)

398. Memorie van seigneur Duckers (zaliger) nagelaten goederen. (Fol

659—661)

399. Memorie der gebergde goederen der princes Amillia. (Fol. 662 —663)

400. Vervolch daghregister des comptoirs Tayouan, 't sedert 18 Maert —4 Nov. 1639. (Fol. 664—739)

401. Copie-resolutien des comptoirs Tayouan gearresteert. 't sedert 17 Maert—4 Nov. 1639. (Fol. 740—834)

402. Copie-daghregister van den ondercoopman Merten Wesseling, van 11—21 Mey 1639. (Fol. 835—840)

403 Notitie ofte memorie van de namen der bevredigde dorpen. (Fol. 841—844)

404. Copie-ordré voor den ondercoopman Merten Wesseling ende den sergeant Jurriaan Smit. (Fol. 845—848)

405. Copie-extract uyt het resolutie-bouck des comptoirs Tayouan, in dato 31 Januarie 1637. (Fol. 849)

406. Memorie van den peper met de "Sonne" van Batavia aengebracht. (Fol. 850)

407 Attestatie nopende den gesalveerden peper uyt de "princes Emilia". (Fol. 851)

SIAM.

408 Copie-missive van Van Vliet aen gouverneur Van der Burch in Tayouan. in dato 14 July 1639. (Fol. 970—984)

CAMBODJA.

409 Copie-missive van den Tayouansen gouverneur Van der Burch aen Commandeur Croocq in Cambodja in dato 18 December 1638. (Fol. 1077—1088)

410 Copie-missive van den oppercoopman Van der Haegen aen gouverneur Van der Burch in Tayouan in dato 20 juny. 1639. (Fol. 1117—1124)

B.B.B. 1640 Boek III

BATAVIA.

411 Originеele missive van Hendrick Hagenaer aen den oppercoopman Paulus Traudenius in Tayouan in dato 26 Maert 1639. (Fol 85—88)

412. Origineele eysch van Hendrick Hagenaer aen Traudenius. (Fol. 89—90)

TAYOUAN.

413. Register der papieren naer Batavia gesonden 10 December 1639. (Fol. 277)

414. Copie-missive van Gouverneur Joan van der Burch naer Batavia 10 December 1639. (Fol. 278—295)

415. Factura's. (Fal. 296—298)

416. Copie-missive van gouverneur Van der Burch aen gouverneur Gardenijs in dato 30 November 1639. (Fol. 299—305)

417. Copie-missive van gouverneur Van der Burch aen Adam Westerwolt, president van 't comptoir Persien, in dato 30 November 1639. (Fol. 306—307)

418. Copie-missive van gouverneur Van der Burch aen Barent Pieter in Suratta in dato 30 November 1639. (Fol. 308—312)

419. Copie-scheepsinstructie aen d'opperhooffden van de schepen Banda, enz. op haer vertrecq naer Choromandel ter handt gesteldt (Fol. 313—322)

420. Factura's en cognossementen. (Fol. 323—334)

421. Copie-missive van den coopman Hambuang aen gouverneur Van der Burch in dato 12 November 1639. (Fol 335—337)

422. Copie-missive van gouverneur Van der Burch aen de coopluyden Jocho Jocsim ende Hambuangh in dato 21 November 1639. (Fol. 338—344)

.C.C. 1641 Boek I

TAYOUAN.

423. Copie-missive aen den Gouverneur-generael Van Diemen on dato 20 Maert 1640. (Fol. 147—162)

424. Reele effecten bij 't comptoir op 20 Mey 1640 resteerende. (Fol. 163)

425. Copie-missive naer Siam in dato 24 January 1640. (Fol. 164—168)

426. Memorie der coopmanschappen anno 1639 naer Japan gesonden. (Fol. 169)

427. Copie-missive aen den oppercoopman Joannes van der Hagen in dato 31 December 1639. (Fol. 170—171)

428. Factura's. (Fol. 172—174)

429. Copie-missive naer Chormandel in dato 30 November 1639. (Fol. 175—176)

430. Copie-missive in dato 28 January 1640. (Fol. 177—198)

431. Eysch voor 't jaer 1640. (Fol. 199—202)

432. Copie-missive in dato 10 December 1639. (Fol. 203—211)

433. Copie-particuliere missive van den president Traudenius aen den Gouverneuer-generael Van Diemen in dato 20 Maert 1640. (Fol. 212)

434. Factura. (Fol. 213)

435. Inventaris van de joncq Middelburch gaende naer Batavia. (Fol. 214)

436. Congnossement. (Fol. 215)

437. Copie-missive in dato 20 Maert 1640. (Fol. 216—230)

JAPAN.

438. Copie-missive naer Tayouan in dato 26 October 1639. (Fol. 231 —235)

439. Copie-missive naer Tayouan in dato 11 December 1639. (Fol. 258—260)

C.C.C. 1641. Boek IV

BATAVIA.

440. Origineele missive van gouverneur Paulus Traudenius ende den raedt des comptoirs Tayouan aen den Gouverneur-generael in dato 10 January 1641. (Fol. 103—111)

441. Copie-missive van Robertus Junius uyt Tayouan aen den Gouverneur-generael in dato 23 October 1640. (Fol. 112—115).

442. Sommarium alle der coopmanschappen dit zuydermousson anno 1640 van Tayouan naer Japan versonden.

443. Memorie alsvoren. (Fol. 117—118)

444. Memorie van eenige misreecqening in Tayouan in de facturen bevonden. (Fol. 119)

445. Sommarium van het in Tayouan becomen silver uyt Japan. (Fol. 120)

446. Copie-contract tusschen gouverneur Traudenius ende den Mandarijn Iquan getroffen anno 1640. (Fol. 121)

PERSIA.

447. Copie-missive van Joan van der Burch uyt Taouan aen Adam Westerwolt, president van 't comptoir Perzia, 30 november 1639.

448. Copie-missive van Joan van der Burch uyt Taouan aen Directeur Barent Pietersen in Souratten, 30 november 1639.

BATAVIA.

449. Copie-en minuut-affgesonden missiven na Chormandel in datis 14 April en 31 July 1640, na Tayouan in datis 13 Juny, 8 en 23 July en 4 Augustus 1640 na Tonquin in dato 8 July 1640.

450. Lijste van de baeken, uyt Japan door ordre in Tayouan gebracht.

D.D.D. 1642. Boek III

JAPAN.

451. Copie-missive naer Tayouan in dato 6 April 1640. (Fol. 852—

853)

452. Copie-missiven naer Tayouan ende Suratte, beijde in dato 20 November 1640.

453. Memorie der goederen uyt Tayouan gerequireert. (Fol. 879)

TAYOUAN.

454. Origineele missive aen de vergaderinge van XVII in dato 5 November 1640. (Fol. 961—962)

D.D.D. 1642. Boek IV

SURATTE.

455. Notitie van den vercoop, winst ende vreerlies, over-ende onderwicht der goederen anno 1641 uyt Tayouan in Souratte aengebract in dato 4 Mey 1641.

E.E.E. 1643 Boek I

CHOROMANDEL.

456. Copie-missive uyt Tayouan in dato 17 November 1641. (Fol. 808—809)

E.E.E. 1643 Boek II

PERSIA.

457. Eijsch van coopmanschappen voor Persia uyt de suyderquartieren Tayouan, Souratta als Masulipatam. (Fol. 481—483)

E.E.E. 1643 Boek III

JAPAN.

458. Copie-missive nae Tayouan in dato 25 November 1641. (Fol. 4—5)

459. Copie-missive na Tayouan in dato 2 October 1642. (Fol. 46—49)

TONQUIN.

460. Copie-missive van den oppercoopman carel Hartsinck ter reede onder 't Paarleneylandt op d'cust van Tonckin na Tayouan in dato 2 Augustus 1631. (Fol. 155—156)

461. Copie-missive van den Coninck van Toncquin na Tayouan anno 1641. (Fol. 185)

TAYOUAN.

462. Factura. (Fol. 202)

463. Copie-missive van den coopman Reynier van Tzum uyt Siam aen den gouverneur Paulus Traudenius in dato 26 Juny 1641. (Fol. 203—205)

464. Factura. (Fol. 206—207)

465. Register der Papieren uyt Nangasacqui naer Batavia gezonden 19 October 1641. (Fol. 208.)

466. Register der papieren uyt Nangasacqui na Tayouan gesonden 19 October 1641. (Fol. 209)

467. Copie-missive van den predicant Robbertus Junius aen den Gouverneur-generael van Diemen in dato 21 October 1641. (Fol. 210—213)

468. Copie-missiven aen Bewinthebberen in dato 30 October 1641. (Fol. 214—216)

469. Copie-missive van den oppercoopman Carel Hartsinck aen den Gouverneur-generael Van Diemen in dato 6 November 1641. (Fol. 217—223)

470. Cognossement en factura. (Fol. 224—225)

471. Copie-missive in dato 17 November 1641. (Fol. 226—230)

472. Factura (Fol. 231)

473. Copie-missive van den predicant Robbertus Junius uyt Soulangh aen den gouverneur Paulus Traudenius in dato 10 December 1641. (Fol 232)

474. Copie-missive van den E. Maximiliaan le Maire aen de oppercoopluyden Pieter van Regemortes ende Harman Broekmans in Campbodja in dato 13 December 1641. (Fol. 233—235)

475. Copie-missive van den gouverneur ende Raedt van Tayouan aen de voornoemde oppercoopluyden in Cambodja in dato 14 December 1641 (Fol. 236—238)

476 Alsvoren naer Siam in dato 17 December 1641. (Fol. 239—241)

477. Factura's. (Fol. 242—243)

478. Copie-missive van d'E. Maximiliaan le Maire naer Siam in dato 17 December 1641. (Fol. 244—246)

479. (Fol. 247—249)=239—241.

480. (Fol. 250—252)=244—246.

481. Factura's. (Fol. 253—255)

482. Copie-missive in dato 22 December 1641. (Fol. 256—259)

483. Copie-memorie van de goederen geladen in de joncque van den coopman Peco. (Fol. 260)

484. Memorie van de coopmanschappen etc. welcke tegens 't Zuydermousson 1642 van Batavia geeischt werden. (Fol. 261—263)

485. Copie-missive in dato 7 January 1641. (Fol. 264—273)

486. Factura. (Fol. 274—276)

487. Copie-notitie van de reele effecten die op 8 January 1642 bij 't comptoir Tayouan bevonden sijn. (Fol. 277)

488. Factura's. (Fol. 278—281)

489 Copie-missive aen den coopman Jousit ende sijne complicen in dato 15 Mey 1642. (Fol. 282)

490. Copie-missive aen den mandoryn Cicia in dato 27 Juny 1642. (Fol 283—284)

491. Copie-missive aen den anachodas Jocsum Nojugh ende haere complicen in dato 27 Juny 1642. (Fol. 285)

492. Copie-missiven van den schrijver Christiaan Smalbach aen de gouverneur Paulus Traudenius in datis 1 en 26 April 1642. (Fol. 286—291.)

493. Copie-missive van de raedt van Quelangh aen den gouverneur Paulus Traudenius in dato 28 Augustus 1642 (Fol. 292—294)

494. Copie-missive van de gevangens uyt Quinam aen den gouverneur Paulus Traudenius in dato 19 July 1642. (Fol. 295—298)

495. Copie translaet-missive van den coninck van Toncquin aen den gouverneur Paulus Traudenius. (Fol 299—300)

496. Copie-resolutiën gearresteert op 't eylandt Quelangh van 14 September-7 October 1642. (Fol. 301—308)

497. Copie-instructie voor de capiteyns Henrick Arrousee, Johan van Linga, den schipper commandeur Pieter Baeck ende den voorderen raedt, gaende naer Quelangh in dato 17 Augustus 1642 (Fol. 309—312)

498. Copie-missive van den E Harouse uyt Quelangh aen den gouverneur Paulus Traudenius in datis 4 en 6 September 1642 (Fol. 313—315)

499. Copie-missive uyt Tamsu, aen gouverneur Traudenius in dato 26 October 1642. (Fol. 316—319)

500. Copie-missive van den majoor Haroussee e. a. uyt Quelangh aen den veltoverste Johannes Lamotius in dato 19 October 1642. (Fol. 320—321)

501. Copie-instructie voor den stierman sijmen Cornelis gaende uyt Quelangh naer de reviere Denou. (Fol. 322—323)

502. Copie-instructie voor den Commandeur Pieter Baeck gaende uyt Quelangh naer de Noortcuste van China. (Fol. 324—326)

503. Copie-inventaris der goederen bevinden bij den gouverneur van Quelangh. (Fol. 327)

504. Copie-instructie voor d'E. Johannes Lamotius. (Fol 328—330)

505. Translaet-missive van de coopluyden ende nachodas Jocksim ende Nojugh aen den gouverneur Paulus Traudenius. (Fol. 331)

506. Translaet-missive van den coopman Jansit aen den gouverneur Paulus Traudenius. (Fol. 332)

507. Ontbreekt. (Fol. 333)

508. Translaet-missive van den anachoda Nojugh aen gouverneur Traudenius. (Fol. 334)

509. Copie-missive uyt Cambodja na Tayouan in dato 5 July 1642. (Fol. 335—337)

510. Drie copie-missiven na Japan in datis 12, 20 Augustus en 11 September 1642. (Fol. 338—345)

511. Articulen op 't Overgaen van 't fort la Sanctissima Trinidado. (Fol. 346)

MANILHA.

512. Daghregister van 't jacht Zantvoort gehouden op de reyse naer Cabo del Spiritu Sancto ende Tayouan van 6 Mey-17 July 1642. (Fol. 411—415)

TAYOUAN.

513. Copie-interrogatoriën daerop gehoort is den Castiliaen Domingo Anguila aengaende de goutmijne op Formosa. (Fol. 445—447)

514. Origineele missive aen de Camer Amsterdam in dato 3 November 1642. (Fol. 448—454)

515. Copie-missive naer Batavia in dato 5 October 1642. (Fol. 455—485)

516. Register der papieren op 3 November 1642 aen de Camer Amsterdam gesonden. (Fol. 486)

517. Copie-missiven naer Batavia in datis 11 October 1642, met appendix in datis—15 October, 27 October en 3 November 1642.

BATAVIA.

518. Copie-generaelen inventaris van 't veroverde op Quelang. (Fol. 498—499)

519. Copie passeport verleent aen de overvaerende Spangiaerden op Quelangh geweest. (Fol. 500)

E.E.E. 1643 Boek IV

520. Copie extract-missive van Johannes Lamotius aen den Gouverneur Paulus Traudenius aengaende gestrafte rebellen geschreven. (Fol. 141)

521. Copie-missive van gouverneur Traudenius naer Batavia in dato 4 December 1642. (Fol. 142—145)

522. Daghregister van de tocht naer Favorlangh enz onder 't beleyt van Johannes Lamotius 20 November-8 December 1642. (Fol. 457—465)

BATAVIA.

523. Copie-resolutie bij den gouverneur Traudenius ende zijnen raedt in Tayouan getrocken op 18 December 1642. (Fol. 466-467)

F.F.F. 1644 Boek I (*vervolg*)

TAYOUAN.

524. ontbreekt. (Fol. 712—714)

525. Copie van de memorie der goederen met de fluyt 't Vliegend hert gesneuveld. (Fol. 715)

526. Copie-notitie van de menschen met voors. fluyt gesneuvelt (Fol 716)

527. Rolle van de personen, die met het jacht Weydenes van Jamby's reede naer Toncquin verongeluckt sijn. (Fol 717)

528. Eysch van diverse coopmanschappen van alle quartieren tegens 't jaer 1644 voor Japan gedaen, geschreven op Tayouan 20 November 1643. (Fol. 718—723)

BATAVIA.

529. Insinuatie op den eysch van coopmanschappen uyt China door den E. le Maire gedaen. (Fol. 770—771)

530. Copie-rapport aenlangende de saken van den heer gouverneur Paulus Traudenius zaliger, in sijn leven gouverneur van Tayouan (Fol. 772)

531. Cort vertooch van de leste visite eeniger durpen in Tayouan door eenighe gecommitteerdens uyt den kerckenraedt (Fol 773—780)

F.F.F. 1644 Boek II

CAMBODJA.

532. Copie-missive van Pieter van Regemortes aen den gouverneur Paulus Traudenius ende den oppercoopman Van Elseracq in dato 5 July 1642.

533. Copie-missive uyt Tayouan aen den oppercoopman Herman Broeckmans in Cambodja in dato 12 January 1643. (Fol 629)

TONCQUIN.

534. Copie-missive van Antonio van Brouckhorst aen gouverneur Jaulus Traudenius in dato 4 Augustus 1642 (Fol 647—650)

F.F.F. 644 Boek IIII

TAYOUAN.

535. Copie-missive van president Le Maire naer Batavia in dato 19 November 1643. (Fol 193—202)

536. Copie-missive van president Le Maire en sijnen raedt naer Batavia in dato 9 December 1643. (Fol. 103—110)

537. Register der papieren naer Batavia gesonden 12 October 1643. (Fol. 211—212)

538. Origineele missive van den president le Maire naer Batavia in dato 15 October 1643. (Fol. 213—262)

539 Factura en cognossement. (Fol. 263—265)

540. Copie-daghregister des casteel Zeelandia 't sedert 25 February-15 November 1643. (Fol. 266—424)

541 Copie-resolutien des casteel Zeelandia 1 Maert-9 October 1643. (Fol. 425—468)

F.F.F. 1644 Boek III (*vervolg*)

TAYOUAN.

542. Drie copie-missiven van President le Maire aen luytenant Thomas pedel in Tamsuy in datis 30 April, 19 Mey en 10 Juny 1643. (Fol 469—473)

543. Copie zes missiven van le Maire aen capiteyn Hendrick Harouse enz in Quelangh. (474—483)

544. Copie-missiven van Harouse ende sijnen raedt uyt Quelangh aen President Le Maire. (Fol. 484—502)

545. Copie-missiven van luytenant Pedel ende sijnen raedt uyt Tamsuy aen president Le Maire. (Fol. 503—513)

546. Copie-missiven van le Maire aen den schriver Christiaen Smalbach in Pimaba (Fol. 514—516)

547 Copie-missiven van Smalbach uyt Pimaba aen Le Maire. (Fol. 517—522)

548 Twee copie missiven van Le Maire aen den Chineesen coopman Jousit in datis 20 Juny en 28 July 1643. (Fol. 526—527)

549. Copie missive van le Maire aen de Chineese coopluyden Jocksin en Nojogh in Anhay in dato 20 Juny 1643. (Fol. 528—529)

550 Copie-missive van le Maire aen Jocksin, coopman in China in dato 28 July 1643. (Fol. 530)

551 Copie-translaet missive de coopluyden Noingh ende Jocksin aen president le Maire in dato.. . (Fol. 531—532)

552. Copie-factura's. (Fol. 533—543)

553 Copie-missiven van Le Maire aen Joan van Elseracq in datis 29 July en 9 September 1643. (Fol 544—547)

554 Drie copie-missiven van le Maire aen den proponent Andreas Merquinius in datis 31 Maert, 15 Juny en 2 Augustus 1643. (Fol. 548—550)

555. Copie-missive van den oppercoopman Harman Broeckman aen president le Maire in dato 23 Juny 1643. (Fol. 551—554)

556 Copie-missive van Reynier van Tzum aen le Maire in dato 4 July 1643. (Fol. 551—557)

557. Copie-missive van Antonio van Brouckhorst aen le Maire in dato 20 July 1643. (Fol. 558—559)

558. Instructien voor capiteyn Pieter Boon e. a. den opperstierman Symon cornelissen, Cornelis van der Linde, corporael van de adelborsten in Pimaba, voor capiteyn Hendrick Harouse ende den oppercoopman Dirck Schouten in Quelangh ende Tamsuy. (Fol. 560—572)

559. Twee copie-requesten. (Fol. 573—574).

560 Origineele acte over het visiteren der joncke "de Goede Hoop." (Fol.575)

561. Twee inventarislijsten. (15 & Ulmo July 1643) (Fol. 576—577)

562. Copie-memorie der goederen geladen in de Joncke gaende naer het Noorden van Luconia. (26 Mey 1643) (Fol. 578)

563. Copie-eysch voor Chineesch waaren naer Japan. (Fol. 579)

564. Copie-memorie van de aenbesteede porceleynen aen den coopman Ticklim. (25 April 1643) (Fol. 580)

565. Copie-memorie van de aenbesteede porceleynen aen den coopman Touhit. (25 April 1643) (Fol. 581)

566. Copie-insinuatie door gouverneur Paulus Traudenius aen de coopluyden in China gedaen. (25 July 1643) (Fol. 582)

567. Copie-interrogatorien waerop den schipper van 't jacht de Vos voor gecommitteerde gehoort is. (1 Sept. 1643) (Fol. 583—584)

568. Verclaeringe over de bevindinge der jongelingen in de dorpen Soulangh, Sincan, Mattouw etc. (4 Oct. 1643) (Fol. 585)

569. Catalogus van de kerckelycke boecken in Tayouan. (Fol. 586—587)

570. Instructie voor Dirck Schouten, waernaer hem in 't bouwen van de reduwt in Tamsuy te reguleeren heeft. (Fol. 588)

571. Origineele missive van lO Maire naer Batavia in dato 17 October 1643. (Fol. 589—590)

572. Twee copie-missiven van den corporael, van de adelborsten Cornelis van der Linden uyt Pimaba aen president le Maire in datis 19 Augustus en 27 September 1643. (Fol. 591—597)

573. Notitie van de geberchde goederen van 't verongeluckte schip 't Vliegende Hardt. (Fol. 598)

574. Memorie van de verongeluckte persoonen van de fluyt 't vliegende Hardt. (Fol. 599)

575. Rapport van Dirck Volckersz. Cornhart wegens 't verongelucken van 't Vliegende Hardt. (Fol. 600)

576. (Fol. 601=598)

577. (Fol. 602=600)

578. Copie-missive van den predicant Robbertus Junius uyt Panghsoya aen president le Maire in dato 21 October 1643. (Fol. 603—605)

579. Origineele missive van le Maire naer Batavia in dato 24 October 1643. (Fol. 606—607)

580. Copie-missive van le Maire naer Batavia in dato 17 October 1643. (Fol. 608)

581. Notitie van de negotie, guarnisoen-ende winckelboecken. (Fol. 609)

582. Drie copie-missiven van le Maire naer Batavia in datis 24 October, 17 October en 12 october, met onderschrift van 15 October 1643. (Fol. 610—648)

583. Copie-instructie voor commandeur Johannes Lamotius op den tocht naer Favorolangh medegegeven in dato 20 November 1642. (Fol. 649—651)

584. Copie-transport van gouverneur Traudenius aen president le Maire op 25 February 1643. (Fol. 652—655)

585. Copie-factura. (Fol. 656)

586. Memorie van de goederen, gescheept in de joncke van den chineesen coopman Peco. (Fol. 657)

587. Copie-daghregister van den veltoverste Johannes Lamotius op sijn voyagie naer Tamsuy ende Quelangh 13 September-10 October 1642. (Fol. 658—680)

588. Copie-missive van gouverneur Traudenius aen den oppercoopman Van Elseracq in dato 31 July 1642. (Fol. 681—682)

589. Copie-missive van gouverneur Traudenius aen den oppercoopman Nicolaes Blocq in Wingurla in dato 12 November 1642. (Fol. 683)

590. Register der papieren naer Batavia gesonden in dato 12 January 1642. (Fol. 684)

591. Cognossenmenten. (Fol. 685—686)

592. Copie-missive van gouverneur Traudenius naer Batavia in dato 26 December 1642. (Fol. 687—691)

593. Copie-resolutiën getrocken bij den gouverneur ende den raet des Casteels Zeelandia 15 December 1642-8 January 1643. (Fol. 692—696)

594. Copie-instructie voor den veltoverste Johannes Lamotius medegegeven op sijne voyagie naer Loncquiauw in dato 18 December 1642. (Fol. 697—699)

595. Copie-factura. (Fol. 700—702)

596. Copie-missive van le Maire naer Batavia in dato 26 February 1643. (Fol. 703)

597. Memorie van de goederen gescheept in een joncque voor Cambodja. (Fol. 704)

598. Transport door gouverneur Traudenius aen president le Maire gedaen op 25 February 1642. (Fol. 705—707)

599. Copie-instructie voor Brouchorst op sijne voyagie naer Toncquin. (Fol. 708—711)

600 Memorie der goederen van de vijf joncken bij d'onse in Tamsuy aengeslagen. (Fol. 712)

601. Articulen ende conditiën door den Veltoverste Johannes Lamotius met d'inwoonders op Iha Formosa beraempt (Fol. 713)

602. Factura en cognossement. (Fol 714—716)

603. Copie-missive van Traudenius naer Batavia in dato 6 November 1642. (Fol. 717—718)

604. Resolutie in dato 17 Februarie 1643 getrocken. (Fol. 719)

605. Copie-instructie voor Lamotius vertreckende over Toncquin ende Quinam naer Batavia. (Fol. 720—721)

606. Copie-missive van Traudenius aen den coninck van Toncquin in dato 15 December 1642. (Fol. 722—723)

607. Copie-missive van Traudenius aen gouverneur Gardenijs in dato 12 November 1642. (Fol. 724—726)

608. Copie-missive van Taudenius aen Brouchorst in Toncquin in dato January 1643. (Fol. 727)

609. Copie-memorie van de voopmanschappen geladen in de joncke van den chineesen coopman Jan Soetecouw. (Fol. 728)

610. Copie-missive van Lamotius aen Symon Cornelisz in de baye van St. Lourens gesonden in dato 29 September 1642 (Fol. 729)

611. Copie-eysch voor Nederlandt door president le Maire aen verscheyde chineese cooplwvden besteet. (Fol 730—731)

612. Copie-missive van le Maire naer Batavia in dato 26 February 1643 (Fol. 732—733)

613. Copie-missive van le Maire aen d'Anachodas Jocxin ende Noing in dato 1 Maert 1643. (Fol. 734)

614. Origineele missive van Traudenius ende sijnen raedt naer Batavia in dato 12 January 1643. (Fol. 735—736)

615. Cognossement en factura's. (Fol. 737—740)

616. Memorie van verscheijde abuysen in d'aengecomene facturen. (Fol. 741)

617. Copie-generaelen inventaris van 't veroverde binnen Trinidado. (Fol. 742—743)

618. Copie-catalogus van de boecken in 't veroverde fort Quelangh gevonden. (Fol. 744)

619. Factura en cognossement. (Fol. 745—746)

620. Copie-missive van Traudenius aen den grooten mandarijn Iquan in dato 15 October 1642. (Fol. 747—748)

621. Memorie van de provisie, ammonitie van oorlogh ende 't garnisoen in Quelangh. (Fol. 749—750)

622. Copie-missive van Traudenius aen gouverneur Gardenijs in dato 12 November 1642. (Fol. 751—753)

623. Copie-missive van Traudenius aen gouverneur van Twist in dato 12 November 1642. (Fol. 754—755.)

624. Copie-missive van Traudenius aen directeur Paulus Croocq in dato 12 November 1642. (Fol. 756—757)

625 Copie-missive van Traudenius aen directeur Wollebrant Geleynsz. in dato 12 November 1642. (Fol. 758)

626. Copie-missive van Traudenius aen den Nederlandtsen commandeur in Punte Gale op Ceylon in dato 12 November 1642. (Fol. 759)

627. Copie-missive van Traudenius aen den commandeur van de Nederlandtse vloot voor Goa in dato 12 November 1642. (Fol. 760)

628. Copie-missive van Traudenius aen Pieter van Regemortes in dato 12 November 1642. (Fol. 761—763)

629 Copie-missive van Traudenius aen Reynier van Tzum in dato 12 November 1642. (Fol 764—766)

630 Copie-factura's. (Fol. 767—772)

631. Copie-missive van Traudenius naer Batavia in dato 16 November 1642. (Fol 773—777)

632. Copie-memorie van goederen tegen d'aenstaende Zuydermousson A° 1643. voor 't comptoir Tayouan van Batavia geeyscht. (Fol. 778—780)

633. Memorie der goederen geladen in de joncque van den chineesen coopman Binckey. (Fol. 781)

634 Copie-missive van le Maire naer Batavia in dato 16 October 1642 (Fol. 782—783)

635 Memorie van de goederen geladen in de joncque van coompan Peco (Fol. 784)

636. Copie-missive van le Maire aen den mandarijn Icquaen in dato 1 Maert 1643. (Fol. 785—786)

637. Copie-missive van le Maire naer Batavia in dato 2 Maert 1643. (Fol. 787—788)

638. Copie-commissie voor Maximiliaan le Maire in dato 25 February 1643. (Fol. 789)

639. Copie-authorisatie als voren. (Fol. 790)

640. Copie-missive van den stierman Sijmen Cornelisz. uyt de bay St. Laurens aen Johannes Lamotius in dato 1 October 1642. (Fol. 791)

641. Memorie van 't geladene in de joncke van Jan Soetecouw (Fol. 792)

642. Copie-instructie door gouverneur Traudenius op sijn afscheyt nae Batavia aen president M. le Maire ter handt gesteldt. (Fol. 793

—797)

643. Attestatien. (Fol. 798—803)

644. Register van de attestatien. (Fol. 804)

645. Copie-notitie van 't gescheepte in de joncq van den chineesen coopman Sisica alias Jan Soetecouw, vertreckende naer Batavia (Fol. 811)

PERSI

(ongefolieerd)

646. Copie-missive van president Maximilaan le Maire ende verdere raedtspersoonen uyt het casteel Zeelandia in Tayouan aen den directeur Constant in dato 25 November 1643.

G.G.G. 1645 Boek I

TAYOUAN.

647. Copie-instructie voor den Capiteyn Pieter Boon. (Fol. 438—442)

648. Copie-missiven successive uyt Tamsuy aen gouverneur Francois Caron geschreven. (Fol. 443—446)

649. Copie-missive van capiteyn Boon uyt Tamsuy aen Caron in dato 12 October 1644. (Fol. 447—452)

650. Copie-instructie voor d'ondercoopluyden Antony Boey ende Thomas de Roucq uyt Tamsuy, 12 Oct. 1644. (Fol. 453—457)

651. Memorie van de erreuren in de Tayouanse negotieboecken gevonden. (Fol. 458)

652. Copie-reckeningh wegen 't gegastreerde aen den Compagnies-indigo- werff op Formosa. (Fol. 459—460)

653. Copie-memorie van 't project belangende de gastos in tegenstellinge der verhoopende avance des indigo's. (Fol. 461—462)

654. Copie-specificatie van 't canon hoedanich het in Zeelandias fortresse legt. (Fol. 463—464)

655. Copie-memorie van de dorpen ende opperhoofden gelegen in de provintie van Cabelan. (Fol. 455)

656. Memorie der uytstaende schulden. (Fol. 466)

657. Copie-resolutien des casteels Zeelandia van 29 Maert-11 Augustus 1644. (Fol. 467—476)

658. Copie-instructie voor capiteyn Boon ende sijnen raet, gaende na Pehouw ende Gilim tot Dempinge van de chineese roovers. (Ulmo July 1644) (Fol. 477—480)

659. Copie-instructie voor capiteyn Boon waernaer sich op de reyse naer ende sijn aenweesen in Tamsuy en Quelangh sal hebben te reguleren (9 April 1644) (Fol. 481—485)

660. Copie-instructio voor den opperstierman Symon Cornelisz. ende den raedt van de cruysende joncken voor Manilha. (14 April 1644) (Fol. 486—488)

661. Copie-instructie voor den vendrich Jacob Baers, subalterne hooft, midtsgaders den raedt in Quelangh. (9 April 1644) (Fol. 489—490)

662. Copie-missiven van den opperstierman Symon Cornelisz. van sijn geördineerde cruysplaetse voor Manilha aen le Maire. (10 &16 Mey 1644) (Fol. 491—498)

663. Copie-missiven door president le Maire successive naer Tams... geschreven. (9 April, 7 Juny 1644) (Fol. 496—504)

664. Copie-missiven uyt Tamsuy, Quelangh en Pimaba aen le Maire (Fol. 505—521)

665. Copie-missive van Reynier van Tzum uyt Siam aen le Maire. (6 July 1644) (Fol. 522—525)

666. Copie-missive van le Maire aen Johan van Elseracq in Japan in dato 21 July 1644 (Fol. 526—528)

667. Copie-memorie van de aenbesteede porceleynen. (Fol. 529—530)

668. Inventaris van de veroverde goederen met de joncke West-Vrieslandt. (Fol. 531)

669. Attestatie van eenige te cort comende goederen. (Fol. 532)

670. Inventarislijsten (4 stuks) van veroverde goederen. (Fol. 533—534)

G.G G. 1645 Boek II

671. Daghregister van de voyagie van Francis Caron, Raedt van India, van Batavia naer Tayouan 25 July-29 October 1644. (Fol. 140—141)

672. Journael van het notabelste, voorgevallen op de tochte om de Noort over Tamsuy ende Quelangh naer de bocht van Cabelan ende vandaer door de Lancamsche ende Quataongse quartieren naer Tayouan onder 't Commando van capiteyn Pieter Boon. (Fol 192—211)

673. Copie-resolutiën des casteels Zeelandia 11 Augustus-14 November 1644. (Fol. 211—255)

674. Copie-missive van Caron aen Gouverneur-generael Van Diemen in dato 25 October 1644. (Fol 256—280)

675. Deghregister des casteels Zeelandia 20 Maert-1 Augustus 1644. (Fol. 281—351)

676. Copie-missive van Van Elseracq aen gouverneur Caron, in dato 15 October 1644 (Fol. 352—354)

677. ontbreekt. (Fol. 426—427)

678. Memorie van 't gene jaerlycx uye de Formosanen te trecken ende wat daerjegens wederom door de predicanten etc. gegasteert wert. (Fol. 428)

679. Copie-missiven van François Caron aen Jan van Elserack in Japan in datis 17, 28 Augustus ende 3 September 1644. (Fol. 429—435)

TAYOUAN.

680. Transport van den Tayouansen ommeslagh gedaen door president le Maire aen gouverneur François Caron in dato 30 September 1644. (Fol. 624—629)

681. Copie-missive door d'overheyt van de verongeluckte Swane in Pehou geschreven aen gouverneur Caron in dato 1 November 1644. (Fol. 630)

682. Particuliere missive van le Maire aen Gouverneur-generael Van Diemen in dato 24 October 1644, met appendix van 9 November 1644. (Fol. 631—632)

683. Copie-factura. (Fol. 633)

684. Translaet-request der gevangene Quinangers. (Fol 634)

685. Copie-missive van François Caron aen Gouverneur-generael Van Diemen in dato 27 December 1644. (Fol. 635—643)

686. Copie-missive van gouverneur Caron aen Van Vliet in dato 29 November 1644. (Fol. 644—645)

687. Monsterrolle van het guarnisoen op Formosa in dato 24 December 1644. (Fol. 646—647)

688. Twee attestatien. Fol. 648—650)

689. Copie-missive van Caron aen 't hooft op Winguila in dato 29 November 1644. (Fol. 651—652)

690. Copie-missive van Caron aen den Ceylonschen president in dato 29 November 1644. (Fol. 653—654)

691. Factura. (Fol. 655—656)

692. Copie-missive van Caron aen den Coromandelsen gouverneur in dato 29 November 1644, met appendix in dato 14 December 1644. (Fol. 657—659)

693. Copie-missive van Caron aen den commandeur van Goa in dato 29 November 1644. (Fol 660—661)

694. Copie-missive van Caron aen directeur Weylant in dato 29 October 1644. (Fol. 662—663)

695. Copie-factura. (Fol. 664—665)

696. Copie-missive van Caron aen president Constant in dato 29 November 1644. (Fol. 666—667))

697. Copie-instructie voor den coopman Hanne Gramen naer Pehou. (Fol. 668—669)

698. Nieugegraemde ordre voor den schepenbanck der stede Zeelandia. (6 Dec. 1644) (Fol. 670—671)

699. Copie-ordre voor den predicant Simon van Breen, omme in de Noordelicke dorpen bij absentie van politicus sich te connen reguleeren. (7 Dec. 1644) (Fol. 672—673)

700. Instructive voor den politicus Antony Boey, naer de Zuw (13 Dec. 1644) (Fol. 674—677)

701. Reglementen over Compagnie's hospitael in Tayouan. (20 Dec. 1644) (Fol. 678—679)

702. Copie-missive van den oppercoopman Brouckhorst aen den Gouverneur-generael in dato 7 December 1644. (Fol. 680—682)

703. Copie-getranslateerden brieff van den Toncquinsen coninck aen den Gouverneur-generael, 1643. (Fol. 683—685)

704. Alsvoren in dato 27 July 1644. (Fol. 686)

705. Copie-missive van Caron aen den Toncquinsen coninck in dato 7 December 1644. (Fol. 687—688)

706. Appendix door Caron gevoecht tot d'instructie-Brouckhorst in Japan bij president Van Elseracq verleent. (Fol. 689—690)

707. Copie-missive van Caron aen den Gouverneur-generael in dato 17 November 1644. (Fol. 691—695)

708. Copie-factura. (Fol. 696)

709. Copie-reeckeninge van 't fluytschip den Dolphijn. (Fol. 697—698)

710. Copie-factura. (Fol. 699—701)

711. Ontbreekt. (Fol. 702)

712. Extract uyt de Tayouanse negotie-boecken. (Fol. 703—704)

713. Twee extracten uyt de negotie-boecken des casteels Zeelandia. (Fol. 705—707)

714. Copie-factura. (Fol. 708)

715. Appendix tot de missive van Caron aen den Gouverneur-generael in dato 7 January 1645. (vide fol. 635—643) (Fol. 709—710)

716. Monsterrole van Formosa's guarnisoen. (Fol. 711—713)

717. Memorie van Tayouan's winsten, incompsten ende oncosten anno 1645. (25 July 1645) (Fol. 714)

718. Memorie der veroverde goederen omtrent Manilha onder Commandeur De Fries. (Fol. 715)

719. Memorie der ververde goederen in Manilha's vaerwater onder 't gesach van den oppercoopman Hendric Steen. (Fol. 716—718)

720. Attestatien. (Fol. 719—734)

721. Copie-appoinctement van d'overheyt der schepen Zutphen en Schiedam. (Fol. 735)

722. Copie-vertoogh van den oppercoopman Bocatius Pontanus, wegens de procure des indigo's tegen 1646. (736—737)

723. Copie-instructie voor den oppercoopman Steen gaende ter reddinge der Tamsuyse saken in dato 1 September 1645. (Fol. 738—741)

724. Copie-ordre voor den substituut Joost van Bergen gaende over landt tot Tamsuy om de Noort. (Fol. 742)

725. Copie-ordre voor den opperstierman Relof Siveitsen om alle havenen, inhammen etc. van Tayouan, Noortwaerts tot Tamsuy te visiteeren. (5 July 1645) (Fol. 743)

726 Copie-ordre voor den sergeant Abraham van Aerssen om in Pimaba te resideeren. (5 July 1645) (Fol. 744—745)

727 Copie-instructie voor capiteyn Pieter Boon na Bottol en Pimaba. (18 April 1645) (Fol. 746—747)

728. Copie-instructie voor Philips Schillemans na de Zuyt van Formosa (21 Maert 1645) (Fol. 748—749)

729. Copie-missive van oppercoopman Steen uyt Manilha's vaerwater aen Caron in dato 12 Mey 1645. (Fol. 750—751)

730. Copie-missive van den oppercoopman Moerdycq aen Caron in dato 26 July 1645. (Fol. 752—754)

731. Copie-missive van J. Moerdyck aen Caron in dato 15 July 1645. (Fol. 755)

732. Copie-missive van Reynier van Tzum aen Caron in dato 20 July 1645. (Fol. 756)

733. Copie-missive van den commandeur de Vries in dato 6 Augustus 1645. (Fol. 757—758)

734. Translaet-missive van den prince van Tonckin aen Caron. (Fol. 759)

735. Translaet-missive van den Tonckinsen coninck aen Caron. (Fol. 760)

736. Copie-missive ende appendix van Anthony van Brouckhorst aen Caron in datis 8 Juny en 24 July 1645. (Fol. 761—763)

737. Copie-missive van d'ondercoopman Van Keyssel aen Caron in dato 26 April 1645. (Fol. 764—766)

738. Copie-missive van d'ondercoopman uyt Tamsuy aen Caron in dato 15 Mey 1645. (Fol. 767—769)

739. Alsvoren in datis 6, 28 Juny en 14 July 1645 (Fol. 770—778)

740. Copei van vijf missiven van den Tamsuysen raedt aen Caron (Fol. 779—783)

741. Copie van vier missiven uyt Tamsuy, resp. van Hendric Steen ende Nolpe. (Fol. 784—789)

742 Copie van drie missiven van Caron aen Jan van Keyssel en den Tamsuysen raedt. (Fol. 790—799)

743. Copie van vier missiven van Caron aen Henric Steen ende den Tamsuysen raedt. (Fol. 800—805)

744. Copie van drie missiven van Caron aen Pieter Anthonisz. Overtwater in Japan. (Fol. 806—816)

745. Copie-missive van Caron ende sijnen raedt aen den president ende raden des gouvernements van India in dato 28 October 1645. (Fol. 817—866)

746. Copie-factura. (Fol. 867—869)

747. Copie-resolutiën des casteels Zeelandia 20 Maert-16 November 1645. (Fol. 870—903)

G.G.G. 1645 Boek III.

TAYOUAN.

748. Origineele missive van gouverneur Caron ende sijnen raedt aen den Gouverneur-generael in dato 27 December 1644. (Fol. 10—23)

PERSIA.

749. Copie-missive van president Maximiliaen le Maire uyt Tayouan aen Constant in dato 25 November 1643. (Fol. 226—228)

H.H.H. 1646 Boek II (*vervolg*)

TAYOUAN.

750. Copie-missive van gouverneur François Caron aen Van Diemen in dato 15 February 1645. (Fol. 585—597)

751. Copie-missive van Caron aen Van Tzum in Siam in dato 14 January 1645. (Fol. 598—600)

752. Copie-factura's. (Fol. 601—602)

753. Memories van coopmanschappen ende generaelen eys·h voor Tayouan. (Fol. 603—615)

754 Copie-instructie voor den sergeant Michiel Jansz. nae Pimaba. (Fol. 616—618)

755. Instructie voor den oppercoopman Cornelis Caesar ende vor dere raden van de uytgesette crychsmacht na de noort van Formosa. (Fol. 619—623)

756. Copie-missive van Caron enz. aen Moerdyck in dato 7 Dec. 1645. (Fol. 624—625)

757. Ontbreekt. (Fol. 626)

758. Erreuren, aengewesen over de Tayouanse negotieboecken. (Fol. 627)

H.H.H. 1646 Boek III.

JAPAN.

759. Copie-missive van Pieter A Overtwater aen d'Heer Caron, gouverneur en den raedt in Tayouan in dato 16 October 1645. (Fol. 45—47)

760. Copie-missive van Overtwater naer Formosa in dato 1 Nov. 1645. (Fol. 50)

761. Copie-missive van president Van Elseracq aen gouverneur Caron in dato 15 October 1644 (Fol. 99—101)

762. Copie-missive van Overtwater aen den gouverneur en raed des Eylandts Formosa in dato 23 November 1644 (Fol. 121)

H.H.H. 1646 Boek III (*vervolg*)

763. Copie-missive van Reynier van Tzum aen President Maximiliaen le Maire nae Tayouan in dato 3 July 1644. (Fol. 175)

REIS: CAMBODJA-TAYOUAN.

764. Copie-daghregister van den vice-commandeur Simon Jacobsz. Domckens gehouden op sijn voyagie naer Cambodja ende Tayouan van 22 Maert-24 Augustus 1644. (Fol. 677—696)

765. Copie-resolutien van den vice-commandeur Domckens van 25 Maert-1 Augustus 1644. (Fol 697—717)

766 Copie-advys van den vice-commandeur Domckens (Fol 718—721)

H.H.H. 1646 Boek IV.

BATAVIA.

767. Verhael van Formosa, bijeengestelt door den oppercoopman Johan Verpoorten uyt d'advysen sedert 2 December 1644 1 December 1645, van daer in Batavia ontvangen. (1—51)

768. Cōpie-vervolgh van het daghregister des casteels Seelandia t'sedert ende expireerende 18 November 1645. (Fol. 655—765)

I.I.I. 1647 Boek I.

SIAM.

769. Copie-missive nae Tayouan in dato 26 Juny 1646 (Fol 423—489)

I.I.I. 1647 Boek II.

TAYOUAN.

770. Copie-rapport van 't gepasseerde op 't eylant Formosa 'tsedert 27 February 1646 tot 13 November daeraenvolgende door den gouverneur François Caron. (Fol. 52—103)

771 Copie-instructie geconsipiëert door François Caron ende overhandigt aen den president Overtwater ende de raedtsperzoonen des eylants Formosa, op 5 November 1646. (Fol. 104—146)

772. Copie-missive in dato 31 January 1646. (Fol. 147—170)

773. Copie-missive uyt Siam in dato 26 Jury 1646. (Fol. 171—173)

774. Copie-missive uyt Toncquin in dato 31 July 1646. (Fol. 174—181)

775. Copie-missive naer de vloot voor Manilha in dato 3 October 1646. (Fol. 182—186)

776. Transport, gedaen door den gouverneur François Caron aen den President Overtwater op 30 September 1646. (Fol. 187—192)

777. Copie-instructie voor den sergiant Gerrit Casman op 25 April 1646 naer de rivieren Tixam ende Sickangia en voor den coopman Gabriel Happart naer Tamsuy ende Quelangh op 22 April 1646 vertrocken. (Fol. 193—204)

778. Copie-missiven na Japan anno 1646. (Fol. 205—218)

779. Copie-missiven na Tamsuy 1646. (Fol. 219—224)

780. Copie-missiven uyt Tamsuy 1646. (Fol. 245—290)

781. Copie-dachregister des casteels Zeelandia van 27 February tot 10 November 1646. (Fol. 291—402)

782. Copie-resolutiën des casteels Zeelandia van 27 Maert tot 9 November 1646. (Fol. 403—450)

783. Copie-instructie voor den coopman Gabriël Happart als hooft over de militaire macht nae de noorde van Formosa vertrocken op 28 Mey 1646. (Fol. 451—453)

784. Origineele missive van de vloot voor Manilha in dato 9 Augustus 1646. (Fol. 454—469)

785. Copie van affgesonden missiven, ordres etc. door den commandeur der vloote voor Manilha van 21 Maert tot 1 Augustus 1646. (Fol. 470—497)

786. Copie-resolutiën, getrocken bij den commandeur en desselfs raede der vloote van 17 Maert tot 2 Augustus 1646. (Fol. 498—597)

787. Copie-instructie aen de hooffden onser crijchsmacht naer Tarrabouan verleent in dato 25 November 1645. (Fol. 598—608)

788. Copie-missive nae Suratte in dato 27 November 1645. (Fol. 609—610)

789. Copie-missive na Persia in dato 27 November 1645. (Fol. 611—613)

790. Copie-ampliatie, gevoecht tot de instructie aen den oppercoopman A. van Brouckhorst verleent in dato 26 November 1645. (Fol. 614—616)

791. Copie-instructie aen den commandeur Cornelis Caesar naer Manilha's vaerwater verleent in dato 31 January 1646. (Fol. 617—623)

792. Factura. (Fol. 624—626)

I.I.I. 1647 Boek II. (*vervolg*)

JAPAN.

793. Copie-missive nae Tayouan in dato 21 October 1646. (Fol. 649)

794. Origineele missive na Tayouan in dato 8 October 1646. (Fol. 657—661)

795. Copie-missive uyt Tayouan in dato 31 January 1646. (Fol. 682—686)

TAYOUAN.

796. Copie-missive in dato 3 December 1646. (Fol. 747—750)

K.K.K. 1648 Boek I.

SIAM.

797. Copie-missive uyt Tayouan in dato 29 November 1646. (Fol. 260)

TAYOUAN.

798. Monsterrolle in dato 1 January 1647. (Fol. 281)

799. Copie-missive in dato 26 November 1647. (Fol. 282—284)

800. Copie-attestaien wegens het bederven der bayen A° 1646 aengebracht. (Fol. 285—286)

801. Origineele missive aen den boeckhouder des guarnisoens te Batavia in dato 3 December 1646. (Fol 287)

802. Ampliatie tot d'instructie vor den oppercoopman A. van Brouckhorst gaerde naer Toncquin in dato 17 December 1646. (Fol. 288)

803. Factura's (Fol. 289—291)

804 Copie-missive aen d'opperhoofden der twee cruysende fluyten omtrent Cambodia in dato 29 November 1646. (Fol 292)

805. Copie-missiven na Siam, Calinculan, Wingurla, Persia, Suratte, Ceylon, Malacca en Choromandel, alle in dato 29 November 1646. (Fol 293—302)

806. Copie-missive in dato 3 December 1646. (Fol. 303—306)

807. Factura's. (Fol. 307—308)

808. Copie-missive in dato 23 January 1647. (Fol. 309—312)

809. Factura. (Fol 313)

810. Copie-missive in dato 18 January 1647. (Fol. 314—331)

811. Factura. (Fol. 332)

812. Generaele eysch voor 't jaer 1647. (Fol. 333—337)

813. Copie-missive in dato 18 February 1647. (Fol. 338)

814. Ordre voor den vendrich Richard Wils, op 22 December 1646 na Jackan vertrocken. (Fol. 339—340)

815. Ordre voor den corporael Hendrick Stalman, op 17 December 1646 na Lackmuy vertrocken. (Fol. 341)

816. Copie-missive na Toncquin in dato 23 January 1647. (Fol. 342)

817. Copie-instructie voor den opperstierman Roelof Sievertsz. nopende 't cruysen onder de chineese visschersjoncken, in dato 17 December 1647. (Fol. 343—344)

TAYOUAN.

818. Copie-missiven aen den commandeur Marten Gerritsen Fries in datis 7 Maert en 19 January 1647. (Fol. 345—346)

819. Lijste van de dorpen langhs de Tamsuyse riviere onder 's Compagnies gehoorsaemheyt staende. (Fol. 347)

820. Factura. (Fol. 348)

821. Copie-missiven in datis 7 Maert, 16 February en 23 January 1647. (Fol. 349—360)

822. Memorie van de outsten der dorpen welcke in de maent September 1646 op den landtsdagh tot Tamsuy zijn geweest. (Fol. 361)

823. Register der papieren aen den commandeur Marten Gerritsz. Fries gedirigeert. (Fol. 362)

824. Congnossement van 't gescheepte in 't jacht de Bruynvisch. (Fol, 363)

825. Attestatiën wegens te cort gecomen goederen. (Fol. 364—367)

826. Origineele missive aen den commandeur Marten Gerritsz. Fries in dato 3 October 1646. (Fol. 368—372)

827. Copie-missive in dato 24 September 1647. (Fol. 373—384)

828. Copie-instructien voor 't jacht Popkensburch en de fluyt den Os, 11 en 24 September 1647 naer Manilha vertrocken. (Fol. 385—389)

829. Cognossement en Factura. (Fol. 390—391)

830. Copie-missive aen den commandeur Marten Gerritsz. Fries in dato 7 Maert 1647. (Fol. 392)

831. Copie-acte van borgtocht wegens den vercoop der goederen van seecker Batavische joncke over Grissee herweaerts gecomen. (Fol. 393)

832. Copie-missiven uyt Japan in datis 12 en 17 October 1647. Fol. 394—396)

833. Factura. (Fol. 397)

834. Copie-missive in dato 11 November 1647. (Fol. 398—400)

835. Origineele missive in dato 21 October 1647, met appendix in dato 24 October 1647. (Fol. 401—408)

836. Attestatien wegens te cort gecomen goederen. (Fol. 409—410)

837. Copie-request door den oppercoopman Cornelis Caesar in rade van Formosa overgegeven. (Fol. 411)

838. Notitie van de besaayde landen op ende omtrent Saccam. (Fol. 412)

839. Copie-missive door den oppercoopman Philips Schillemans na

Batavia geschreven in dato 21 October 1647. (Fol. 413)

840. Factura's en cognossement. (Fol. 414—416)

841. Copie-missiven na Japan in datis 27 Juny, 15 en 28 Augustus 1647. (Fol. 417—422)

842. Copie-missiven nae Tamsuy t'sedert 6 February 1647 tot 25 Augustus daeraenvolgende. (Fol. 422—433)

843. Copie-missiven uyt Tamsuy 'tsedert 20 February 1647 tot 9 September daeraenvolgende. (Fol. 434—452)

844. Copie-instructie voor den oppercoopman Philipis Schillemans en den capiteyn Pieter Boon op 10 April 1647 naer Formosa's Zuydtcant vertrocken. (Fol. 453—458)

845. Copie-rapport van den oppercoopman Philipis Schillemans en den capiteyn Pieter Boon in dato 18 April 1647. (Fol. 459—461).

846. Copie-instructie voor den capiteyn Pieter Boon op 25 Augustus 1647 na Tamsuy en Quelangh vertrocken. (Fol. 462—464)

847. Copie-missiven aen de gevangenen in Quinam in dato 30 Maert 1647. (Fol. 465)

848. Copie-missive, door den oppercoopman A. van Brouckhorst na Tayouan geschreven in dato 4 Augustus 1647. (Fol. 466—468)

849. Translaet-missie van de gevangene Nederlanderen in Quinam
853. Fol. 488—492=Fol. 385—389

850. Copie-missive uyt Siam in dato 30 Juny 1647. (Fol. 471—472)

851. Copie-missive door den commandeur Marten Gerritsz, Fries na Tayouan geschreven desen jare 1647 (Fol. 473—483)

852. Copie-missiven aen den commandeur Marten Gerritsz. Fries in datis 10 en 24 September 1647. (Fol. 484—487)

853. (Fol. 488—492)=Fol. 385—389.

854 Monsterrolle van Formosa's guarnisoen. (Fol. 493)

855. Copie-missive in dato—18 January 1647. (Fol. 494—513)

856. Copie-resolutien t'sedert 25 February tot 9 November 1647 (Fol. 514—554)

857. Copie-daghregister t'sedert 14 Maert tot 11 November 1647. (Fol. 555—622)

858. Copie-missive in dato 24 September 1647. (Fol. 623—631)

JAPAN.

859. Copie-missive na Tayouan in dato 15 November 1647. (Fol. 633—634)

860. Origineele missive naer Tayouan in dato 12 October 1647. (Fol. 647)

K.K.K. 1648. Boek II. (*vervolg*)

VLOOT VOOR MANILHA.

861. Copie-missive na Tayouan in datò 2 Augustus 1647. (Fol. 465—470)

862. Copie-missive uyt Tayouan in dato 24 September 1647. (Fol. 471—472)

863. Copie-missive uyt Tayouan in dato 10 September 1647 ende instructie voor d'opperhoofden. (Fol. 488—491)

864. Copie-missive na Siam in dato 11 October 1647. (Fol. 492—493)

L.L.L. 1649. Boek I

SIAM

865. Copie-missive uyt Tayouan in dato 26 November 1647. (Fol. 358—359)

L.L.L. 1649 Boek II.

BATAVIA.

866. Copie-missive na Tayouan in dato 19 November 1648. (Fol. 95—97)

TAYOUAN.

867 Extract uyt de daghregisters des casteels Zeelandia, raeckende het eylant Lamey, sedert 9 October 1635 tot 27 February 1645.

868. Copie-kerckenraedtsmissive in dato 3 November 1648. (Fol. 248)

869. Copie-kerckenraedtsmissive aen de gedeputeerden over de Indise kercken uyt de classe van Amsterdam in dato 3 November 1648 (Fol. 249—255)

870. Copie-vertoogh eeniger dienstlijckheden streckende tot de verbetering van 't eylandt Formosa, ingestelt bij den president Pieter Anthonisz Overtwater. (Fol. 256—264)

871. Copie-beschrijvinge allér Formosaense bevreedigde dorpen in dato 11 Mey 1648. (Fol. 265—269)

872 Copie-daghregister sedert 25 February tot 2 November 1648. (Fol. 270—382)

873. Copie-missive in dato 21 November 1648. (Fol. 383—388)

874. Copie-missive aen den coninck van Toncquin in dato 29 November 1648. (Fol. 389—390)

875. Copie-bijvoechsel tot d'instructie van 't jonckjen Hoorn vertreckende over Toncquin naer Batavia in dato 9 January 1648. (Fol. 391)

876. Factura in dato 29 November 1648. (Fol. 392)

877. Copie-rapport wegens 't afbranden van 's Compagnie's paerdestal op Saccam. (Fol. 393—394)

878. Copie instructie voor den oppercoopman Philips Schillemans als opperhooft na Toncquin in dato 29 November 1647. (Fol. 395—397)

879. Factura in dato 9 January 1648 (Fol 398)

880. Copie-missive in dato 9 January 1648. (Fol. 399—404)

881. Copie-instructie voor de fluyten Hillegaersberch ende Sandijck sullende op de Cambodjase joncken cruyssen in dato 26 November 1647. (Fol. 405—408)

882. Copie-missive na Siam in dato 26 November 1647. (Fol 409—410

883. Factura's. (Fol. 411—413)

884. Copie-missiven na Persia, Suratte, Wingurla, Chormandel en Malacca in dato 21 November 1647. (Fol. 414—422)

885. Factura. (Fol. 423)

L.L.L. 1649 *Boek II.* *(vervolg)*

TAYOUAN.

886. Copie-instructie voor 't jacht de Waterhondt 15 November 1647 na Manilha vertrocken. (Fol. 424—425)

887. Cognossement. (Fol. 426)

888. Copie-missive aen den commandeur Marten Gerritsz Fries op de Manilhase cust in dato 15 November 1647. (Fol 427—428)

889. Copie-missive in dato 26 November 1647. (Fol. 429—434)

890. Factura. (Fol. 435)

891 Copie-daghregister sedert 11 November 1647 tot 9 January 1648 (Fol. 436—449)

892. Copie-attestatien van te cort als over bevonden goederen. (Fol 450—462)

893 Copie-instructie voor den capiteyn Thomas Pedel, 19 Augustus 1648 na Tamsuy ende Quelangh vertrocken. (Fol. 463—465)

894. Copie-instructién voor d'opperhoofden van 't jacht de Luypaerd en de fluyt Hillegaersberch, 5 en 13 October 1648 na Sangora om sich bij de vloot van den Commandeur Abel Jansz Tasman te vervoegen, vertrocken. (Fol. 466—472)

895. Copie-missive aen den commandeur Abel Jansz. Tasman in dato 8 October 1648. (Fol 473)

896. Copie-missive van den commandeur Abel Jansz. Tasman in dato Augustus 1648. (Fol. 474—476)

897. Copie-missiven aen de gevangen Nederlanders in Quinam geschreven mitsgaders becomen antwoort daerop (477—480)

898. Copie-missive nae Siam in dato 13 October 1648. (Fol. 481—482)

899. Copie-missive uyt Siam in dato 26 Juny 1648. (Fol. 483—485)

900. Copie-missive van d' oppercoopluyden Philips Schillemans en Anthony van Brouckhorst in dato 30 Juny 1648. (Fol. 486—488)

901. Copie missiven uyt Tamsuy sedert 3 February tot 9 September 1648. (Fol. 489—502)

902. Copie-missiven nae Tamsuy sedert 25 February tot 29 Augustus 1648. (Fol. 503—508)

903. Copie-missive na Japan in dato 24 Augustus 1648. (Fol. 509—511)

904. Factura. (Fol. 512)

905. Copie-resolutien sedert 20 Maert tot 17 November 1648. (Fol. 513—550)

906. Copie-missive in dato 2 November 1643. (Fol. 551—580)

907. Extract uyt de resolutie boecken des casteels Zeelandia, raeckende het eylandt Lamey, sedert 2 Juny 1636 tot 27 February 1645. (Fol. 581—627)

908. Copie verscheyde instructiën raeckende het eylandt Lamey. (Fol. 628—637)

909. Extract-daghregister in dato 11 April 1641 raeckende het houden van den eersten landtsdagh op Formosa. (Fol. 638—639)

910. Monsterrolle van het guarnisoen in de maent October 1648. (Fol. 640—641)

911. Beschrijvinge aller Formosaense dorpen onder 's Compagnie's gehoorsaemheyt staende in dato 24 Mey 1647. (Fol. 642—646)

M.M.M. 1650. Boek I.

BATAVIA.

912. Copie-schriftelijcke advysen nopende de verpachtinge eeniger dorpen op 't eylant Formosa gelegen. (Fol. 154—181)

JAPAN.

913. Copie-missiven na Tayouan in datis 19, 27, 28, 30, Nov. 8 December 1648. (Fol. 352—358)

TAYOUAN.

914. Copie-missiven nae Siam, 15 December 1648 en 4 January 1649. (Fol. 396—398)

915. Copie-missiven na Persia, Suratte, Chormandel en Malacca in datis 9 en 15 December 1648. (Fol. 399—406)

916. Differente instructiën in datis 9 en 15 December 1648. (Fol. 407—413)

917. Copie-missiven in datis 27—30 December 1648, 2 February 1649. (Fol. 414—424)

918 Copie-missiven uyt Japan in datis 27, 28, 30 November 1648 (Fol. 425—426)

919. Ontbreekt. (Fol. 427)

920. Copie-missiven in datis 24 November, 2 December 1648. (Fol 428—436)

921. Origineele missive in dato 27—30 December 1648. (Fol. 437—442)

922. Copie-missiven in dato 2 February 1649. (Fol. 443—449)

N.N.N. 1651. Boek I.

TONCKIN.

923. Copie-missiven naer Tayouan en Japan (Fol 430—440)

N.N.N. 1651. Boek I. (*vervolg*)

TAYOUAN.

924 Copie-missiven naer Japan in datis 21 July en 28 Augustus 1650 (Fol. 691—706)

925. Copie-attestatie van te cort gecomen goederen (Fol 707—711)

926. Translaet-missive door de twee opperste raetsheeren van Ca- bodja aen den gouverneur Nicolaes Verburch geschreven in dato 10 Mey 1650. (Fol. 712)

927. Copie-missiven naer Tamsuy sedert 16 February tot 17 October 1650. (Fol. 713—723)

928. Copie-missiven uyt Tamsuy sedert 20 maert tot 17 October 1650 (Fol. 724—746)

929. Copie-instructie voor den ondercoopman Simon Cacitecoe gaende naer Tamsuy ende Quelangh in dato 8 September 1650. (Fol 747—757)

930. Copie-missiven uyt Japan in datis 10 en 15 October 1650 (Fol 758—766)

931. Copie-missive, door den coopman Jacob Keyser uyt 't advys-jonckjen Schevelingh in dato 9 July 1650 geschreven (Fol 767—773)

932. Copie-missiven uyt Siam in dato 4 July 1650. (Fol. 774—780)

933. Lijste aller dorpen, huysen ende sielen staende onder 's Compagnie's gehoorsaemheyt op Formosa in dato 1 Mey 1650. (Fol 781—789)

934. Memorie an de dorpen over welcke de reyse van Tayouan naer Tamsuy over landt genomen wert (Fol. 790)

935. Specificatie van de vruchten der besayde landen op Saccam (Fol. 791—792)

936. Verclaringe van den coopman Wijnant Rutgers wegens de pen-

ningen. die door d'E. Heeren Bewinthebberen van den overleden oppercoopman Nicasius de Hooge in Nederlandt à deposito gehouden worden. (20 Oct. 1650) (Fol. 793)

937. Copie-advys van weesmeesteren des eylandts Formosa nopende het invorderen van der weeskinderen gelden. (Fol. 794—798)

938. Copie-resolutien 6 April- 20 October 1650. (Fol. 799—860)

939. Register van overgesonden papieren (Fol. 861—870)

940. Copie-missiven aen de Mandoryns Mausia, Sablachja en aen den Mandaryn op Lamoa in datis 12 Maert, 10 en 12 Mey en 19 July 1650 met de Antwoorden daerop. (Fol. 871—881)

941 Copie-missive naer Batavia in dato 31 October 1650. (Fol. 882—958)

942 Copie-daghregister 10 Maert 20 October 1650. (Fol. 959—1108)

943. Copie-interrogatoriën tot laste van den schipper Antheunis Willemsz. Rutgers in datis 2 en 9 November 1650. (Fol. 1109—1118)

N.N.N. 1651. Boek III

SIAM.

944 Copie-missive uyt Tayouan in dato 30 September 1649. (Fol. 601—605)

TAYOUAN.

945. Copie-missive uyt Japan in dato 13 November 1649. (Fol. 624—625)

946 Ontfreekt. (Fol 626—628)

947 Originele missive van den oppercoopman Philips Schillemans in dato 16 November 1649, vervolgd 9 December 1649. (Fol. 629—636)

948. Factura's in dato 13 December 1649. (Fol. 637—639)

949. Copie-missiven na Siam in datis 30 October en 14 December 1649, 10 January 1650. (Fol 640—646)

O.O.O. 1652. Boek I.

NOORDERQUARTIEREN.

950. Rapport van den E, Willem Verstegen wegens sijn besending na de Noorderquartieren bezonderlyck van Toncquin, Tayouan ende Quinam in dato 20 January 1652. (Fol. 71—126)

951. Copie-resolutien als voren 'tsedert 11 Mey tot 10 December 1651. (Fol. 127—200)

952. Copie-daghregister van als voren 't sedert 29 April tot 31 December 1651. (Fol. 201—386)

O.O.O. 1652. Boek I. (*vervolg*)

BATAVIA.

953. Copie-missive naer Tayouan in dato 18 October 1651. (Fol. 448—453)

TAYOUAN.

954. Copie-missiven in datis 15 November en 20 December 1650, 15 en 24 November 1651. (Fol. 513—561)

955. Copie-obligatie van den anachoda Hiecko in dato 14 November 1650. (Fol. 562)

956. Copie-missive naer Persia, Souratta, Choromandel en Malacca in dato 29 November 1650. (Fol. 563—576)

957. Copie-missive naer Batavia in dato 7 February 1651. (Fol. 577—579)

958. Copie-factura van 't gescheepte in 't flulytschip de Morgenstar naer Batavia. (Fol. 580)

959. Copie-factura van 't gescheepte in de fluyten Coninck David en Hillegaersberch (Fol. 581—582)

960. Copie-missiven naer Tamsuy en Quelangh in datis 9 en 19 September 1651. (Fol. 583—600)

961. Copie-missiven naer Japan in datis 16 July, 15 en 23 Augustus 1651. (Fol. 601—616)

962. Copie-instructie voor den sergeant Jacob Dusseldorp gaende als opperhooft na Pimaba in dato 6 Augustus 1651 (Fol. 617—622)

963. Copie-placcaet tegens het uytreycken van Chineese hooftbrieffkens door den predicant Daniel Gravius in dato 8 Mey 1651. (Fol 623—626)

964. Copie-missive van Siam in dato 6 July 1651 (Fol 627—630)

965. Copie-pas door den, gewesen Gouverneur-generael Cornelis van der Lijn aen den coninck van Johor verleent in, dato 5 July 1649. (Fol. 631—632)

966. Copie-daghregister des casteels Zeelandia 't sedert 19 February tot 16 Augustus 1651. (Fol. 633—728)

967. Copie-resolutièn 't sedert 4 April tot 2 Augustus 1651 (Fol 729—762)

968. Copie-missiven van Tamsuy en Quelangh 't sedert 25 February tot 8 September 1651. (Fol. 763—820)

969. Copie-missiven naer Batavia in datis 24 en 25 October en 21 November 1651. (Fol. 821—915)

970. Origineele missive van d'E. Nicolaes Verburch in dato 21 November 1651. (Fol. 916—920)

P.P.P. 1653 Boek III.

TAYOUAN.

971. Register. (Fol. 50)

972. Copie-missiven in datis 16 December 1651, 9 en 26 February 30 October, 15 en 24 November 1652. (Fol. 51—164)

973 Origineele particuliere missive van den gouverneur Nicolaes Verburch in dato 30 October 1652. (Fol 164a)

974. Specificatie van den particulieren handel door der oppercoopman

Frederick Coyett in den jare 1649 om de Noort gedreven. (Fol. 164b)

975. Copie-sententie ten laste van den provisioneelen oppercoopman Wijnandt Rutgers, Thomas Pedel ende coopman Pieter van Alphen. (Fol. 164c)

976. Copie-verhael van enqueste ten laste van den predicant Daniel Gravius raeckende het straffen van een out Formosaens inwoonder van Soulangh. (Fol. 164d)

Q.Q.Q. 1654 Boek I (*vervolg*)

TAYOUAN.

977. Copie-missiven in dato 24 October 1653. (Fol 564—597)

978. Copie-missiven in datis 29 December 1652, 24 en 31 October 17 en 25 November 1653. (Fol 763—817)

R.R.R. 1655 Boek I (*vervolg*)

979. Copie-instructie voor den oppercoopman Johannes Danckerts, waernaer hij hem in't stuck der regieringe van den politycken Nederlantsen staet in de Formosaense dorpen Soulangh, Sinckan, Backlovangh ende Tavocan sal hebben te reguleeren. (Fol. 929)

R.R.R. 1655 Boek III.

TAYOUAN.

980. Copie-missiven door den gouverneur Caesar en raedt aen haer E. geschreven 5 December 1653, 26 February, 19 November en 3 December 1654. (Fol 132—219)

981 Rapport van den gewesen gouverneur Nicolaes Verburch aengaende de gelegentheyt van Formosa. (Fol. 220—261)

982. Beschrijvingh van Tamsuy en Quelangh. (Fol. 262—269)

983. Ontbreekt. (Fol. 270)

984. Beschrijvinge van de gelegentheyt van China door den Jesuiet Martinus Martini. (Fol. 271—325)

985. Historisch verhael van de oorlogen der Chineesen tegen den Tardar, mede door denselven. (Fol. 326—359)

986. Daghregister van Formosa, zedert 9 February 1654 tot 6 November daeraen. (Fol. 360—529)

987. Beschrijvinge van 't getal der Formosaense dorpen. (Fol. 530—536)

988. Twee translaet-missiven door den groot-mandorijn Cocksinga aen den gouverneur Caesar, in dato 21 October ende ultimo February 1654. (Fol. 537—539)

989. Copie-missiven door den gouverneur Caesar aen den voornoemden Mandarijn, in dato 2 Mey en 27 Augustus 1654 (Fol 540—544)

990. Translaet-missive door Cocksinga aen den gouverneur Caesar geschreven. (Fol. 545)

991. Brieff aen den mandarijn Gampea door den gouverneur Gaesar op den 16 November 1655 (Fol. 546)

992. Translaet-missive door den jonghen coninck van Tonckin aen den gouverneur Caesar. (Fol. 547—548)

993. Translaet-missive door den Tonckinsen mandorijn Theh'ngon aen den voornoemden gouverneur (Fol. 549)

994. Copie-vertoogh van de voornaemste Chineesen in Tayouan over de onhebbelijckheden gepleeght door den tolck Pincqua aen den gouverneur Caesar. (Fol. 550—5552)

995. Requesten der Chineesen Sikoe en Tytingh (Fol 553—557)

996. Diverse copie-missiven door den gemelten gouverneur Caesar aen den coopman Thomas van Iperen gesonden. (Fol. 558—589)

997. Verscheyden coopie-missiven door den voornoemden Van Iperen aen den gouverneur Caesar geschreven (Fol 590—621)

998. Monsterrolle van Tamsuys en Quelangs guarnisoen (Fol 622—623)

999. Copie-missive door den E. Frederick Coyet aen den gemelten gouverneur in dato 12 November 1653. (Fol. 624)

1000. Copie-brieven door den E. Caesar aen den E Gabriel Happart in datis 18 July, 27 Augusty en 10 September 1654. (Fol 625—640)

1001. Copie-missiven door voornoemden gouverneur aen den directeur Sarcerius in dato 5 December 1653 (Fol. 641—642)

1002 Ditto aen den gouverneur Laurens Pit, in dato 5 December 1653. (Fol 643—646)

1003. Ditto door den selven aen den E. Jan van Elbinck op voors. dato geschreven. (Fol. 647—648)

1004. Ditto aen den directeur Pelgram, dato als boven. (Fol 649—650)

1005. Copie-ditto van de opperhooffden van 't verongeluckte jacht Uytrecht van Jesa Deprata aen den gouverneur voornoemt in dato 2C July 1654. (Fol. 651—656)

1006. Ditto van den voornoemden gouverneur aen gemelte opperhoofden in dato 28 July 1654. (Fol. 657—658)

1007. Copie-instructie tot Seyllas van Tayouan nae Jasa Deprata. (Fol. 659—660)

1008. Memorie voor den landdrost Frederick Schedel (Fol. 661—662)

1009. Copie-resolutiën getrocken bij den gemelten gouverneur ende raedt van Formosa 'tsedert 6 April 1654 tot 13 November desselven jaers. (Fol 663—723)

1010. Specificatie der besayde landen aen Saccam in anno 1654. (Fol. 724)

1011. Memorie van de te cort comende coopmansschappen van anno 1654 (Fol 725—728)

1012. Lijste der gequalificeerde persoonen onder de melitie op Formosa. (Fol. 729)

1013. Memorie der te cort gecomen goederen uyt het verongeluckte jacht Tayouan. (Fol. 730)

1014. Notitie der materialen en daghhuysen van de arbeyders aende nieuwe fortresse provintie besteedt. (Fol. 731)

1015 Lijste der gequalificeerde persoonen op Formosa. Memorie van d'ingecofte, overcofte coopmanschappen in den jare 1654 op Tayouan. (Fol. 732—734)

1016 Monsterrolle van de gesalveerde sielen van 't jacht Uytrecht, alsmede die overleden sijn op de reyse na Tayouan. (Fol. 735—736)

1017. Monsterrolle der militaire personen op Formosa bevonden den 26. November 1654 (Fol. 737—740)

JAPAN.

1018. Vier copie-missiven door d'E. Gabriel Happart aen den gouverneur Cornelis Caesar in datis 24 December, 1654, 12 Mey, 24 en 30 October 1654. (Fol. 777—786)

R.R.R. 1655. Boek IV.

PERSIA.

1019. Copie-missive van Tayouan in dato 5 December 1653. (Fol. 193—195)

S.S.S. 1656. Boek I.

CHORMANDEL.

1020. Copie-missive van Formosa in dato 8 December 1654. (Fol. 361—363)

S.S.S. 1656 Boek I. (*vervolg*)

SURATTE.

1021. Copie-missive van Formosa in dato 26 November 1655. (Fol.

793—794)

S.S.S. 1656. Boek I. (*vervolg*).

COROMANDEL.

1022. Copie-missive van Formosa in dato 26 Nov. 1655. (Fol. 684—688)

S.S.S. 1656. Boek III.

FORMOSA

1023. Copie-missiven in datis 14 en 24 Vov. 1655. (Fol. 284—353)

1024. Copie-Missiven naer Tamsuy en Quelangh in datis 19 Apr. 30 Mey, 6, 16 en 28 Aug. en 28 Sept 1655 (Fol 354—380)

1025. Copie-missiven van Tamsuy en Quelangh in datis 9 Feb., 15 Maert, 17 Mey, 30 Juny, 30 July, 7 Sept en 17 Oct. 1655. (Fol. 381—426)

1026. Eysch voor den jare 1656. (Fol. 427—434)

S.S.S. 1656. Boek III. (*vervolg*).

1027. Copie-instructie voor den coopman Elsevier, gaende als oppergezaghebber naer de Noordelijke forteressen in Tamsuy en Quelangh, in dato 15 April 1655. (Fol. 435—439)

1028. Copie-commissie voor den capitain Thomas Pedel, agende naer Tamsuy ende Quelangh, in dato als voren. (Fol. 440)

1029. Copie-instructie voor den oppercoopman Johannes van den Enden, waernaer hij sich sal hebben te reguleeren geduyrende sijn aenwesen in Pehou, in dato 22 July 1655 (Fol. 441—446)

1030. Copie-missiven naer Japan in datis 3 en 14 Aug. 1655. (Fol 447—459)

1031. Copie-missiven van Japan in datis 30 Dec. 1654 en 19 Oct. 1655 (Fol. 460—468)

1032. Copie-missive van d Ed Joan Boucheljon, uyt t jacht Angelier, in dato 31 Aug 1655. (Fol. 469—471)

1033. Copie-missive aen d' afgesanten aen de tartarische majesteit in Pekkin, in dato 17 Oct. 1655. (Fol. 472—475)

1034 Copie-aenclachten, gedaen door de inwoonderen van de Tamsuysche ende Pinnourouansche revieren over de extorsien door de tolcken Luycas Quilas en Tymon Breda hunlieden aengedaen. (Fol. 476—483)

1035. Copie-missiven van malakka in datis 24 Apr. en 8 July 1655. (Fol. 484—488)

1036. Copie-missive van Toncquin in dato 24 July 1655. (Fol. 489—495)

1037. Copie Toncquins daghregister, 't sedert 3 Aug. 1654 tot 24 July 1655. (Fol. 496—534)

1038. Copie-verclaringen van het jacht de Vleermuys, raeckende hun wedervaren in Gromingens bay, in dato 31 Aug. 1655. (Fol. 535—536)

1039. Copie-missie van Siam in dato 6 July 1655. (Fol. 537—538)

1040. Militaire rol. (Fol. 539—541)

1041. Beschrijvinghe der Formosaansche dorpen, huysen en sielen. (Fol. 542—548)

1042. Aenteeckeninghe van den jongst gehouden Oostelijcke Lantsdach in Pimaba, door den sergeant Jacob Dusseldorp in dato 15 Mey 1655. (Fol. 549—552)

1043 Specificatie der gesayde ende geplante vruchten. (Fol. 553)

1044. Translaet-missive van den Groot-mandarijn Coxcinja. (Fol. 554—555)

1045. Translaet-plakkaet van alsvoren. (Fol. 556—557)

1046. Translaet-missive van alsvoren aen den Chinesen tolck en andere cabessas in dato 21 Sept. 1655. (Fol. 558—559)

1047. Copie-missive aen den Groot mandorijn Cocxinja, dato 17 Oct. 1655 (Fol. 560—561)

S.S. 1656. Boek III. (*vervolg*).

1048. Translaet-pas van den Mandarijn van Kitsickhoy aen de vrinden van 't jacht Vleermuys (Fol. 562)

1049. Monsterrolle van alle officieren, soldaten ende matrosen jegenswoordigh beschcyden aen de redoubt Anthonis op Tamsuy ende fort Noord-Holland op Quelangh. (Fol 563—565)

1050. Copie-daghregister des casteels Zeelandia, sedert 27 Febr. 9 Nov 1655. (Fol. 566—778)

JAPAN.

1051. Originele missive naer Formosa in dato 19 Oct. 1655. (Fol. 779—783)

1052. Copie-missive naer Formosa, in dato 23 Oct. 1655. (Fol 784—786)

T.T. 1657. Boek I. (*vervolg*).

SURATTE

053. Copie-missive naer Formosa, in dato 29 April 1656. (Fol. 685—687)

COROMANDEL

054. Copie-missive Formosa, dato 8 Dec. 1656. (Fol. 1093—1048)

T.T. 1657. Boek II.

FORMOSA

055. Copie-missiven naer Malacca, Coromandel, Bengalen, Suratte, en

Persia, alle in dato 26 Nov. 1655. (Fol. 404—417)

1056. Copie-missive naer Batavia in dato 21 Dec. 1655. (Fol 418—428)

1057. Copie-acture van 't verscheepte in de jachten Vlielant ende Swarten Bul voor Persia en Gusaratta (Fol. 429)

1058. Copie-missive naer Siam, in dato 21 Dec. 1655. (Fol 430—432)

1059. Copie-factura van 't gescheepte in de jachten Angelier, Vlielant ende Swarten Bul voor Bengalen. (Fol. 433)

1060. Copie-factura van 't gescheepte in 't jacht Armuyden naer Coromandel. (Fol. 434—435)

T.T.T. 1657. Boek IV.

FORMOSA

Ingecomen missiven.

A Register der missiven

1061. Copie-missive in dato 20 Nov. met appendix van 30 Nov. 1656 (Fol. 1—76)

1062. Copie-resolutien 't sedert 11 Maert tot 10 Nov 1656 (Fol 77—157)

1063. Copie-daghregister 't sedert 1 Maert tot 21 Nov 1656. (Fol 158 305)

1064 Eysch voor den jare 1657. (Fol. 306—312)

1065. Factura naer Batavia versondene coopmanschappen (Fol 13)

1066 Copie-missiven naer Tamsuy en Quelangh in datis 6 April en 29 Aug. 1656. (Fol. 314—330)

1067. Copie-instructie voor den oppercoopman Joannes van den Eynden gaende voor opperhooft naer Tamsuy ende Quelangh in dato 8 April 1656 (Fol 331—347)

1068. Copie-commissie voor als voren in dato 8 April 1656. (Fol. 348)

1069. Copie-instructie voor den ondercoopman Pieter van Borselen, gaende naer Tamsuy ende Quelangh, in dato 29 Aug. 1656. (Fol. 349—360)

1070. Copie-commissie alsvoren in dato 29 Aug 1656 (Fol 361—362)

1071 Copie-rapport van den ondercoopman Pieter van Borselen in dato 11 Nov. 1656 (Fol. 363—365)

1072. Copie-missiven naer Japan in datis 8, 18, 31 July en 24 Aug. 1656. (Fol. 366—381)

1073. Copie-missiven van Japan in datis 21 en 26 Oct. 1656. (Fol. 382—391)

1174. Copie-missive van Canton in dato 4 Dec, 1655. (Fol 392—397)

1175. Copie-missiven aen de afgesanten naer Pekkyn, in datis 6 April en 4 Sept. 1656. (Fol. 398—403)

1176. Copie-missiven van den ondercoopman Hendrick Levrey uyt de gevanckenis in de Chinese stadt Kitsieoy, in datis 6 Januari, 8 Febr., en 11 Maert 1656. (Fol. 404—411)

1077. Copie-missive aen Hendrick Levrey in dato 18 Mey 1656. (Fol. 412—413)

1078. Copie-missive van Siam in dato 7 July 1656. (Fol. 414—418)

1079. Translae plakkaet van den groot mandorijn Cocxinja, in dato 27 Juny 1656. (Fol. 419—420)

1080. Translaet-pas van den Groot mandorijn Cocxinja, in dato 1 July 1656. (Fol. 421)

1081. Copie-rapport over 't opsoecken des goudts oorspronck omtrent Tarraboan, in dato 18 Januari 1646. (Fol. 422—427)

1082. Copie-daghregister tot opsoecken van de goudtgevende revier, 't sedert 19 Nov. 1645—15 Januari 1645. (Fol. 428—451)

1083. Copie-missive aen den mandorijn Gampea, in dato 10 Juny 1656. (Fol. 452—453)

1084. Beschrijvinghe der Formosaensche dorpen, huysen ende sielen in dato Maert 1656. (Fol. 454—457)

1085. Specificatie der besayde ende beplante landerijen in 1656. (Fol. 458)

1086. Notitie van de gebergde goederen uyt het verongeluckte jacht Maarsen. (Fol. 459—460)

1087. Gequaificeerde rol. (Fol. 461—464)

1088. Gequalificeerde militaire rol. (Fol. 465—466)

1089. Copie-missive naer Batavia, in dato 27 Dec. 1656. (Fol. 467—471)

1090. Copie-missiven van Tamsuy ende Quelangh, in datis 17 Feb., 1 Maert, 24 en 28 Apr., 9 Mey, 13 en 15 July, 29 Oct. 1656. (Fol. 472—500).

1091. Originele missive van den geretourneerden gouverneur Cornelis Caesar, in dato 31 Januari 1657. (Fol. 501—503)

1092. Verantwoordinghe van d Ed. Nicolaes Verburch tegen de beschuldiginge door d Heer Cornelis Caesar, in dato Januari 1657. (Fol. 504—519)

1093. Extract uyt het daghregister, gehouden door den coopman Gabriël Happart op sijne voyagie anno 1646 naer Tamsuy ende Quelangh. (Fol. 520—522)

1094. Copie-memorie voor de soldaten, vertreckende naer Tarraboan, in dato 17 Mey 1646. (Fol. 523—524)

T.T.T. 1657. Boek IV. (*vervolg*).

JAPAN.

Ingecomen missiven.

1095. Copie-missive uyt Canton naer Formosa in dato 4 Dec. 1655. (Fol. 652—656)

V.V.V. 1658. Boek III.

TAYOUAN.

1096. Copie-missiven naer Batavia in datis 10 Maert, 19 en 24 Nov. 1657. (Fol. 1—47)

1097. Copie-resolutien van 19 Maert tot 15 Oct. 1657. (Fol 48—126)

1098. Copie-daghregister van 10 Maert tot ultimo Oct. 1657. (Fol. 127—291)

1099. Copie van eenige bijlagen op vorenstaende missiven (Fol 292—300)

1100. Copie-rapport van daghregister van den coopman Hendrick Baron, wegen sijn verrichten in Canton. (Fol. 301—329)

1101. Copie-instructie voor den coopman Hendrick Baron, vertreckende wederom naer Canton, in dato 13 Nov. 1657. (Fol. 330—333)

1102. Copie-missive door Sr. Niclaes de Vooght aen den Gouverneur Frederick Coyet, in dato 7 Aug. 1657 (Fol. 334—337)

1103. Extract uyt het Kerckenboek van Tayouan, dato 5 Oct. 1657. Fol. 338—348)

1104. Eysch van Tayouan voor den jare 1658. (Fol. 349—357)

1105. Copie-resolutie bij den Formosaanschen kerkenraet, getrocken den 21 Nov. 1657. (Fol 358—363)

1106. Copie van eenige verdere bijlagen op vorenstaende missiven. (Fol. 364—538)

V.V.V. 1658. Boek III. (*vervolg*).

JAPAN.

1107. Copie-missive naer Tayouan in dato 11 Oct. 1657. (Fol. 586—591)

1108. Copie-missiven van Tayouan, etc. ontfangen. (Fol. 594—617)

SIAM.

1109. Copie-missiven van Tayouan, in dato 8 Dec. 1656. (Fol. 825—827)

1110. Copie van eenige bijlagen op vorenstaende missiven. (Fol. 828—834)

V.V.V. 1658. Boek IV.

SURATTE.

1111. Copie-missive van Tayouan. in dato 8 Dec. 1656. (Fol. 177—180)

PERSIEN.

1112. Copie-missive van Tayouan, in dato 8 Dec. 1656. (Fol. 324—326)

W.W.W. 1659. Boek II. (*vervolg*).

TAYOUAN.

1113. Copie-missiven naer Batavia in datis 8 Dec. 1657 en 2; 4 en 11 Maert 1650. (Fol. 476—492)

1114. Copie-resolutiën van primo November 1657 tot 26 Febr. 1658. (Fol. 493—550)

1115. Copie afgesondene brieven diverse Gewesten. (Fol. 551—566)

1116. Copie-aengecomen brieven van diverse Gewesten. (Fol. 567—593)

1117. Copie Tayouans daghregister van primo Nov. 1657 tot ultimo Febr. 1658. (Fol. 594—644)

1118. Copie-rapport van Nicolaes Loenius wegens sijn verrichten omtrent eenighe boosdadige geberghsinwoonderen, in dato 11 Febr. 1658. (Fol 645—648)

1119. Copie-rapport van Thomas Pedel en Thomas van Iperen nopende een tocht naer de vestingh Tamsuy, in dato 22 Febr. 1658. (Fol. 649—654)

1120. Copie van eenige bijlagen op vorenstaande missiven. (Fol. 655—679)

JAPAN.

1121. Copie-factura van 't geene uyt Japan naer Tayouan gesonden is in de maent October 1658. (Fol. 731—785)

X.X.X. 1660. Boek II.

TAYOUAN.

1122. Copie-missiven door den gouverneur Frederick Coyett en Raet naer Batavia geschreven in datis 26 Nov. en 5, 18 en 23 Dec. 1659 (Fol. 204—213)

Y.Y.Y. 1661. Boek I.

1123. Copie-missive door de gouverneur van Formosa, Frederick Coyett, aen den Groot mandorijn Cocxinja geschreven. dato 31 Oct. 1660. (Fol. 621—622)

Y.Y.Y. 1661. Boek II.

TAYOUAN.

1124. Missive (29 Januari 1660) door d Ed. Heer Gouverneur Frederick Coyett ende Raet aen haer Ed. tot Batavia geschreven. (Fol. 696)

1125. Dito, alsvoren, geschreven 10 Maert 1660. (Fol. 700)

2de gedeelte

TAYOUAN.

1226. Copie-missive door den gouverneur Coyett ende raet aen haer E.l. te Batavia geschreven, 11 April 1660 (Fol. 146)

1127. Dito, alsvoren geschreven, ultimo Nov, 1660. (Fol. 157)

1128. Copie-missive door den commandeur Joan van der Laen en den Ed. Hr Keyser aen haer Ed. tot Batavia geschreven op 13 Nov. 1660. (Fol. 153)

Z.Z.Z. 1662. Boek I.

(Papieren, met de fluyt de Epreeuv overgekomen.)

1129. Articulen van 't verdragh wegens 't overgeven van 't casteel Zeelandia op Tavouan. in dato 1 Febr. 1662 (Fol. 258—262)

1130. Translaet-contract uyt het Chinees door Coxinia aen den gouverneur Coyett en den Raedt van Formosa gesonden. (Fol. 263—264)

1131. Copie-missive door de gouverneur-generael en de Raden van Indien in dato den 21 Juny 1661 aen den gouverneur en de raedt van Formosa geschreven. (Fol 265—290)

1132. Originele missive van den gewesen gouverneur Coyett in dato 22 April 1662 aen de Heeren Seventiene geschreven. (Fol. 293—295)

Z.Z.Z. 1662 Boek I (*vervolg*).

Papieren van TAYOUAN.

1133. Register van de papieren door den gouverneur Coyett anno 1661 aen den gouverneur en de Raden van Indien gesonden (Fol. 317 318)

1134. Provisionelen eysch voor Formosaen 't geen uyt aenstaende tot het verrigten op de cust van China nodig wort geacht (Fol. 319—330)

1135. Vervolg der resolutien des casteels Zeelandia; sedert 11 Meert tot 31 July 1661. (Fol. 331—416)

1136. Resolutien van den gouverneur en den raedt van Formosa rakende Coxinia 's machinatièn tegen de Compagnie, van 10 Meert 1660 tot 14 Febr. 1661. (Fol. 417—475)

1137. Vervolgh van het daghregister des casteels Zeelandia, sedert primo Meert 1661 tot 20 Oct daeraenvolgende (Fol. 476—814)

1138. Copie-missive door den gouverneur en den raedt in Tayouan aen 't opperhooft in Quelangh geschreven, den 14 April 1661. (Fol. 815—821)

1139. Copie-missive als boven in dato 26 Sept. 1661. (Fol. 822—823)

1140. Copie-missive van 't opperhooft in Quelangh aen den gouverneur en den raedt in Tayouan, geschr. 14 May 1661. (Fol. 824)

1141. Copie-missive als boven in dato 5 Meert 1661. (Fol. 825—826)

1142. Copie-missive als boven in dato 18 Oct 1661. (Fol. 827—837)

1143. Copie-instructie voor den coopman David Harthouwer in dato 26 sept. 1661, vertrekkende als commissaris naer Tamsui en Quelangh. (Fol. 838—841)

1144. Copie-missive voor den bovengenoemden Harthouwer in dato 25 Sept 1661. (Fol. 842)

1145. Copie-memorie van de fluyt Immenhorn in dato 14 April 1661 op hare reyse naer Ima (Fol. 843)

1146. Copie missive van den adsistent Nicolaes van der Meulen in Talabiaman in dato 26 Febr. 1661 aen 't opperhooft in Quelangh geschreven (Fol. 844—846)

1147. Ordre of last aen de opperhoofden van de schepen Immenhorn, de Vinck en s-Gravelande, van de Noort gecomen in dato 20' Mey 1661. (Fol. 847—848)

1148. Copie-missive door den Ed. Herman Clenke aen de opperhoofden van Quelanngh geschreven in t jacht Hogelande drijvende voor Quelangh, den 3 Aug. 1661. (Fol. 849—850)

1149. Copie-missive van den gouverneur en den raedt in Tayouan geschreven aan het opperhooft in Japan, den 18 May 1661. (Fol. 851—852)

1150. Copie-missive door den Ed. Jacob Camo in 't schip den Dolphijn, leggende in de Piscadores aen 't bovengemede opperhooft, geschreven den lesten Aug. 1661. (Fol. 853—858)

1151. Copie-missive door den Ed. Herman Clenke aen den gouverneur en den raedt in Tayouan geschreven tot Sekisma den 20 Oct. 1661. (Fol 859—862)

1152. Copie-missive door d opperhoofden in Japan geschreven aen den gouverneur en den raedt in Tayouan, den 19 Oct 1661. (Fol. 863—868)

1153. Copie-missive door den gouverneur Coyett aen den Drossaert Jacobus Valentijn, naer Saccam geschreven, 7 May 1661. (Fol. 869)

1154 Missive als voren, 4 May 1661. (Fol. 870)

1155 „ „ „ , 10 „ „ (Fol. 871)

1156 „ „ „ , 1 „ „ (Fol. 872)

1157. „ „ „ , 2 Aug „ (Fol. 873—875)

1158. „ „ „ , 7 May „ (Fol. 876)

1159. Copie-missive van den Lantdrossaert Valentijn aen den gouverneur Coyett en den raedt in Tayouan geschreven in het leger van Coxinja op Bokkenburch, den 7 May 1661 (Fol. 877—378)

1160. Copie-missive als boven, geschreven op Sackam, 9 May 1661. (Fol. 879—800)

1161. Missive als boven in dato primo May 1661. (Fol. 881)

1162. „ „ „ „ „ ut supra. (Fol. 882)

1163. „ „ „ „ „ 6 May 1611. (Fol. 883)

1164. Verscheyden translaet-missiven door Coxinya aen den gouverneur Coyett geschreven, sub datis 1, 2, 3, 4 en 24 May, mitsgaders

29 Juny 1661. (Fol. 884—894)

1165. Translaet van zeker plakkaat van Coxinja tenderende dat de Oost-Indisz. Compagnie Tayouan hem zoude inruimen. (Fol 895)

1166. Copie-missive van den gouverneur Coyett, den 25 May 1661 naer Saccam aen Coxinja geszonden. (Fol. 896)

1167. Missive als boven in dato 19 May 1661. (Fol. 897)

1168. „ „ „ „ „ 2 „ 1661. (Fol. 898)

1169. „ „ „ „ „ 1 July 1661. (Fol 899—900)

1170. Copie-missive van Rebentok, capitein-majoor van Coxinja, aen den gouverneur en den raedt op Tayouan, uyt de stad Zeelandia geszonden den 28 Juny 1661. (Fol. 901)

1171. Copie-missive als boven in dato 25 Juny 1661 (Fol. 902—903)

1172. Copie-missive van den secretaris Constantijn Nobel uyt den naam van den gouverneur Coyett aen den bovenstaende Rebentok geszonden den 28 Juny 1661 (Fol. 904)

1173. Missive als boven in dato 27 Juny 1661. (Fol. 905)

1174. Translaet eens briefs door Coxinja aen den drossaert Valentijn, geszonden den 2 May 1661. (Fol 906)

1175. Copie-missive van den drossaert Valentijn aen Coxinja, geszonden den 2 May 1661. (Fol. 907)

1176. Missive als boven in dato 1 May 1661. (Fol. 908—909)

1177. Commissie voor de commissarissen Thomas van Iperen en den fiscael Leonard de Leonardis, gedateerd 3 May, om met Coxinja te spreken. (Fol. 910—911)

1178. Mondeling verhael door de bovenstaende commissarissen van Iperen ende Leonardus, rakende haer verrichten bij Coxinja ten zelfden daghe gedaen. (Fol. 912—919)

1179. Copie-translaet-missive door den vice-roy Tsinlamongh uyt de stadt Hoeksieuw aen den gouverneur Coyett geszonden in dato hunner stijl den 4 dagh der 9 de mane. (Fol.920)

1180. Translaet-copie door den tweeden gebieder van de provincie Ockien aen den gemelten gouverneur geszonden den 4 dagh der 9de mane (Fol. 921)

1181. Translaet-copie door den Tartarschen gouverneur Ingling aen den Ed. Harthouwer geszonden. (Fol. 922)

1182. Translaet als Fol. 922. (Fol. 923)

1183. Copie-missive door den gedestineerden gouverneur Klencke den lesten July uyt het jacht Hoogelande ter reede voor Tayouan aen den gouverneur en den raedt aldaer geschreven. (Fol 924—925)

1184. Copie-missive als boven aen Coxinja geschreven (Fol 926—927)

1185. Copie-missive door Jan van Rijk opperhoofd in Siam, aen den gouverneur Coyett geschreven den lesten Juny 1661. (Fol. 928—

931)

1186. Lijste der gequalificeerde personen op Tayouan. (Fol. 932—933)

1187. Lijste der gequalificeerde militairen op Tayouan. (Fol. 934)

1188. Daghregister, gehouden bij den coopman David Harthouwer op sijne reyse als commissaris van Tayouan naer Quelangh ende Tamsuy, sedert den 28 Sept. 1661 tot den Nov. daeraenvolgende. (Fol. 935—975)

1189. Instructie voor den commandeur Jacob Cauw op sijne reyse van Tayouan naer China gedateerd 3 Dec. 1661. (Fol. 976—980)

1190. Instructie aen den coopman Constantijn Nobel, gaende van Tayouan naer China in dato 3 Dec. 1661. (Fol. 981—983)

1191. Copie-missive van den gouverneur en den raedt in Tayouan aen den vice-roy van de Tartarische provincie Hocksieuw, in dato 3 Dec. 1661. (Fol. 984—987)

1192. Copie-missive als boven aen den heer Tavsingh, gebieder over het landschap Hockin, den 9 Dec 1661. (Fol. 988—989)

1193. Copie-missive als boven aen den heer Tia, gebieder van de stadt Ingeling, in dato 3 Dec. 1661. (Fol. 990)

1194. Copie-resolutien, genomen bij den aengestelden gouverneur Clenke ende scheepsofficieren op t jacht Hogelande leggende op de reede van Tayouan, Aug, 1661. (Fol. 1032—1038)

Z.Z.Z. 1662 Boek II.

JAPAN.

1195. Geruchten van Coxinja 's aenslag op Formosa (zie missive Indijck te Nagasaki aen gouverneur en raden te Batavia van 1 Januarie 1661 fol 369).

1196. Tijdingh, dat Coxinja met den Tartaer bevredight was ende naer Formosa niet en soude trecken (missive als boven, fol. 400).

TAYOUAN.

1197. 10 Dec. 1660, Missive door de gouverneur Coyett aen haer Ed. geschreven (Fol 166)

1198. 25 Febr 1661 Missive van en aen als voren. (Fol. 167)

1199. 14 Maert 1661 Missive van en aen als voren. (Fol. 178)

1200. 22 Nov. 1661. Missive door de commandeur Jacob Cau aen haer Ed. geszonden. (Fol. 878)

Z.Z.Z. 1662 Boek III.

BATAVIA.

1201. Daghregister gehouden bij den verkoren Tayouans gouverneur Mr. Herman Klencke van Odessen in het jacht Hogelande, van 22 Juny tot 20 Aug, 1661, met dies bijlagen. (Fol. 11—40)

1202. Daghregister, gehouden bij den schipper Andries Pietersz in het jacht 's Gravelande op Tayouan's reede leggende, van 30 April tot 5 July 1661, met dies bijlagen. (Fol. 41—56)

.1203. Daghregister, gehoulden op t jacht ter Goes, vertreckende uit Tayouan in compagnie met t jacht den Dolphin naer Batavia, van 26 Febr. tot 2 Dec. 1661. (Fol 69—156)

A.A.A.A. 1663 Boek I.

BATAVIA.

1204. Originele missive van den gewezen gouverneur Frederick Covet aen de heeren Seventiene geschreven 25 Dec. 1662 (Fol 474)

1205. Originele missive an den gewesen tweede persoon op Tayouan, J. ~~Jetiens van~~ Waveren aen de Heeren Seventiene geschreven, den 22 Dec. 1662. (Fol 475—476)

TAYOUAN.

1206. Copie Tayouansche resolutien en daghregisters, beginnende primo Aug 1661 ot eyndigende 14 Febr. 1662, het daghregister beginnende 20 Oct 1661 en eyndigende 6 Febr 1662 (Fol. 519—798)

1207. Copie-verhael, gehouden bij den secretais Pieter Marville, ten huyse van den gewesen gouverneur Frederick Coyett, omme de resolutie bij hem ende sijnen raedt in Tayouan genomen, en ongeteekent avergebracht, to teekenen (Fol 799—847)

1208. Copie-daghregister, gehouden bij Philips Mey, van het gepasseerde in het geweldig overvallen van Coxinja op Formosa, en geduyrende de belegering aldaer beginnende 30 April 1661 en eyndigende 4 Febr. 1662 (Fol 848—914)

1209. Copie-daghregister van de gelegentheyt als boven, gehouden bij den politieck Hendrick Noorden. (Fol. 915—950)

A.A.A.A. 1663 Boek I (*vervolg*)

Brieven en papieren met de twee schepen van de laeste besendingen, met namen Nieuwpoort ende het Roode Hert overgenomen.

1210. Ouverture, gedaen bij den secretaris Marville aen de gecommitterdens uyt den raet van justitie den 18 Jan 1663. raeckende de boecken, papieren ende gescriften van den gewesen gouverneur Frederick Coyett.
(Papieren ende brieven over Engelant ontfangen) (Fol. 1609—1619)

A.A.A.A. 1663 Boek II.

TAYOUAN.

1211. Daghregister, gehouden bij den commandeur Cauw, beginnende 5 July 1661 en eyndigende 3 Febr. 1662.

B.B.B.B. 1664 Boek II.

CHINA

1212. Daghregister van t voorgevallen in de tweede uytgeruste vlote

naer China en Formosa sedert 1 July tot 27 Oct. 1663. (Fol. 2343)

1213. Daughregister van t voorgevallene op de vlote naer de custe van China uytgeset, sedert 27 Oct. tot 3 Dec. 1663. (Fol. 2546)

D.D.D.D. 1666 Boek II.

CHINA

1214. Notitie van tgene eenige Chineesche boeren wegens de constitutie van Formosa ver claert hebben. (Fol. 9)

KAMER AMSTERDAM DER O. I. C.

(Losse stukken).

1215. Copie-missive van Cornelis Reyiersz. "ter reede in de Pescadores" aan den gouverneur generael Pieter de Carpentier. 27 Sept. 1623. (4464—T—19)

1126. Translaat Spaansche memorie over de schade, die de handel der Chineezen op Manilla ondervindt "van dre Hollanders op Formosa en andere roovers." 1623 (11)

1217. "Courssen, droochten, bayen ende inhammen van de cust des eylandts Formosa." Met afbeerdingen. 1625. (12)

1218 Verhaar van de tocht "gedaen uyt Tayouan ondr het beleyt van den commandeur Claes Bruyn op t Lamey ofte t Goude Leeuws Eylandt" 1633. (4464-U-22)

1219 "Corte beschrijvinge van t Goude Leeuws Eylant." 1633. (23)

KOLONIALE AANWINSTEN 1885.

Stukken van Salomon Sweers, Jeremias van Vliet en Jaques Specx

I. Oost-Indische **brieven, extracten en acten, sedert 1621 tot ann 1674.**

1220. Copie-translaat van Chineesche stukken, afkomstig van commandeur Cornelis Reyersz. van 1622 (Copie begin 18de eeuw). (Fol. 2—5)

1221. Copie-resolutie, gearresteerd door gouverneur Hans Putmans en den Raad, vergaderd in het jach Catwijck in de rivier Chincheo, 17 Dec. 1631. (Fol. 6)

1222. Missive van Hans Putmans aan den directeur-generael Antonio van Diemen, geschreven ter reede van Amoy in de rivier Chincheo, 22 Febr. 1631. (Fol. 32—35)

1223. Copie-missiven van Cornelis van Neyenrode te Firando aan H. Putmans, 15 en 21 Maert 1631. (In Tayouan ontvangen 4 en 29 April 1631. (Fol. 42—47)

1224. Missive van Hans Putmans aan den gouverneur-generael Specx, geschreven ten reede onder het eylandt Lissuw. 3 Januari 1632. (Fol. 79—80)

1225. Copie-missive van Jan van der Burch, gouverneur van Tayouan, aan den opperkoopman Jan Dirksz. van Galen. 20 Dec. 1636.

(Fol. 133—136)

1226. Missive van Jan van der Burch aan Jeremias van Vliet, koopman in Siam te Judia, 20 Dec 1636 (Fol. 137—147)

1227. Extract uit de missive van Jan van der Burch aan den Gouverneur-generael en Raden van Indie. 15 Januari 1637 (Fol. 148—149)

1228. Copie-missive van Jan van der Burch, gouverneur in Tayouan, aan de opperkoopman Jan Dirxz. van Galen 23 Dec. 1637 (Fol 179—182)

1229. Missive van J. van der Burch aan Jeremias van Vliet, opperhoofd in Siam, 24 Dec. 1637. (Fol 183—186)

1230. Extract uit het resolutie-boek van het comptoir in Tayouan, 25 Nov. 1638. (Fol. 191—194)

1231. Missive van J. van der Burch in Tayouan aan den opperkoopman Hendrick Nachtegaal, opperhoofd in Siam, 23 Dec 1638 (Fol. 200—203)

1232. Copie-missive van J. van der Burch in Tayouan aan den opperkooman Johannes van der Hagen in Cambodja, 3 Januari 1640. (Fol. 233—236)

1233. Missive van J. van der Burch, gouverneur in Tayouan, aan Jeremias van Vliet, opperkoopman in Siam, 24 Januari 1640. (Fol. 237—242)

1234. Extract uit de missive van gouverneur Paulus Traudenius aan den gouverneur-generael, 5 Nov. 1640 (Fol. 265—266)

2. Oost-Indische brieven, extracten en acten, sedert 1641—1673.

1235. Copie-missive van gouverneur Paulus Traudenius en Raden in Tayouan aan Pieter van Regenmortel, opperkoopman in Cambodja, 14 Januari 1641. (Fol. 1—3)

1236. Missive van gouverneur Paulus Traudenius en Raden in Tayouan aan den opperkoopman Jeremias van Vliet, 28 Januari 1641 (Fol. 4—7)

1237. Missive van gouverneur Paulus Traudenius en Raden in Tayouan aan den opperkoopman Jeremias van Vliet, 17 Febr 1641 (Fol. 8—9)

4. Oost-Indische brieven, extracten en acten, sedert 1623—1655.

1238. Copie van het "Kort Verhaal van hetgeen door de schepen den Beer, Orangie en Erasmus op hun tocht langs de Kust van China is verricht, geteekend door Isaac van de Werke, 10 Maart 1642. (Fol. 15—16)

1239. Copie-memorie van gouverneur Hans Putmans en den Raad van de jachten Catwijck, der Goes, Grootenbrook, Zeeburch en As sendelft, delft, gedestineerd naer Tayouan en de Kusten van China. gegeven te Batavia 26 Juny 1632 (Fol. 40—48)

1240. Copie-instructie voor Hans Putmans, gouverneur en directeur van Compagnieszaken op de kust van China en den Raad, zoowel

in Tayouan als op de vloot, gedestineerd naer genoemde kust 1 Juny 1633. (Fol. 59—72)

1241 Copie-instructie voor den schipper-commandeur Mathijs Henricxz Quast en den Raad van de schepen Raiop, Noordwijck, Bommel en Warmond, gedestineerd te zeylen van Batavia naer Siam, Tayouan en Japan, gegeven te Batavia, May 1636 (Fol. 116—119)

1242. Copie-instructie voor de opperhoofden op het pacht Waterloose Werve, zeilend van Tayouan naer Siam, gegeven in Tayouan door J. van der Burch, 23 Dec. 1638. (Fol. 144)

7. TAYOUANS dagregister; J. van Vliet, SIAM, handelinge met persia en in Souratte, sedert 1632—1652.

1243. Extract uit het dagregister ven het comptoir Tayouan, 27 Maart 1639-24 Januari 1640 (Fol 25—51)

1244 Extract uit het dagregister van het comptoir Tayouan, beginnend sedert het vertrek van het schip "Waterloose Werve" naer Siam, 29 Januari 1640-25 Januari 1641 (Fol. 52—68)

STUKKEN VAN FRANÇOIS MANNIS

9. BRIEVEN en INSTRUCTIEN.

1245. Copie-missive van den gouverneur-generaal en de Raden van INDIE aan Hans Putmans, gouverneur van Tayouan, 13 Mey 1636. (Fol. 23—28)

1246. Copie-missive van den gouverneur-generaal en de Raden van Indie aan president en raden van Formosa (Tayouan). 10 Mei 1649 (Fol 29—38)

1247 Copie-missiven van den gouverneur-generaal en de Raden van Indie aan president en raden van Formosa. -4 Juli 1648 en 3 Aug. 1648 (Fol. 49—62)

1248 Copie-missive van den gouven-generaal en de Raden van Indie aan president en raden van Formosa. 9 Juni 1648. (Fol. 63—70)

1249 Copie-instructie en sein brief voor den commandeur Meerten de Fries en den raad der schepen Meerman en Hillegaersberch, zeilend naer Tayouan, gegeven te Nangasaki 16 Oct. 1645. (Fol. 167—176)

1250. Copie-instructie voor den opperkoopman Cornelis Caesaer en den raad der schepen Henriette en Leeuwerick, zeilende naar Tayouan, gegeven te Nangasaki, 25 Oct. 1645-1 Nov.

1251. Copie-instructie voor den opperkoopman Anthonie van Brouckhorst, vertrekkend met de schepen de Zwarte Beer en de Gulden Gans, over Tayouan naar Tonkin, gegeven te Nangasaki, 7 Nov. 1645.

KOLONIALE AANWINSTEN 1899.

1252. Vervolg dagregister van het comptoir Tayouan. 1643 (*moderne copie, origineel in Karlsruhe, Duitschland*) (blz. 73)

昭和十三年十二月十日印刷
昭和十三年十二月二十日發行

史學科研究年報（第五輯）

編輯兼發行者　臺北帝國大學文政學部

印刷者　東京市蒲田區仲六鄉一丁目五番地
株式會社三省堂蒲田工場
代表者　喜多見　昇

發賣所　臺北市明石町二丁目六番地
東都書籍株式會社臺北支店
電話臺北四一二六番
振替口座臺灣五七九八番